Николай ЛЕОНОВ

Алексей МАКЕЕВ

ЗАПРЕДЕЛЬНОЕ УДОВОЛЬСТВИЕ

Москва

2015

УДК 821.161.1-312.4
ББК 84(2Рос=Рус)6-44
Л47

Оформление серии *Г. Саукова, В. Щербакова*

Серия основана в 1993 году

Иллюстрация на суперобложке художника *В. Петелина*

Леонов, Николай Иванович.

Л47   Запредельное удовольствие/ Николай Леонов, Алексей Макеев. — Москва : Издательство «Э», 2015. — 384 с. — (Черная кошка).

ISBN 978-5-699-83187-6

Бесследно исчез бизнесмен Роман Любимов. Говорят, он улетел в отпуск в Доминикану. Но уже вышли все сроки, а он так и не появился на работе. Отыскать пропавшего бизнесмена поручено знаменитым сыщикам Льву Гурову и Станиславу Крячко. Спустя некоторое время поступила информация от судмедэксперта: в морг привезли труп замерзшего бомжа. Однако, несмотря на рваную одежду, труп источал запах дорого парфюма. Но самое странное — организм был крайне истощен, как будто мужчину держали в плену без еды и питья, а некогда ухоженное тело было покрыто следами пыток. Сомнения, что это и есть пропавший Любимов, быстро развеялись, но загадок от этого не убавилось. Оказалось, что незадолго до исчезновения Роман воспользовался модным сервисом для VIP-персон «Экстремальный отдых». Стас Крячко пошел по следам умершего бизнесмена и угодил в такой экстрим, что ему пришлось всерьез распрощаться с жизнью...

УДК 821.161.1-312.4
ББК 84(2Рос=Рус)6-44

ISBN 978-5-699-83187-6

Запредельное
удовольствие

РОМАН

Глава 1

Память — это медная доска, покрытая буквами, которые время незаметно сглаживает, если порой не возобновлять их резцом. Ну, это афоризм, конечно. Красивые слова. А на самом деле память — удивительное свойство. Пряча где-то в самых потайных уголках души разные вещицы, о которых разум и думать забыл, она вдруг, словно подточенная резцом подсознания, в самый неожиданный момент достает их, разворачивает обертку и выкладывает перед тобой как есть — дескать, держи, это твое. Это было, хочешь ты того или нет, и это по-прежнему с тобой.

Бывает, что ты радуешься этим воспоминаниям — надо же, оказывается, это было, а я и думать перестал! Бывает и наоборот: какой-то неприятный факт, который ты изо всех сил пытался забыть, втиснуть подальше в глубины подсознания, вдруг всплывает так явственно, что становится очевидно: это тоже было и есть с тобой по-прежнему и никуда тебе от этого не деться.

Вот и у сыщиков Льва Гурова и Станислава Крячко на почве скуки разыгрались воспоминания.

Дело было в конце февраля, когда вроде бы до весны остались считаные дни, а может быть, и часы — смотря кто какими категориями привык мерить время. Но эти часы еще нужно было прожить. А пока за окном висел сизый сумрак, стояли последние морозы, ветер бушевал с такой силой, словно зима напоследок выплескивала всю ярость от неизбежности своего ухода, клубилась по земле поземка, хлопали ветви деревьев, и солнце, еще вчера светившее обманчиво ярко, предвещая скорый март, сегодня спряталось от греха подальше и не высовывалось из-за сурово нависших неприветливых туч.

Но в кабинете, занимаемом Гуровым и Крячко, было тепло и уютно. Станислав Крячко, всю зиму жаловавшийся на холод, притащил наконец позаимствованный у тестя обогреватель и теперь, не жалея ни его, ни казенного электричества, врубал его ежедневно и, придвинув к своему столу, блаженствовал, откинувшись в кресле и вытянув к теплу ноги.

Этот период совпал с периодом затишья в делах: серьезные преступления были раскрыты, материалы подшиты, доведены до ума и переданы в суд, новых убийств и грабежей, «достойных» уровня двух полковников, оперов-«важняков», слава богу, не случилось, и сыщики могли позволить себе расслабиться и просто поболтать друг с другом.

— А помнишь, как мы на речку поехали отдыхать с женами, а они заблудились? — развалившись в кресле, вспоминал Станислав. — Шибко ты тогда перепугался!

— А ты будто не перепугался? Бегал и ныл, что «дикие звери-убийцы» загрызут, или в капкан попадут, или лесник их пристрелит! — улыбнулся Гуров.

— Да не такое в голову взбредет, когда жена пропала...

— А сам жалуешься постоянно: достала, запилила, уеду на дачу, в отделе жить буду, диван в кабинете поставлю! — посмеиваясь, напомнил Лев.— «А они там пусть как хотят выкручиваются!»

— Так это ж совсем другое! — не смутился Крячко. — Я же знаю, что она, Наташка моя, жива и здорова. Ей, кстати, на пользу пойдет на время одной покуковать и подумать! А то замучила совсем: «Вечно ты на работе, дома тебя не бывает!» А стоит пораньше прийти — начинается: «То не купил, это не принес, про это забыл!» Ну и как тут домой торопиться? Чего я там не слышал? Вот на днях решил ее порадовать, нарочно пораньше с работы срулил, заранее предупредил, прихожу — надутая стоит! Говорю — чего такое? А она мне: «Мы должны были к родителям в гости идти, а ты опоздал!» Оказывается, я должен был прийти в пять, а пришел в полвосьмого. Хотя я специально на рынок заехал, чтобы свечи новые для мотора купить.

— Два часа свечи покупал? — удивился Лев.

— Ну, заболтался немного с мужиками... — признался Станислав. — Что такого? Она с тещей вон по телефону тоже часами треплется, пока та все болячки не перечислит! И еще в гости к ним идти, по новой языками чесать! Тьфу!

— Да уж, пришел, называется, пораньше домой! Надо было ей хотя бы цветов купить, тогда бы она поняла. А ты — свечи!

— Цветы на авторынке не продают! — буркнул Крячко. — И вообще это пустая трата денег. Она бы меня потом за это запилила — мол, тратишь на всякую ерунду, лучше бы сумку новую мне купил.

— Ну и купил бы сумку!

— А она потом скажет — не такую купил! Я ж говорю, это характер такой, что ни сделай — все не так! — обреченно махнул рукой Стас.

Вообще-то Крячко, несмотря на то что периодически жаловался на жену и взрослых уже детей, слыл примерным семьянином. Брак его считался (и был в действительности) одним из самых крепких среди сотрудников Главка. Как поженились с Натальей в молодости, так и жили по сей день, без особых потрясений. И, на взгляд Гурова, вполне подходили друг другу, так как Станислав тоже обладал своими особенностями характера, которые не переделать. Например, любил иногда поворчать по пустякам, при этом совершенно не злясь, и вообще отличался вполне миролюбивым и жизнерадостным нравом. И жалобы на жену были несерьезными — так просто, чтобы создать видимость проблем.

— Скучно тебе, Станислав, — сделал вывод Гуров. — Все у вас с Наташкой хорошо, вот ты и придумываешь проблемы на ровном месте.

— Ничего себе, на ровном! — тут же возмутился Крячко. — А вот на прошлой неделе...

Но Гуров, не желая углубляться в надуманные обиды лучшего друга, быстро спросил:

— А помнишь, как ты на матрац надувной лег и уснул?

— Да не напоминай даже, у меня от этих воспоминаний спина начинает зудеть! Никогда в жизни так не обгорал, — тут же отозвался Станислав.

— Зато весело было.

— Ха! Утешил, друг, спасибо! Весело! Кому как! Тебе, может, и было, а мне — совсем наоборот! Вот всегда я, Лева, знал, что ты злыдень!

Сыщики помирали от скуки. Никаких интересных дел их уровня не было, ничего интересного не происходило, кроссворды все были разгаданы Станиславом Крячко, а за окном стоял такой дубняк, что выходить на какие-либо прогулки или посещать заведения развлекательного характера и не хотелось. Крячко, вальяжно развалившись в мягком кресле, потягивал уже третью чашку английского чая, принесенного Гуровым. Гуров же сидел на своем любимом классическом табурете. Он вообще предпочитал жесткие сиденья, иногда даже без спинок. А вот Стас любил понежить себя в гигантских креслах с обивкой и регулируемой спинкой.

— О чем думаешь, Лев Иванович? — спросил он, наблюдая, как Гуров, глядя в потолок, о чем-то размышляет.

— Да вот историю вспомнил интересную. Помнишь, лет пятнадцать назад к нам в отдел парнишка пришел? Тоже Стасиком вроде звали.

— Что-то не припоминаю.

— Ну, невысокий такой брюнет. Уши у него в разные стороны торчали, забавный парень, но шустрый. Перевели его через два года в другой отдел.

— А, это тот, с родинкой на щеке?

— Так я вот какую историю вспомнил. Он когда к нам пришел, еще совсем молодой был, зеленый. Направлялся как-то паренек в аэропорт, не помню уже, по службе или по своим делам каким, и вдруг приспичило ему в туалет забежать. Выходит он оттуда и видит — мужик перед ним резко что-то прячет за ремень и пиджачком прикрывает. А, он на патруле там был, точно! Так вот этот патрульный осмотрел мужика: весь в наколках, лысый, часы золотые, кейсик в руке. На вид — типичный бандюга. Ну и давай он его разматывать, мол, документы покажите. Мужик в отказ пошел, документы в сумке остались. Тогда он у мужика спрашивает, что за поясом спрятал? А тот «быка включает», мол, ничего не прятал. Патрульный наш решил основательно до него докопаться, уж больно подозрительным он казался. И все бы хорошо, если бы не наивность его. Мужик плакаться ему начал, мол, жена из дома выгнала, а в кейсе только часы да мелочь всякая. Поверил ему парень и отпустил, даже не проверив. А знаешь, что потом оказалось? Это один из главных местных авторитетов был. В один вечер с катушек слетел, жену пристрелил, своих деловых партнеров и решил из города свалить по-быстрому. Так и не нашли его.

— Да уж, вот как бывает. Везение, не больше. Тоже одну историю мне рассказывали, еще когда только в школу милиции пришел. Был паренек один, роман закрутил с какой-то дамочкой постарше. Сидел он у нее дома, а тут «братки» вваливают. Ну, он в шкаф лезет, думает, вдруг не заметят? Но не тут-то было, муж ее, как оказалось, пришел домой. Увидел мужскую обувь, распсиховался, начал по дому носиться и любовника искать. И не один ведь был, а с «братвой». Парень думает, все — приплыл, с жизнью уже попрощался и вдруг случайно залез в карман куртки, а там — «макаров». И обойма полная. Осмотрел — боевой. На предохранитель поставил, выбежал из «засады», ствол направил на «братков» и давай им задвигать, что убьет и все такое. Один за оружием полез, пулю в ногу получил. Испугался не на шутку, конечно, но виду не подал. В общем, ушел он оттуда живой и невредимый, вместе с женой того авторитета, и из города свалил.

— Не верю я в такие истории.

— Да чистая правда! Знаешь, как парня того прозвали — «кладоискатель»!

— Стас, завязывай!

Стас расстроился от того, что Лев не поверил ему. Ведь ему рассказывали эту историю не случайные прохожие, а его друзья на тот момент. Поэтому он решил больше не разговаривать с Гуровым, а пить его чай в гордом одиночестве.

Дверь в кабинет неожиданно открылась, и вошел начальник Главного управления МВД генерал-лейтенант Орлов.

11

— Здравия желаю, товарищ генерал! — бравым голосом гаркнул Крячко.

— И вам здрасьте. Скучаете? — покосился Орлов на сдвинутые стул и кресло, а также на чайные чашки на столе.

— Да вот пока перерывчик в делах, решили чайку хлебнуть по-быстрому, — невинно ответил Крячко.

Но генерал-лейтенанту было прекрасно известно о положении дел в Главке, и он произнес:

— Пойдем тогда в мой кабинет.

Сыщики переглянулись. Они понимали, что ничем хорошим это не кончится — скорее всего, Орлов сейчас подкинет им что-нибудь не слишком приятное, прервав их столь милое времяпрепровождение, но долг, что называется, зовет, и сыщики последовали за начальником.

Когда они прошли в кабинет Орлова, тот посадил их за стол и предложил чаю.

— Товарищ генерал-лейтенант, давай ближе к делу, а то я от чая уже пять раз в туалет бегал, — хмыкнул Крячко.

Орлов, несмотря на то что сам позвал своих «любимчиков», что-то мялся, никак не решаясь начать. Он вздохнул пару раз, поправил очки и наконец произнес:

— В общем, дело есть для вас.

— Да неужели? — съязвил Гуров.

— Человек пропал, — продолжал Орлов, бросая на Льва многозначительный взгляд.

— Это мы поняли, — кивнул тот. — А дальше?

— И какое отношение это имеет к нашей, так сказать, конторе? — подхватил Крячко.

Две пары насмешливых глаз впились в Орлова. Ох, как хорошо знал он и эти взгляды, и саму «пару», от которой ничего хорошего в таких случаях не жди! Язвы, а не пара! Уже поняли, вычислили безошибочно своей интуицией, что Орлов находится в затруднительном положении, что обращается к ним за помощью, и сейчас рады будут стараться язвить на все лады, попрекая его, старика, на чем свет стоит! Нет чтобы сразу все понять и поддержать его: «Конечно, дорогой Петр Николаевич, мы готовы оказать вам всяческую помощь!» Или хотя бы без всяких этих церемоний, ничего не комментируя, синхронно сказать: «Слушаюсь, товарищ генерал-лейтенант!» Нет, молчат, подлецы, переглядываются насмешливо!

Орлов еще раз вздохнул, поджал губы и сухо произнес:

— Нужно провести расследование.

Крячко длинно присвистнул, а Гуров спросил:

— С каких это пор, Петр, мы проводим расследование по потеряшкам?

— И почему именно мы? — добавил Стас. — Чай, не юнцы, не стажеры...

— Если бы вы были стажерами, я бы вас на рынок патрулировать отправил! — прикрикнул Орлов, твердо решив не отдавать себя на съедение этим двум «монстрам московского сыска», как порой шутливо именовали полковников в отделе. — Особенно тебя, Крячко, чтобы ты за карманниками побегал на своих двоих, жир немного растряс! А то тебе скоро новое кресло придется заказывать — в прежнем не помещаешься! Я смотрю, вы от скуки совсем уже оборзели! Ишь, взяли моду — дела выбирать! Вы не в магазине и не в ресторане! Что начальство поручит — то и будете делать! Важняки, мать вашу! Забыли уже, когда задницу от стула отрывали!

В кабинете повисла тишина. Гуров и Крячко давно не помнили Орлова в таком состоянии. Обычно он был куда сдержаннее, поскольку провел вместе с обоими полковниками множество дел, вместе пережил трудные, даже смертельно опасные ситуации, дружил с ними искренне и всегда относился к ним лояльно, чем они порой пользовались. Да что там — откровенно и без зазрения совести вили из генерал-лейтенанта веревки, считая, что их полковничьи погоны, огромный опыт оперативной работы и дружба с ним позволяют им решать, за какое дело взяться, а какое переложить на кого-нибудь другого.

Но Орлов не был бы генерал-лейтенантом, а уж тем более руководителем Главного управления МВД, если бы постоянно проявлял бесхребетность. На самом деле Петр Николаевич мог быть очень жестким, просто он хорошо знал своих подопечных, ценил их заслуги, поэтому иногда делал им некоторые поблажки. Но стоило Гурову и Крячко немного забыться, начать переходить грань и нарушать субординацию, он мгновенно ставил их на место, невзирая ни на какие дружеские отношения.

Гуров и Крячко после тирады генерал-лейтенанта сразу притихли, подтянулись, а Крячко даже как-то съёжился в кресле, изобразил заискивающую улыбку и сказал:

— Да ладно, Пётр, мы же шутим! Мы ж всё понимаем! Что там...

— Слушаем, товарищ генерал-лейтенант, — перебив его, проговорил Лев.

Орлов с каменным выражением лица заглянул в лежавший перед ним листок с рукописным текстом и стал зачитывать вслух:

«Десятого февраля сего года гражданин Любимов Роман Витальевич отбыл из России в Республику Доминикана по туристической путёвке, собираясь вернуться через десять дней, то есть двадцатого февраля. Двадцатого февраля гражданин Любимов не вернулся, а его сотовый телефон не отвечал. В собственной квартире его нет, на работе он не появлялся. В настоящий момент, двадцать пятого февраля, местонахождение гражданина Любимова остается неизвестным».

Генерал отодвинул листок и замолчал. Сыщики тоже молчали. Наконец Крячко решился подать голос:

— И что, это всё?

Орлов молча кивнул.

— А другие подробности?

— А остальные подробности предстоит выяснить вам. Вы же сыщики!

Крячко бросил растерянный взгляд на Гурова. Тот чуть нахмурился и спросил:

— А откуда вообще стало известно о том, что он пропал? Ты же нам выдержки из заявления зачитывал, как я понял. Кто обратился с заявлением?

— Или это тоже мы должны выяснить, как сыщики? — не удержался и всё-таки ввернул шпильку Крячко.

— С заявлением обратился близкий друг и коллега по работе Любимова, гражданин Плисецкий Леонид Максимович, — сообщил Орлов. — Плисецкий беспокоится, потому что его друг уже давно должен был появиться, а его и след простыл. Поэтому...

— А с какой это радости Плисецкий так беспокоится? — вклинился Крячко. — В Главное управление аж приперся! Не абы куда!

— Ну а что тут необычного? Человек беспокоится за друга, переживает... — ответил Орлов.

— Ага! — скептически хмыкнул Крячко. — Переживает! Прямо ночами уснуть не может!

— К тому же они наметили один новый проект перед отъездом Любимова. Решили купить еще один объект и переоборудовать в развлекательно-спортивный центр. По возвращении Любимова должны были претворить его в жизнь, а он, видишь, исчез. А пора уже задаток вносить, документы подписывать...

— Во-о-от! — назидательно протянул Крячко. — Вот это уже ближе к теме! Бабки ему нужны, этому Плисецкому, вот он и суетится! А то переживает за друга, как же!

Орлов укоризненно посмотрел на Крячко и воскликнул:

— И не стыдно тебе, Станислав? Что ты циника из себя строишь, шкурный интерес во всем видишь? А вот если бы Лева пропал или, не дай бог, я — ты бы не беспокоился?

— Ты нашу дружбу не равняй! — рубанул рукой Крячко. — Мы с Левой кто? Офицеры! Понимаешь, что значит это слово? У нас и дружба соответствующая, офицерская! Да я за Леву, сам знаешь — и в огонь, и в воду, и даже на совещание к начальству пойду! И он за меня тоже! Наша дружба, она временем и офицерской честью проверена! А тут что? Два каких-то коммерсантишки! И ты их дружбу, на деньгах завязанную, будешь с офицерской равнять? Тьфу!

Крячко смачно сплюнул, но не рассчитал в сердцах, и плевок попал на свежевымытый пол. Орлов смерил Станислава ледяным взглядом, чувствуя, что снова закипает, и, едва сдерживаясь, проговорил:

— А ну-ка, отставить немедленно! Никаких личных эмоций в моем кабинете! Это приказ, ясно? И пафос свой фальшивый, Крячко, засунь подальше! Офицерская дружба! — передразнил он. — Ишь, развел мне тут философию!

15

И не прикрывайся мне офицерской дружбой, лишь бы от работы увильнуть! Балаган он устраивает, когда дело стоит! И молчать, когда я говорю! — И оглушительным ударом кулака о крышку стола завершил свой монолог, произнесенный в воспитательных целях. Даже Крячко стушевался: впервые на его памяти Петр Николаевич дважды во время неофициальной беседы напоминал о своей начальственной ипостаси и использовал слово «приказ». Следовательно, его и впрямь сильно допекло. Но что уж такого случилось-то? Подумаешь, разговаривали по-дружески, обычное дело... Этого Крячко никак не мог понять, поэтому заговорил уже примирительно:

— Да ты что, Петр? Я же это вовсе не к тому, чтобы от дела отлынить! Я уже, можно сказать, по нему работаю — версии выдвигаю! Ну не нравится мне, что этот Плисецкий так засуетился, и все тут! Сам посуди: ну, запоздал человек немного с приездом — что тут такого? Деньги у него есть, вполне мог и задержаться. Может, решил еще немного отдохнуть? Сколько там дней-то прошло? Три? Видишь, ерунда какая! А этот всполошился до того, что побежал в полицию! И не куда-нибудь, а прямиком на Петровку! Значит, считает, что тут имеет место серьезный криминал!

Гуров, хранивший до этого момента молчание и комментируя горячие эмоциональные высказывания Крячко лишь легкой усмешкой, обратился к Орлову:

— А в самом деле, Петр, что он за человек, этот Плисецкий? И что у них за бизнес с Любимовым?

Орлов, которого спокойный тон Гурова настроил на деловой лад, поправил очки на носу и заговорил уже гораздо мягче:

— Плисецкий и Любимов являются владельцами спортивно-развлекательного комплекса «Гармония». Там у них как бы универсальный центр, включающий и спортивные занятия, и аэробику, и фитнес, и прочие новомодные дела, помогающие поддерживать красоту тела. То есть массаж, косметический кабинет, даже, кажется, парикмахерская... И вдобавок всякие игры, кафе, чуть ли не кинотеатр. Словом, нечто грандиозное, как я понял из его слов. Начинали они свой бизнес давно, еще со студенческой поры. Сначала что-то мелкое было, потом постепенно расширялись — я в подробности не вдавался, потому что неизвестно, имеет ли это отношение к исчезновению Любимова.

— Так, а что Плисецкий вообще успел рассказать о своем друге-партнере? — продолжал расспрашивать Гуров.

— Да какие-то разрозненные факты из разных областей! — пожал плечами Орлов. — Он волновался очень, сбивался с темы на тему, да и времени немного было на разговор. Сказал, что Роман человек хороший, никаких врагов у него не было, в бизнесе у них тоже все шло гладко, собирались дальше расширять свое детище, покупать дополнительное помещение, открывать еще один центр. И все было уже подготовлено, Любимов должен был поставить свои подписи на документах после возвращения и внести деньги, свою долю. А вот теперь его нет, и дело стоит.

— Вот я и говорю, — тут же снова вмешался Крячко. — Грохнул своего компаньона, чтобы весь бизнес себе отжать, и все дела! А сам быстренько в полицию прибежал — дескать, я тут не при делах!

— А вот ты это и проверь! — круто развернулся к нему Орлов. — А то версии выдвигать теоретически мы все горазды! А мне не версии — мне факты нужны! И доказательства! Вот раздобудешь факты, подтверждающие твою версию, я...

— ...тебя премирую целой тысячей рублей к окладу! — закончил за него Крячко, мотнув головой. — Отличная прибавка, она мне всегда душу греет!

— Ошибаешься, — холодно возразил Орлов. — Ни о какой премии можешь и не мечтать. По одной простой причине — никакого дела ты, Крячко, официально не ведешь. Впрочем, и Лева тоже.

Гуров и Крячко переглянулись. Крячко хотел уже снова эмоционально высказаться по этому поводу, но Гуров, благоразумно остерегаясь очередной вспышки гнева Орлова, заговорил:

— Петр, давай-ка откровенно. Как я понимаю, мы должны заниматься этим делом по личной просьбе господина Плисецкого? И чем же взял тебя оный господин? Почему ты согласился, хотя вполне мог официально ему отказать?

— Да, почему? — не выдержав, встрял-таки Крячко. — Он вроде не чиновник, к министерству отношения не имеет, чтобы ты его боялся. На что ты повелся? Неужели на бизнес-«бабки»?

Гуров толкнул Крячко ногой под стулом, ожидая просто бешеного негодования со стороны Орлова, который никогда не подставлял своих сыщиков под неприятное дело, получив за это мзду. Но Орлов на сей раз и не думал гневаться. Он лишь вздохнул и ответил как-то грустно:

— Я, Станислав, уже столько времени живу на свете и столько повидал за годы работы в полиции, что ничего не боюсь. А если мне приходится выполнять требования вышестоящего начальства или его протеже, то это в первую очередь ради вас. Да-да, Станислав, не надо делать скептическое лицо! Посуди сам — кто вас всегда прикрывает? Не я? Мне бояться нечего — я в любой момент на пенсию уйти могу. С удовольствием вон огурцы на грядках выращивать буду. Но я о вас думаю. Пойди я против начальства, ляг бревном поперек указаний сверху, упрись рогом — и что? Ну, уйду я, или «уйдут меня», дадут вам нового начальника Главка... Соображаешь, да? Вмиг закончатся все поблажки, которые я вам делаю просто потому, что давно знаю и глубоко уважаю — и как сыщиков, и как людей. А новая метла по-новому метет. И не исключено, что вас с Левой она в первую очередь отсюда выметет. Сами знаете, что кое у кого вы как бельмо на глазу. Я на своем посту уже много лет, столько начальства сверху пережил — не сосчитать! Времена меняются, чиновничьи головы летят, а я сижу себе. Потому что за столько лет научился ладить со всеми. Знаю, когда можно сказать «да», а сделать по-своему. Знаю, и когда твердость нужно проявить. Все я знаю, всех чиновников пережил, я их всех вокруг пальца обвести могу — ради дела, ради нашего Главка, ради вас, в конце концов! Никто лучше меня, видящего ситуацию изнутри, не знает, как сделать, чтобы работалось лучше. Вот сейчас вы у меня почему скучаете? Думаете, дел нет в Главке? Да полно! Не мне вам рассказывать, что их у нас всегда невпроворот. Просто если я вас сейчас перекину на рядовые дела, а тут случится что-то действительно серьезное, мне это серьезное придется передавать другому человеку. А у него и опыта меньше, чем у вас, и смекалки сыскной тоже. Поэтому вы мне всегда нужны свежими и бодрыми. Я это понимаю, а новый начальник — не факт. И сколько таких примеров еще можно привести, но я не буду, потому что это пустая трата времени. Все вы сами прекрасно знаете, не мальчики. И мне просто даже стыдно излагать вам прописные истины.

Орлов умолк. Гуров и Крячко тоже помалкивали, причем Крячко даже выглядел пристыженным. Однако подобное состояние было для него не характерным, поэтому он быстро взял себя в руки, улыбнулся и сказал:

— Да все мы понимаем, Петр! Давай, что там дальше с этим Плисецким? Небось, сынок какого-нибудь чинуши, да? Или племянник? Дядюшка позвонил уже, похлопотал о дитяте?

— Нет, — покачал головой Орлов. — Никаких дядей у него в министерстве нет, и вообще он занимается чисто бизнесом. И меня с ним никакие личные отношения не связывают. Он просто очень просил его принять, и я принял. В беседе сразу сказал, что официально дела завести не могу. Но он и не настаивал. Он просил, понимаешь, Стас? Просил! Не требовал, не угрожал, не намекал ни на какие связи. Просил помочь и выделить на это дело самых хороших сыщиков и — кстати! — обещал им заплатить из своего кармана. Вне зависимости от результатов. Сколько — не знаю! — тут же добавил Орлов. — Я лишь подчеркнул, что действительно дам хороших сыщиков, причем сначала спрошу их согласия. И вот если они согласятся, то мы поможем. А насчет оплаты пусть он сам с ними, с вами то есть, договаривается. Вот и вся моя материальная заинтересованность... — Генерал после своей длинной речи устало откинулся на стул.

Крячко прочувствованно прижал руки к груди и произнес:

— Петр, кончай! Ты нам с Левой сегодня урок за уроком морали и нравственности преподносишь! Пожалей меня, старого! Ей-богу, мое бедное грешное сердце не выдержит этого обличения! Того и гляди, разорвется от покаяния, и останешься ты без одного из лучших оперов!

19

— А как с ним можно связаться? — уточнил Гуров, любивший конкретику.

Орлов протянул им с Крячко по глянцевой визитке, на которой значились контакты Плисецкого Леонида Максимовича, и, пока опера пробегали их глазами, добавил:

— Он просил в случае предварительного вашего согласия связаться с ним как можно скорее.

— Хорошо, я ему позвоню, — кивнул Лев.

— А почему не я? — обиделся Крячко.

— Потому что я уже дал свое согласие на это дело, — усмехнулся Гуров. — Вне зависимости от суммы. Да меня она особо не волнует. Дело может быть действительно интересным, а мне сейчас заняться нечем. Я, конечно, крайне благодарен Петру, который так меня бережет для более глобальных задач, но ждать их можно долго, а мне без работы уже тошно. Так что я пошел звонить Плисецкому, а ты, Стас, пока определяйся. — И с этими словами он вышел из кабинета.

— Нет, ну ты слышал, а? — хлопнул себя по коленке Крячко. — Он уже дал свое согласие «вне зависимости от суммы»! А Станислав Крячко, кулацкая натура, дескать, еще сомневается! Как будто непонятно, что раз Лева будет заниматься этим Любимовым, то и я тоже!

— Надо же, какое высокое чувство дружеского долга! — усмехнулся Орлов. — И впрямь офицерское!

— Конечно, а что, мне без Левы самому себе в пустом кабинете анекдоты рассказывать? — искренне высказался Крячко, моментально разрушив высокопарность своего предыдущего заявления.

В этот момент в кабинет вернулся Гуров и сказал от двери:

— Плисецкий сейчас в своей «Гармонии» и ждет. Так что я поехал, чтобы время не терять.

— И я с тобой! — тут же поднялся со стула Крячко.

— А стоит ли? — сощурился Лев. — Предварительно я с ним и сам могу побеседовать. Тебе какой смысл? Или боишься, что я больший процент зажму? — улыбнулся он.

— Конечно, Лева, именно этого я и опасаюсь, зная тебя как старого жука! — погрозил пальцем Крячко, широко улыбаясь.

Хорошее настроение и обычная склонность к шуткам вернулись к нему. Он, обычно не очень любивший работать, на этот раз в глубине души был даже рад, потому что, по правде говоря, ему и впрямь надоело разгадывать кроссворды и предаваться воспоминаниям прошлых лет. И то, что работать предстояло в паре с Гуровым — лучший вариант для них обоих, — было в плюс. Да и, что там греха таить, материальное вознаграждение, обещанное Плисецким, было для Станислава Крячко весьма заманчивым...

Одним словом, он быстренько догнал Гурова, вышел вместе с ним из кабинета, послал воздушный поцелуй секретарше Верочке и в самом наилучшем расположении духа затопал по ступенькам к выходу.

Глава 2

Спортивно-развлекательный центр «Гармония» находился в районе Таганской площади. Сыщики подъехали туда на автомобиле Гурова и были, мягко говоря, впечатлены. Крячко невольно присвистнул, задрав голову вверх и считая этажи.

— Откуда у людей «бабки», а? — задал он вечно волнующий его вопрос.

— Не завидуй, — бросил Лев, подходя к крыльцу.

— Идиотская фраза! — раздраженно ответил Крячко, топая по ступенькам вслед за ним. — Я вообще никому не завидую! Я просто удивляюсь! Потому что понимаю, что честным путем ни-ког-да в жизни на такой центр не заработаешь, хоть сдохни на работе! Мне, например, за всю жизнь и на один этаж не наскрести! Даже если все начальственные премии к этому присовокупить и тринадцатые зарплаты! И ты, Лева, это прекрасно понимаешь! Просто твоя гнилая либеральная натура, которую такие же либералы именуют дипломатичностью, не дает тебе высказывать свои мысли открыто и прямолинейно!

Гуров не стал отвечать: он уже открыл дверь в комплекс, и они с Крячко оказались внутри. Надо сказать, что обстановка там не потрясала показной роскошью, все было отделано просто, но функционально. Прямоугольный первый этаж был разбит на сектора, владельцы комплекса разделили его на своеобразные зоны — как спортивные, так и развлекательные.

Гуров остановился и, достав сотовый телефон, набрал номер Плисецкого. Представившись Леониду Максимовичу, он сообщил о своем прибытии и услышал в ответ:

— Поднимайтесь на четвертый этаж, я вас встречу.

Вместо лифта внутри центра были эскалаторы. Гуров с Крячко поднялись на четвертый этаж и, сойдя с эскалатора, увидели стоявшего перед ним мужчину лет тридцати пяти. При виде полковников тот поднял красивые черные брови и спросил:

— Это вы из полиции? Даже двое? Ох, спасибо огромное Петру Николаевичу! Не ожидал! И вам, господа, огромное спасибо, что откликнулись на мою просьбу. Плисецкий, — протянул он руку для приветствия.

Руки у Леонида Максимовича были миниатюрными для мужчины. Да и сам он, в общем, не отличался крупными габаритами: невысокий, худощавый, сложенный довольно изящно, с тонкими чертами лица и влажными черными глазами, нос с характерной горбинкой, которая не портила его, можно сказать, красивое лицо.

Крячко заранее окинул его подозрительным взглядом, но руку пожал, причем намеренно постарался сделать это пожатие более сильным, чем следовало. Плисецкий никак не отреагировал на это, руки не отдернул, и лишь, когда они шли к кабинету, Гуров обратил внимание на то, что Леонид Максимович незаметно поморщился.

Плисецкий подвел их к одной двери, открыл ее, и они оказались сначала в приемной, где за столом сидела секретарша — довольно молодая еще женщина в очках и с русыми волосами, собранными в узел.

— Ольга Анатольевна, три кофе, пожалуйста, — на ходу распорядился Плисецкий, но тут же спохватился: — Ой, простите, я не спросил, может быть, вы предпочитаете чай или прохладительные напитки?

— Да вообще-то не сезон еще для прохладительных напитков, — хмыкнул Крячко.

— Спасибо, кофе будет в самый раз, — спокойно кивнул Гуров, и секретарша тут же поднялась, прошествовав к кофемашине, стоявшей на столике в углу приемной.

Плисецкий тем временем провел Гурова и Крячко в свой кабинет, который был обставлен в современном стиле хайтек. Правда, из всех этих четких линий выбивались комнатные цветы в горшочках, стоявшие на подоконнике, да еще какие-то кокетливые шторы — очень плотные, тяжелые, с пушистыми висюльками по нижней окантовке.

В кабинете стояли два стола, из чего можно было сделать вывод, что Любимов и Плисецкий делили кабинет на двоих, а также белый диван, который и предложил занять гостям Плисецкий. Гуров с Крячко мгновенно утонули в его чрезвычайной мягкости, погрузившись в сиденье сантиметров на тридцать. Перед диваном стоял стеклянный столик, на который секретарша вскоре поставила поднос с тремя чашками.

Сыщики взялись за чашки, а Плисецкий садиться не стал. Он взял чашку своими тонкими изящными пальцами и, отпивая кофе на ходу, принялся расхаживать по кабинету взад-вперед. Движения его были нервными и быстрыми, и Гуров все время невольно ждал, что тот опрокинет кофе на пушистый ковер — тоже белый, с очень густым ворсом, занимавший практически весь кабинет. Было заметно, что Плисецкий взволнован.

— Дело очень серьезное, — начал он, но договорить не успел, потому что дверь вдруг открылась, и в кабинет вошла женщина лет пятидесяти — мужеподобная, с суровым лицом и короткой стрижкой.

— Леонид Максимович, — густым низким голосом загудела она от двери. — Я принесла расчеты, о которых вы просили.

— Ах, боже мой, Зинаида Павловна, как это не вовремя! — воскликнул Плисецкий, едва скрывая досаду. — Разве Ольга Анатольевна не предупредила, что я не один?

— Вы говорили, что это срочно! — пожала плечами Зинаида Павловна. — Так что, мне позже зайти?

— Да, да, да, позже, позже! — буквально выталкивая женщину из кабинета, выпалил Плисецкий. — Я сам вас вызову!

Женщина неторопливо выплыла из кабинета, и Плисецкий с явным облегчением закрыл за ней дверь.

— Простите, это наша бухгалтер, — извиняясь, обратился он к Крячко с Гуровым. — Она порой бывает весьма бесцеремонна!

— Да ничего страшного, — великодушно отозвался Крячко. — У нас в Главке вообще не церемонятся, так что мы привыкли!

— Так вот... — Плисецкий нервно провел руками по коротко стриженым темным волосам. — Вы уже, наверное, в курсе, что мой компаньон, Роман Витальевич Любимов, пропал. Проще говоря, не вернулся из поездки на Карибские острова.

— Да, — кивнул Гуров. — И сразу хотелось бы уточнить: а почему вы решили, что дело серьезное? Может быть, человек просто решил продлить свой отпуск?

Не слишком большие глаза Плисецкого удивленно расширились.

— Нет, что вы, такого просто не может быть! Это исключено! Роман очень пунктуален, он знает о том, что нам нужно оформлять покупку площади, и вообще... Даже если бы он решил так поступить, то обязательно предупредил бы меня! А у него даже телефон отключен!

— А когда вы с ним связывались в последний раз? — спросил Гуров, однако Плисецкий не успел ответить: у него зазвонил сотовый телефон. Он с досадой достал его, но, увидев высветившийся номер, тут же нажал кнопку соединения.

— Да, да, да, — коротко говорил он, при этом лицо его то краснело, то бледнело. — Прямо сейчас? Простите, но... Хорошо-хорошо, я буду, договорились.

Отключив связь, Плисецкий с растерянным видом застыл в центре кабинета. На лице его повисло выражение катастрофы.

— Боже мой, я с ума сойду! — воскликнул он.

— Что случилось? — нахмурился Гуров, решив, что появились неприятные известия о Любимове.

Но оказалось, что дело совсем в другом.

— Звонил один важный человек... Тот самый, с которым мы должны подписать договор. Точнее, один из договоров — это по поводу расширения нашего проекта. Я думал, что мы встретимся с ним вечером, но он сказал, что у него другие планы на вечер, и настаивает на встрече немедленно.

— А что, перенести никак нельзя? — покосился на него Крячко.

— Никак! Нет! Это исключено! Вы не знаете, что это за человек! — вскричал Плисецкий, всплескивая руками — недопитый кофе он уже поставил на свой стол во время хождений по кабинету.

Гуров с Крячко переглянулись.

— Леонид Максимович, вы успокойтесь, пожалуйста, — сказал Лев. — Мне кажется, вы напрасно так все драматизируете. Мы могли бы, к примеру, проехать с вами, и вы по дороге все бы рассказали. Как вам такой вариант?

— Что? Со мной? — Плисецкий замер и задумался, а потом затараторил: — Ой, это было бы крайне любезно с вашей стороны! Правда, я хотел все вам изложить обстоятельно, но тут уж, увы, выбирать не приходится. Только ехать нужно немедленно.

— Хорошо. — Гуров поднялся. — Пойдемте.

Когда они вышли в коридор, Крячко вдруг остановился и сказал:

— Знаешь, Лева, я, пожалуй, не поеду. Какой смысл тратить время нам обоим? Ты и без меня все выслушаешь, а потом просто мне перескажешь.

Гуров поначалу подумал, что Крячко, окончательно убедившись в том, что дело об исчезновении Любимова не стоит и ломаного гроша, таким образом дает ему это понять и подчеркивает всю бесполезность предстоящего расследования. Честно говоря, он и сам подумал, что Плисецкий явно относится к натурам впечатлительным и наверняка сгущает краски. Скорее всего, никакой трагедии с его компаньоном не приключилось.

Однако, посмотрев Крячко в глаза, Лев по их выражению уловил, что тот что-то задумал. Слишком хорошо зная своего друга, он не стал ни о чем расспрашивать, лишь согласно кивнул:

— Конечно, Стас!

— Вот и отлично, а я бы пока, чтобы время не терять, расспросил кого-нибудь еще о Романе Витальевиче.

— Кого, например? — вдруг с тревогой уточнил Плисецкий.

— Ну, не знаю, — пожал плечами Крячко. — Кого-то из близких ему людей. Ведь есть у него родные? Жена, дети? Или они вместе уехали в Доминиканскую Республику?

— Увы, семьи у него нет, — тут же ответил Плисецкий. — И отдыхать он улетел один.

— Ну тогда родители, наверное, есть! — не унимался Крячко.

— Ой, только, ради бога, не встречайтесь с его родителями! — замахал руками Плисецкий. — Понимаете, они люди уже пожилые, Рома их единственный сын, и если они узнают, что с ним что-то случилось, даже не представлю, что с ними будет! У Тамары Юрьевны вообще может случиться инфаркт! Я себе этого не прощу!

— Но с ним пока ничего не случилось, — продолжал убеждать его Крячко, уже не скрывая своего недоумения. — И потом, вы же сами хотели, чтобы мы организовали расследование. Как вы себе это представляете? Нам нужно опросить свидетелей, а кроме родителей, как я понимаю, близких людей у него нет. Или есть? — Он в упор уставился на Плисецкого: — Не жена, так любовница, подруга?

— О личной жизни Романа Витальевича мне ничего не известно. Нас связывают рабочие дела, и только, — отводя взгляд, ответил Плисецкий.

— Ну, уважаемый! — развел руками Стас. — Что же вы от нас хотите в таком случае? Расследование — это не детские сказки «Пойди туда — не знаю куда!» Мы не можем плутать в потемках!

— Стас, давай я для начала побеседую с Леонидом Максимовичем, а потом мы вместе решим, что делать дальше, — незаметно подмигивая ему, предложил Гуров.

Крячко надулся, но, подавив вздох, ответил:

— Ладно, пусть так. Но я все-таки предупреждаю, Леонид Максимович, что расследование — это не гонки с препятствиями! А если вы так беспокоитесь об исчезновении друга, то должны понимать, что время дорого!

— Я понимаю, понимаю! — торопливо закивал Плисецкий. — Но и вы меня поймите — я в полном раздрае! Проект горит, Романа нет, клиент ждет — я вообще не знаю, что делать! У меня голова разрывается!

— Ну, вы ведь обратились к профессионалам, — увлекая Плисецкого к лестнице, сказал Гуров. — Разберемся. Главное, успокоиться и делать все шаги последовательно.

Они втроем вышли на улицу, и Плисецкий двинулся было к своей машине — это был красный «Рено», — но Гуров остановил его и предложил:

— Давайте поедем на моей. Во-первых, вы сейчас взвинчены, и вам лучше не садиться за руль в таком состоянии. А во-вторых, мне так и так пришлось бы возвращаться сюда за своей машиной. Так что лучше после вашей встречи я вас подвезу обратно. Идет?

Плисецкий думал пару секунд, потом согласно кивнул, и они пошли к машине Гурова. Берясь за дверцу, Плисецкий вопросительно обернулся на Крячко.

— Я пешком! — буркнул тот и не спеша, вразвалочку, двинулся по улице.

— Куда едем? — садясь за руль, спросил Лев.

— К Яузским Воротам, — ответил Плисецкий, и машина стартанула с места.

Они ехали по Верхней Радищевской. Плисецкий все время посматривал на часы, хотя от Таганки до Яузских совсем недалеко, и они прекрасно успевали. Гуров уже понял, что поговорить не получится — по крайней мере, по дороге туда: Плисецкий слишком нервничал, был взвинчен, а Гурову нужно было, чтобы он сосредоточился, а не отвечал первое, что придет в голову. Он и сам старался помалкивать, готовя вопросы на обратную дорогу.

Наконец они подъехали к ресторану. Гуров припарковался. Плисецкий сразу же начал озираться по сторонам, при этом не высовываясь из автомобиля. Потом он глубоко выдохнул, будто перед прыжком в ледяную воду, решительно открыл дверцу и вышел из машины.

— Подождите, пожалуйста, надеюсь, это не займет много времени, — проговорил он, извиняясь, и Гуров почувствовал, что Плисецкий и впрямь надеется, что предстоящая встреча будет короткой.

Не успел Леонид Максимович скрыться за дверями ресторана, как к входу бесшумно подкатил огромный черный внедорожник «Форд Экскурсион». Из него выскользнул молодой человек, обежал вокруг и услужливо открыл переднюю дверцу. Гуров увидел, как две массивные ноги, обутые в сверкающие кожаные ботинки, ступили на землю, а следом показалось и не менее габаритное тело.

С легким любопытством Лев скосил глаза. Человек, вышедший из машины, был колоритной фигурой. Ростом под два метра, огромный в ширину, одетый в накинутую на плечи шубу, он возвышался над автомобилем глыбой. Этакий человек-гора. Автомобиль был под стать своему хозяину: в меньшем он мог просто не поместиться.

Неторопливой, царственной походкой он двинулся к ресторану, а все тот же услужливый молодец обогнал его и распахнул двери. Гуров заметил, как угодливо согнулся чуть ли не пополам стоявший в дверях швейцар, кланяясь новоприбывшему и тут же подставляя руки, чтобы принять его шубу. Тот небрежно сбросил ее на руки швейцару и прошествовал в зал. Дальнейшего Гуров не видел. Короткое шоу закончилось, и полковник приготовился к скучному ожиданию.

Однако впереди его ждала не менее интересная сцена. Ожидание, нужно заметить, действительно не заняло много времени. Буквально через пять минут двери ресторана открылись, и из них вышел все тот же колоритный мужчина. На сей раз он двигался быстрее. Не запахивая шубы, которая колыхалась на ветру, он прошагал к «Форду» и, не дожидаясь, пока лакей из его свиты угодит ему, сам открыл дверцу, с размаху плюхнулся на сиденье, коротко бросил что-то водителю, и машина так же бесшумно отъехала от ресторана.

Спустя еще пару минут из дверей показался Плисецкий. Сначала он как-то неуверенно потоптался на месте, трусливо

28

оглядываясь, а потом быстро засеменил к Гурову. Когда тот увидел Плисецкого, то пришел к выводу, что проведенные в ресторане минуты были далеко не лучшими в жизни Леонида Максимовича.

На лбу его выступил пот, лицо было бледным, короткие волосы стояли торчком на макушке. Он словно сразу постарел и приобрел откровенно болезненный вид.

— С вами все в порядке? — не выдержав, спросил Лев.

— А? Да-да, все хорошо! — Плисецкий вымученно улыбнулся и произнес, постаравшись придать голосу бодрость и оптимизм: — Ну что, поехали?

Гуров не спеша тронулся с места, а Плисецкий, едва они проехали несколько метров, стал всматриваться в окно.

— Ну как прошла встреча, Леонид Максимович? — как бы между делом поинтересовался Гуров.

— Встреча? Да все хорошо. Как я и рассчитывал, — пробормотал Плисецкий.

— Вы встречались с деловым партнером?

Плисецкий что-то пробормотал, а потом, встрепенувшись, сказал:

— Ну что, поговорим о Романе?

— А что это за человек на «Форде»? — вместо того чтобы переходить к беседе о Любимове, задал вопрос Лев.

Плисецкий застыл, его лицо, начавшее уже постепенно приобретать свой нормальный цвет, снова побелело.

— То есть, в смысле, какой человек? На чем?

— Такой, знаете, колоритный, в барской шубе, — спокойно уточнил Гуров. — Он вышел перед вами из ресторана, сел в черный «Форд Экскурсион» и уехал.

— Не знаю! — Плисецкий рассмеялся нервным смехом. — Я-то здесь при чем? А почему мы повернули? Нам же прямо! — Голос его приобрел визгливые нотки, и Лев, бросив на него взгляд, убедился, что тот до смерти боится.

Он намеренно свернул с Верхней Радищевской в один из переулков. Прежде чем двигаться дальше в расследовании исчезновения Любимова, ему нужно было разобраться в этом эпизоде, казавшемся полковнику очень значимым.

— Леонид Максимович, — остановив автомобиль, заговорил Гуров, — если вы хотите, чтобы я действительно вам помог, вы должны быть откровенны. Для вашей же пользы. Знаете, это как с врачом. Если вы станете его обманывать, то в конечном итоге обманете сами себя и останетесь без помощи, на которую рассчитываете. Так же и в случае с сыщиком. Вы же, кажется, хотели от меня помощи?

— Хотел, хотел, я и сейчас хочу! — быстро закивал Плисецкий. — Поэтому и предлагаю поговорить о Романе!

— Для того чтобы мы смогли это сделать, вам нужно перестать мне врать, иначе наше дальнейшее сотрудничество считаю бессмысленным. Вы же определенно знаете мужчину, о котором я вас спрашивал, но по какой-то причине это отрицаете. Я догадываюсь, по какой, — вы его боитесь, и мне интересно, в связи с чем. Для начала у меня только один вопрос: кто он такой? И если я не получу ответа на него, то на этом наше знакомство считаю законченным.

Плисецкий снова замер и сидел в таком ступоре около минуты. Потом разлепил тонкие губы, ставшие почти бескровными, и тихо произнес:

— А если я дам этот ответ, я труп.

— Может быть, не стоит так сгущать краски? — внимательно посмотрел на него Лев. — Но даже если все настолько серьезно, вам тем более стоит об этом поведать офицеру полиции. Как я понимаю, вы настолько запуганы, что самому вам не справиться.

Плисецкий еще немного помолчал и сказал:

— Это страшный человек. Хотя на первый взгляд может произвести самое благоприятное впечатление.

— Что за отношения вас связывают?

— Он дал нам с Романом денег.

— Так, вот с этого момента давайте поподробнее и поконкретнее. Когда дал, на что, на каких условиях, — кивнул Гуров, приготовившись слушать.

Плисецкий немного помолчал, но все же начал говорить:

— Это было три года назад. Деньги он нам дал на развитие спортивно-развлекательного комплекса. Не совсем дал, добавил. Мы все-таки с Ромой за эти годы сколотили при-

личный капитал. Но его, конечно, не хватало на все. Сами посудите, одно только здание в какую сумму влетело, а еще и ремонт, и оборудование, и тренажеры, и аппараты всевозможные... Словом, нужны были средства. И он согласился их дать.

— Так, давайте все-таки уточним — кто он?

— Его фамилия Буров, — едва слышно проговорил Плисецкий. — Никто не знает, чем конкретно он занимается, но он очень богат. Скорее всего, что-то очень доходное и очень незаконное — наркотики, может быть, оружие... Не знаю, не знаю, что точно, и не интересуюсь! — снова нервно и тонко выкрикнул Плисецкий. — Об этом не принято говорить вслух, сами понимаете! Но человек он очень влиятельный. На тот момент я вообще об этом не думал, главное было, что он согласился ссудить денег. Не просто так, конечно, а под проценты, и весьма высокие. Но доходы от комплекса должны были их с лихвой покрыть. «Гармония» и впрямь приносит хороший доход, дела быстро пошли настолько успешно, что мы благополучно рассчитывались с Буровым каждый месяц. Тут много всего было вложено: и местоположение, и реклама, и стратегия. Все оборудовали соответствующим образом, оформили интерьер, наняли хороших специалистов...

— Давайте ближе к делу, — попросил Гуров, взглянув на часы.

Собственно, первоначально он рассчитывал получить у Плисецкого информацию о Любимове, но пока что до этого они так и не дошли: неожиданно вкравшийся инцидент с таинственным господином Буровым изменил сценарий беседы, и сейчас Гурова в первую очередь интересовал этот человек и отношения с ним обоих компаньонов.

— Да, да, конечно, я просто стараюсь рассказывать так, чтобы вам было понятно. В общем, дела пошли настолько хорошо, что мы задумали расширить наше предприятие, открыть по Москве еще несколько центров, подобных нашему. Но это уже были серьезные деньги. И мы снова обратились к Бурову. К этому моменту он уже убедился, что с нами стоит иметь дело, и рассчитывал на солидный процент от прибыли. Мы обо всем договорились: выкупили здания, начали ремонт и оформление интерьера, подготовили персонал. Осталось приобрести оборудование, все расставить — и можно было открываться. Мы рассчитывали сделать это уже в начале марта, времени в обрез: как раз весной народ просыпается и начинает активно заботиться о своей внешности, сгонять накопленные за зиму килограммы, к тому же его тянет на развлечения. Я никак не ожидал, что Роман вдруг укатит на отдых! — с досадой покачал головой Плисецкий. — Убеждал его повременить, говорил, что, мол, вот давай откроемся, начнем работать — тогда и кати с чистой совестью! Но потом увидел, в каком он состоянии, и решил, что пусть лучше едет. Все это время я ждал его возвращения. С Буровым был уговор: как только Роман вернется, мы поровну вносим деньги и занимаемся закупкой оборудования. Деньги были переведены на наши с ним счета, в равных долях. И вот к назначенному сроку Роман не вернулся! Вы понимаете, что это значит? Я не могу купить оборудование, потому что моей доли на него не хватает! Буров несколько раз звонил и интересовался, куплено ли оборудование и когда будут открыты новые центры. Господи! — Плисецкий схватился за голову. — Что я мог ему сказать? Я сам сходил с ума! Я не знал, где Роман, что с ним, не мог до него дозвониться! В итоге Буров сам выяснил, что Романа нет на месте, и ему это не понравилось. И вот сегодня он позвонил и потребовал встречи. На ней он ясно мне сказал: либо мы открываемся до первого марта, либо я возвращаю ему деньги, причем его не волнует, где я их возьму! Вы понимаете, понимаете? — Плисецкий заглядывал в глаза Гурова с какой-то надеждой, словно от того, поймет его полковник или нет, зависит дальнейший исход дела.

— А вы не можете отдать ему свои деньги? — спросил Гуров. — Ну, ваша же доля, выделенная на покупку оборудования, как я понимаю, так и лежит на счете?

— Отдать ее я, конечно, могу, — невесело усмехнулся Плисецкий. — Но Буров не захочет брать половину. К тому же это означает, что без оборудования я не смогу открыть оба центра, в которые денег вгрохано уже немерено. Получается, они пошли коту под хвост.

— Но можно ведь продать эти помещения? — предложил Гуров свой вариант.

Плисецкий посмотрел на него с сочувствием в глазах и выразительно произнес:

— Можно. Но, во-первых, это дело времени. Чтобы продать их быстро, нужно скинуть цену, и существенно. А это означает, что я окажусь в проигрыше. И опять же — долю Романа я не смогу вернуть! У меня же нет доступа к его счету! А Буров хочет все деньги, понимаете, ВСЕ! — Он закатил глаза и с тоской пробормотал: — Я погиб! Даже если я продам все свое личное имущество, этого все равно не хватит, чтобы рассчитаться с Буровым! Теперь вы понимаете, почему я обратился к вам? Понимаете, почему мне жизненно необходимо, чтобы вы нашли Романа? Понимаете, почему я не верю, что он, зная положение вещей, беспечно завис на пляже еще на недельку-другую?

— Да, это, конечно, вряд ли, — задумчиво проговорил Лев. — Если только ему не наплевать на ваши проблемы.

— Вы о чем? — изумленно воззрился на него Плисецкий. — Мы знакомы с Ромой двадцать лет! Мы с нуля начинали вместе! Через нас обоих проходили о-очень большие деньги, и ни разу не было случаев взаимного кидалова! Так что оставьте эту версию, не тратьте время. Роману я доверяю как самому себе, а может, даже больше.

— Хорошо, допустим, все именно так, как вы говорите, — кивнул Гуров. — А вы не думали, обращаясь в полицию, что вам сейчас выгоднее не найти своего компаньона — что, разумеется, тоже важно, — а написать заявление на действия гражданина Бурова? По факту угроз, вымогательства и прочего?

Плисецкий посмотрел на Гурова так красноречиво, что тот невольно почувствовал себя образчиком наивности, и снисходительно произнес:

— Я вас умоляю! Я не вчера родился, чтобы рассчитывать в этом вопросе на помощь полиции! Полиция ничего не сможет сделать Бурову, ни-че-го! Буров — он сильнее полиции! Он сильнее, мне думается, всех ведомств столицы! Лев Иванович! Не пытайтесь тягаться с Буровым, у вас ничего не выйдет! Его никто никогда не посадит, потому что денег Бурова хватит на то, чтобы купить все ваше МВД — только без обид, пожалуйста! Вы думаете, такие деньги, как у него, можно заработать, честно и мирно продавая детские игрушки? Это он под такой официальной вывеской числится. Его все боятся, потому что знают: Бурову человека убрать — как высморкаться.

— Зачем же вы связались с таким страшным человеком? И откуда он вообще взялся в вашей жизни? — удивленно спросил Лев.

— Не знаю, это Рома как-то завязал с ним знакомство. На тот момент никаких подробностей он мне не рассказывал, и я думал, что нам просто повезло найти такого спонсора. А теперь вот локти кусаю! Деньги меня уже не радуют, и вообще ничего! Я спать перестал ночами, есть перестал, похудел уже на пять килограммов, а я и так никогда не отличался лишним весом.

— Так, давайте оставим причитания, вы не барышня на приеме у психотерапевта, — довольно строго произнес Гуров. — Давайте лучше решать ваш вопрос. Думаю, что ваше мнение о Бурове и его могуществе несколько преувеличено.

— Почему вы так считаете? — спросил Плисецкий, которого уверенность Гурова немного успокоила.

— Потому что в таком случае о нем бы знали в МВД, — ответил Лев, — и я бы о нем слышал. Вы себе не слишком хорошо представляете нашу контору и, думается, недооцениваете. А мы тоже кое-что можем. И поверьте, бандитов — а ваш Буров обыкновенный бандит, и больше никто, пусть и влиятельный, — нам довелось пересажать очень много.

— Ну хорошо, — слегка окрепшим голосом сказал Плисецкий. — А сейчас-то что делать?

— Заниматься поисками Любимова. Точнее, искать причины его невозвращения. И у меня уже есть несколько таковых.

— И что же это за причины?

— Я не стану сейчас о них распространяться. Вы мне лучше вот что скажите: во время своего рассказа вы произнесли следующую фразу: «Но он был в таком состоянии, что я решил, пусть лучше едет». Возможно, я не совсем дословно ее воспроизвел, но смысл ухватил. О каком состоянии вы говорили? Что происходило с вашим компаньоном перед отъездом?

Плисецкий задумался, а потом ответил:

— Не знаю. Но Рома стал немного не таким, как раньше. Он то ли тосковал, то ли еще что... Может быть, просто устал. Это началось еще осенью, я списывал на депрессию, предлагал ему поехать отдохнуть перед Новым годом, но тогда он отказался. А под конец зимы вдруг сорвался! И настроение резко поднялось! Он прямо как окрыленный летал перед отлетом — такой вот каламбур у меня получился, — улыбнулся Плисецкий первый раз за все время беседы.

— Гм, вот как? — сдвинул брови Гуров. — А с чем это могло быть связано?

— Понятия не имею! Честно — не знаю!

— Неужели ваш близкий компаньон, которому вы абсолютно доверяете, с вами не делился?

— Честное слово, нет! И... я же уже говорил — он мне компаньон, но личные дела мы не обсуждали. Роман говорил, что просто ждет весны, что надоела зима, а вот теперь она проходит, и ему снова хочется жить.

— А может быть, он просто влюбился? — предположил Лев. — Вы уверены, что он улетел один?

Плисецкий неожиданно побледнел и растерянно произнес:

— То есть... Как? Что вы хотите этим сказать?

— Ну, как что? — настала очередь удивляться Гурову. — Познакомился с девушкой, влюбился, решил съездить вместе с ней отдохнуть — что здесь такого?

— С девушкой? Вместе отдохнуть? — Плисецкий, казалось, никак не мог взять в толк, о чем говорит полковник.

— Леонид Максимович, вы сами когда последний раз отдыхали? — с усмешкой спросил Гуров.

— Мы? Да где-то год назад... Ездили в Испанию, на Ибицу. То есть и Роман Витальевич тоже.

— Мне кажется, длительный стресс лишил вас способности воспринимать нормальные, естественные вещи. Вам са-

35

мому не мешало бы съездить отдохнуть. С семьей. Глядишь, за это время и Роман Витальевич вернется, — улыбнулся Лев.

Но Плисецкому было не до смеха. Почему-то безобидное замечание Гурова произвело на него огромное впечатление. Он как-то сразу сжался в сиденье, замкнулся и всю дорогу сосредоточенно смотрел перед собой, отвечая на вопросы односложно и не задумываясь. Лев понял, что беседы не получится и собирать информацию о Любимове придется в другом месте и у других людей.

Уже когда они почти подъехали к «Гармонии», у Плисецкого зазвонил телефон. Тот достал его и, увидев высветившийся номер, слегка выругался, но все же ответил на звонок:

— Да, дорогая, прости, я помню, но у меня изменились обстоятельства. Что? Когда? Где? Ладно, хорошо.

— Вас куда-то подвезти в другое место? — поинтересовался Лев.

Однако Плисецкий возразил и меньше чем через минуту автомобиль Гурова остановился у спортивно-развлекательного центра. Плисецкий еще раз поблагодарил полковника, не меньше десяти раз извинился за то, что все получилось «с ног на голову», еще столько же раз спросил, когда можно ждать первых новостей, после чего, наконец, направился к дверям. Когда он скрылся за ними, Гуров достал свой телефон и, набрав номер, спросил:

— Стас, ты где?

И получил неожиданный ответ:

— У врача!

Глава 3

Станислав Крячко, пройдя несколько метров от спортивно-развлекательного центра, остановился. Увидев, что его обогнала машина Гурова с сидевшим рядом с ним Плисецким, он постоял несколько секунд, а затем развернулся и направился обратно к входу в центр «Гармония».

Теперь Крячко не спешил. Он прошелся по первому этажу, по-хозяйски заглядывая в каждую комнату и не утруждая себя при этом стуком, и убедился, что первый этаж был отдан под всякого рода процедуры для ухода за внешностью. Тут находились косметические кабинеты, массажные, парикмахерские и прочие, хитрого предназначения которых Крячко, далекий от ухода за собственной внешностью, определить так и не смог.

Зато буквально через пять минут после хождения по кабинетам его самого определили как нуждающегося в таком уходе. Из каждого кабинетика стали выныривать девушки в униформе и, улыбаясь Крячко нереально белыми зубами, вежливо осведомлялись:

— Добрый день, вы хотели бы воспользоваться нашими услугами?

Крячко попытался поначалу отшучиваться, но потом, когда предложения посетить тот или иной кабинет стали зашкаливать, поспешил спастись бегством, ринувшись к эскалатору, ведущему на второй этаж. Там ему понравилось гораздо больше, хотя бы потому, что второй этаж был в основном рассчитан на мужчин. Здесь находились всякие спортивные комнаты, тренажерный зал, боулинг, бильярдная и, что его немало удивило, даже сауна в дальнем конце коридора.

В залах тренировались, играли в бильярд и развлекались мужчины разных возрастов и комплекций. Были и молодые, подтянутые, щеголяющие с обнаженным торсом, демонстрируя идеальные кубики пресса, ставшие притчей во языцех для многих подростков. Были и постарше, с телами откровенно запущенными, с выпирающими животами, являвшими собой, в отличие от кубиков, иную геометрическую фигуру — огромный шар.

Крячко пока что ни с кем не заводил бесед — только присматривался, уже наметив для себя четвертый этаж, где намеревался начать разговоры с персоналом комплекса, а уже потом переместиться на посетителей. Но не абы каких, а тех, кто ходит сюда регулярно и действительно сможет сообщить что-то интересное. Для этого ему следовало определить круг постоянных клиентов, вот зачем ему нужна была беседа с сотрудниками центра, а точнее, сотрудницами, потому что, что ни говори, а женщины, по глубокому убеждению Крячко, гораздо более словоохотливы и склонны к сплетням.

Собирать сплетни Стас умел виртуозно. Не гнушался, подобно Гурову, этим занятием, которое тот считал чуть ли не постыдным и пустой тратой времени, из-за чего между ними периодически разгорались горячие споры. Крячко был убежден, что это очень важный элемент в любом расследовании, и тут нужно недюжинное мастерство. А Гуров таким мастерством не обладает, посему нечего ему и соваться в эту деликатнейшую сферу.

— Лева, уметь отличить сплетни от фактов — это талант! — поднимая вверх указательный палец, рассуждал Крячко. — Я ж не просто так трусь возле этих дамочек, выслушиваю треп о всяких там мужьях-любовниках-тещах-свекровях и прочей на первый взгляд чепухе! Я работаю — нет, я вершу отбор! Я совершаю колоссальный мыслительный процесс, в результате которого мне приходится по крупицам отбирать из всей этой шелухи золотые ядра истины!

— Ничего себе! — удивленно заметил Гуров, с интересом поглядывая на своего друга, которого, как считал, знал как облупленного. — Стас, ты меня, признаться, сразил наповал! Какой слог, а? Это же высокий штиль! Ломоносов обзавидуется! Зато Пушкин может спать спокойно: в твоем лице он нашел достойного преемника, продолжающего лучшие традиции литературного русского языка!

Крячко лишь махнул рукой. Он не был носителем традиций русского литературного языка, более того, имел с этим самым языком отношения трудные, сложные, запутанные и не всегда добросердечные. Да что там греха таить, порой он русский язык просто ненавидел, особенно когда ему нужно было на бумаге воплощать его в жизнь, то есть составлять документы, протоколы, отчеты и заниматься прочей бумажной волокитой.

— Мне на штили глубоко плевать, я не теоретик, я практик! — бил себя кулаком в грудь Стас. — Я не просто так с ними разговоры разговариваю! Я делаю из болтовни факты! Именно то, чего от нас с тобой требует наш драгоценный Петр Николаевич Орлов, дай ему Бог здоровья и долгих лет!

Пройдясь по всему второму этажу, Крячко уже совершенно освоился в спортивно-развлекательном комплексе и собрался отправиться на третий, дабы убедиться, что там ему делать нечего: его целью был четвертый.

Третий этаж действительно не представлял для него профессионального интереса: он оказался средоточием развлекательных заведений. Именно этот этаж был отдан под кафе, торговые точки и небольшой кинотеатр.

Поднявшись на четвертый этаж, Стас уверенно подошел к приемной, которую покинул несколько минут назад, и, не церемонясь, открыл дверь. Сидевшая за своим столом секретарша Ольга Анатольевна вскинула на него глаза и близоруко прищурилась.

— Простите, а Леонид Максимович еще не вернулся, — поправив свои рудиментарные очки, сообщила она.

— А я знаю! — махнул рукой Крячко, без приглашения проходя в кабинет и усаживаясь рядом с секретаршей. — Леонид Максимович как раз и просил побеседовать с вами, пока он отсутствует!

— Со мной? — Ольга Анатольевна растерялась. — Но почему? Он мне ничего не говорил...

— Так он просто не успел, — успокоил ее Крячко. — У него встреча важная. А время идет. Вот Леонид Максимович и сказал, что вы, как человек компетентный, грамотный сотрудник, сможете предоставить все нужные сведения, — на голубом глазу соврал Крячко.

Ольга Анатольевна зарделась, словно барышня на выданье, и даже сняла очки. Крячко невольно отметил, что без них она выглядит намного лучше, да и лет ей совсем не так много, как кажется на первый взгляд. Если бы еще изменить эту прилизанную прическу и хоть немного подкраситься — была бы вообще ничего.

«Черт его знает, что такое, вроде в центре этом только наведением красоты и занимаются, а бабы-сотрудницы у них ходят, как пугала огородные! — с недоумением подумал Стас, вспомнив мужиковатую бухгалтершу с ее куцей стрижкой, совершенно лишенную даже не красоты, а каких-то признаков ухоженности. — Могли бы сотрудницам какой-нибудь льготный абонемент выписать в свои апартаменты, если уж платят гроши!»

В том, что персоналу платят гроши, он не сомневался. Чем богаче хозяин, тем жаднее, в этом Станислав был убежден.

Ольга Анатольевна тем временем изобразила полную готовность к сотрудничеству: она села прямо, сложила руки на коленях, прикрытых длинной серо-зеленой юбкой, и внимательно уставилась на Крячко, стараясь не щуриться. Очков она так и не надела.

— Итак, начнем с Романа Витальевича, — приступил Стас к своей «деликатнейшей миссии». — Вы ведь, Ольга Анатольевна, наверняка в курсе, что он задержался из своего возвращения из Доминиканы?

— Да-да, конечно, я в курсе, — закивала та маленькой головой. — И это действительно странно, мы все волнуемся, особенно Леонид Максимович...

— Да-да-да, Леонид Максимович просто места себе не находит! — с сочувствием подхватил Крячко и придвинул стул ближе. — Они с Романом Витальевичем очень дружат, правда?

— Правда, — тут же ответила секретарша. — Они давно знакомы, можно сказать, домами дружат.

— Домами, вот как? А я думал, Роман Витальевич не женат...

— Он-то не женат, а Леонид Максимович — да. Двое деток у него, и жена такая милая. Правда, она здесь редко появляется. Я про то, что Роман Витальевич часто у них в гостях бывает, и дни рождения они всегда вместе отмечают, и прочие праздники... Они и дело свое вместе ведут. Кажется, и начинали его вдвоем, но точно не скажу, потому что это давно было, еще до «Гармонии». А я три года назад пришла работать уже сюда.

— И как вам, понравилось здесь? — с искренним участием спросил Крячко. — Начальство не обижает?

— Нет, что вы! И Роман Витальевич, и Леонид Максимович такие вежливые, обходительные! Никогда даже голос не повышают, не кричат, не ругаются... Знаете, бывают начальники такие хамы! Мне, к сожалению, доводилось с такими сталкиваться. Или, знаете, бывают такие, что все соки выжимают, сверхурочно заставляют работать и при этом не оплачивают лишние часы. А Леонид Максимович и Роман Витальевич — никогда. Сами частенько остаются по вечерам, все обсуждают что-то, но меня никогда не просят задержаться. Хотя я бы и согласилась — мне все равно дома скучно, спешить некуда.

Крячко с пониманием кивал. Ольга Анатольевна производила впечатление типичной старой девы, хотя старой, в прямом смысле слова, и не являлась. Слушая ее, он демонстрировал глубочайшее внимание. На самом деле так оно и было: слушал он очень внимательно, схватывая все детали, из которых потом его причудливо устроенный практический мозг вычленял то, что Станислав считал важным. И, к слову, редко ошибался.

— А вот сегодня Леонид Максимович очень разнервничался, кричал даже! — заметил он.

— Ой, это же исключение! — тут же кинулась защищать своего босса секретарша. — Он просто очень переживает. Это же его друг!

— Да, то, что они дружат, я понял. А вот в бизнесе как? Неужели никогда не спорят? Все-таки ваш комплекс такой... — Крячко пошевелил пальцем, подбирая подходящее слово. — Такой разноплановый! Тут столько всяких нюансов: и отделка помещения, и оснащение, и направление... Все это нужно согласовать, правильно? И редко в таких вопросах бывает без разногласий.

Секретарша если и задумалась, то не более чем на пару секунд.

— Может быть, и бывает такое, но они всегда все мирно решают. Я ни разу не видела, чтобы между ними были какие-то разногласия. Ну, в смысле, громкие споры или ссоры. И всегда между собой даже подчеркнуто вежливы! Редко таких руководителей встретишь, редко... — Она тихонько вздохнула. — Раз только на моей памяти поспорили, а так никогда.

— Вот как? — мгновенно ухватился Крячко за оброненную вскользь фразу. — Из-за чего же два таких хороших друга

41

могли поспорить? Небось, пустяки какие-нибудь, типа в какой угол кофеварку ставить, — улыбнулся он.

Ольга Анатольевна невольно улыбнулась в ответ и покачала головой:

— Я, знаете, не вникала глубоко, но, кажется, речь шла о совместной поездке куда-то. Леонид Максимович хотел поехать, а Роман Витальевич, кажется, нет.

— А когда это было?

— Примерно полгода назад.

— Угу, угу, — бормоча себе под нос, кивал Крячко. — А вот скажите, Роман Витальевич перед отъездом вам каким показался? Может быть, что-то было не совсем, как обычно? Может, он ехать не хотел?

Ольга Анатольевна при этих словах вдруг встрепенулась и оживленно заговорила:

— Нет, что вы, он как раз захотел ехать! И настроение у него прямо поднялось!

— Что значит — захотел? А раньше не хотел?

Секретарша замялась, подбирая слова.

— Раньше, мне кажется, ему вообще ничего не хотелось. Это еще осенью началось. Он обычно всегда веселый, Роман Витальевич, улыбается приветливо, а тут ходил грустный, молчаливый. Я подумала тогда — ну, осень, понятное дело. Многим осенью тоскливо, потому что без солнечного света перестают вырабатываться нужные гормоны. Но он и зимой не слишком изменился, не радовался даже Новому году, хотя обычно они с Леонидом Максимовичем устраивают прямо-таки грандиозный праздник!

— Ну, этому Новому году вообще мало кто радовался, — проворчал Стас, вспомнив о том, как всему управлению вдруг резко задержали зарплату перед самыми праздниками, чего не наблюдалось уже много лет, вдобавок еще и урезали премию, а кое-кому вовсе не выплатили... Вспомнил сам Новый год, когда он, злой на весь белый свет, отказался с женой идти в гости и остался дома, ссылаясь на отсутствие настроения, а главное — денег. Жена ушла одна к тестю с тещей, дети разбежались по своим компаниям, и Крячко вознамерился насладиться одиночеством, а потом, вспомнив детство, даже устроить во дворе мини-салют.

Но не суждено было сбыться чаяниям Крячко. Вместо этого он, пропустив сразу несколько рюмок на голодный желудок, быстро раскис и уже в половине первого ночи улегся спать, так и не встретив толком Новый год, которого обычно начинал ждать еще с октября... Так что в этом смысле он Романа Любимова хорошо понимал.

А секретарша тем временем продолжала свой рассказ, неожиданно углубившись в него...

...Роман Любимов стоял у окна в своем кабинете и, нахмурившись, вглядывался в промозглую декабрьскую хмурь, когда в кабинет тихонько вошла Ольга Анатольевна с подносом в руках. На подносе дымились три чашки с травяным чаем — любимым напитком Романа Витальевича, который он потреблял в больших количествах.

Секретарша аккуратно поставила поднос на стол и собралась так же незаметно удалиться, как вдруг Роман Витальевич обернулся и сказал:

— Ольга Анатольевна, а как вы обычно развлекаетесь?

Секретарша впала в ступор от этого вопроса. Поначалу она, грешным делом, решила, будто босс таким образом вздумал оказать ей знаки внимания, что совершенно не входило в ее планы, смущало и даже откровенно страшило. В своей практике ей не доводилось заводить интрижки с шефом, да и было их у нее не так уж много, но Роман Витальевич вроде бы не отличался подобными склонностями.

Ольга Анатольевна замялась и в нерешительности топталась на месте, не зная, как ответить. Роман Витальевич отошел от окна, приблизился к ней и, выдавив приветливую улыбку, пояснил:

— Ну, свободное время как вы проводите?

— Я... Ну... Ну, книжки читаю, — нашлась она наконец, решив, что никакого подвоха в вопросе шефа не скрывается. — По выходным маму навещаю. Иногда к подруге езжу. Вот.

— И все? — На лице Любимова отразилось явное изумление.

— Я, наверное, не умею развлекаться, Роман Витальевич, — вздохнув, призналась Ольга Анатольевна и собралась уходить, но шеф вдруг остановил ее:

— Ольга Анатольевна, составьте мне компанию, пожалуйста! В смысле, давайте вместе попьем чайку.

Секретарша, борясь со смущением, все же присела на краешек дивана и взяла чашку. Роман Витальевич садиться не стал, он взял чашку с подноса и, отпивая чай, сказал:

— Вы ведь, кажется, одиноки?

— Да, — опустив глаза, ответила она.

— У вас масса свободного времени, вы ничем не обременены, могли бы позволить себе что-нибудь интересное... Вы, кстати, в отпуск куда ездили?

— Никуда, — отвела глаза Ольга Анатольевна, словно признавалась в чем-то постыдном. — У меня дома дел хватает.

Роман Витальевич продолжал задумчиво следить за ней, потом спросил:

— Скажите, а вам не бывает скучно?

— Скучно? Нет, не замечала. Я же говорю — не умею я развлекаться. Жизнь моя идет своим чередом, в ней один день похож на другой. И знаете, я, наверное, уже привыкла к этому и не хочу ничего менять. Перемены меня даже пугают.

— Но так ведь можно с ума сойти от скуки! — пораженно воскликнул Любимов.

Ольга Анатольевна вздохнула. Ей не нравился этот разговор, и она уже сожалела, что согласилась остаться. Но и отказать хозяину стеснялась. Роман Витальевич присел все-таки рядом и, задумчиво крутя в руке чашку, проговорил:

— Знаете, я провожу свой досуг гораздо насыщеннее. Я объехал, наверное, весь мир. В Москве нет такого места, которое я бы не посетил. И вот я думаю — что дальше? При мысли о том, что не будет в моей жизни ничего нового, мне становится страшно. Вот это меня все время мучает — что дальше? В чем смысл? Денег у меня хватает, но я просто не могу придумать, что себе такое позволить. Купить очередную машину? Скучно, надоело, да и мелко! Вообще все, что касается покупок, новых приобретений, мне неинтересно, я в это уже наигрался. А вот придумать бы что-нибудь эдакое, что-то по-настоящему интересное, захватывающее, позволяющее глубже заглянуть в себя, открыть доселе неизведанное в самом себе. Понимаете меня?

Он заглянул ей в глаза, словно ожидая ответа на все свои вопросы. Но Ольга Анатольевна не могла их дать. То, чем был озабочен шеф, ей было непонятно. Ее волновали более простые вещи: успеть оплатить коммунальные услуги до конца месяца, купить матери, у которой больные ноги, лекарства и связать пуховые носки, постараться растянуть зарплату так, чтобы можно было отложить небольшую сумму.

А шеф... Ему всего этого не понять, у него другие заботы. Ольге Анатольевне было любопытно — что это с ним такое? Никогда раньше он не разговаривал с ней на эти темы. Вроде и не молчал, любил порой поболтать о всяких пустяках, но не более того. Никогда не раскрывался и в свой внутренний мир не пускал.

«С жиру бесится, — подумала она про себя. — Конечно, ему не надо голову ломать, как до конца месяца концы с концами свести! Небось, и не задумывается, как на мою зарплату прожить! А посадить бы его на мой оклад — сразу прекратил бы дурью маяться! Дух бы у него захватывало, когда еще неделя до зарплаты, а в холодильнике у тебя полпачки масла из растительных жиров да кусок батона в хлебнице, а сапоги порвались окончательно. И голову ломал бы над тем, что выгоднее: новые купить или попытаться эти починить уже в четвертый раз!»

Но вслух произнесла совсем другую фразу:

— Жениться вам надо, Роман Витальевич.

Тот удивленно уставился на нее, будто в его мечты и душевные метания непонятным образом затесалось нечто приземленное, обыденное и настолько неинтересное, что непонятно, как оно вообще прокралось в столь возвышенный монолог, ведь ему никак не место по соседству с его прекрасными порывами.

45

— Жениться, — засмеялся он невесело. — Нет, Ольга Анатольевна, боюсь, это не выход для меня. Хотя, по моим наблюдениям, это и впрямь экстремальное развлечение!

— Зима сейчас, витаминов не хватает, солнечного света, — принялась перечислять причины неуютного душевного состояния своего шефа секретарша. — Вы бы купили большой флакон витаминов и пили по две сразу! А в чай я вам советую зверобой добавлять — он любую депрессию снимает!

Любимов кивал, но выражение лица у него при этом было как при зубной боли.

— Или отдохнули бы, отпуск взяли! — продолжала давать советы Ольга Анатольевна. — Вон Леонид Максимович вам уже не раз говорил, чтобы вы съездили куда-нибудь!

— Не то, не то... — бормотал Любимов, а Ольга Анатольевна продолжала:

— Неважно, что везде уже бывали! Все равно не может быть, чтобы не осталось на земле такого уголка, где вы еще не были! Вы же все по накатанной ездите, по туристическим местам, а есть ведь и неизведанные уголки! Вам, конечно, и в голову не приходило их посетить, а вдруг это именно то, что вам нужно? Знаете, я недавно читала, что сейчас стало очень модно ездить к Северному полюсу! Да-да, не удивляйтесь! Люди, вполне респектабельные, едут туда, чтобы побыть в одиночестве, отдохнуть от суеты мегаполиса, насладиться первозданной красотой. Им не разрешают даже мобильные телефоны брать с собой, и вообще там никакой цивилизации. Три или четыре дня они там выживают как могут. Правда, за ними следят, конечно, а то мало ли что... Я запомнила, что это стоит дорого, но для вас, кажется, деньги не имеют значения? — усмехнулась она.

Роман Витальевич сидел, наморщив лоб, и внимательно ее слушал.

— Что ж, это интересно, — неожиданно произнес он и даже улыбнулся. — Это вы где прочитали, Ольга Анатольевна?

— Да в газете какой-то, — пожала она плечами. — Не помню, в какой. Но могу поискать.

— Поищите, пожалуйста, — закивал Любимов и поднялся.

Он быстро прошел к своему столу, сел за компьютер и защелкал мышью. Потом, повеселев, посмотрел на секретаршу и сказал:

— Что ж, Ольга Анатольевна, спасибо вам большое! Вы мне прямо настроение подняли!

Секретарша кивнула и с облегчением вышла из кабинета...

— И что же, он поехал на Северный полюс? — спросил Крячко, когда Ольга Анатольевна закончила свой рассказ.

— Нет, не поехал, — улыбнулась та. — В Доминикану поехал — это привычнее, видимо. Я думаю, у него просто блажь такая была. А потом он ею переболел — и все прошло. Сами посудите, на Северный полюс такому изнеженному барчуку! Он в кабинете-то с сентября обогреватель включает. Хотя о теле своем заботится: спорт, массаж — регулярно.

— Да-а-а, — протянул Крячко, что-то прикидывая в голове. — А у вас тут женщин красивых много, верно? Я сам видел! Макияж-маникюр-прически, маски всякие — и выходит королева этакая из кабинета! Наверное, пересекались с Романом Витальевичем, а?

— Знаете, — ответила Ольга Анатольевна, — насколько мне известно, Роман Витальевич романов на работе никогда не заводил. Я думаю, у него принцип такой. Хотя многие женщины его добивались, да что там — откровенно вешались! И это понятно: молодой, богатый, красивый. Есть на что позариться! Но он не обращал внимания. Я думаю, он этими красотками уже так пресытился, что и смотреть на них не хотелось. И я считаю, это правильно. Нельзя работу смешивать с личными отношениями, а то потом хлопот не оберешься! Да и жениться он не собирался, а женщинам ведь это в первую очередь нужно. Помню, одна уж так его атаковала! Прямо проходу не давала! Он старался вежливо с ней держаться, но нейтрально. Так она прямо сюда, в кабинет приходила! Ну, он ее чаем угостит и выпроводит. А однажды она такое устроила... — Ольга Анатольевна понизила голос до заговорщицкого шепота.

— Расскажите, пожалуйста! — тоном заядлого сплетника попросил Крячко и даже заерзал на стуле.

Секретарша бросила осторожный взгляд на дверь и стала рассказывать:

— Пришла она, значит, к нему поздно вечером, когда все занятия и процедуры уже закончились. Мы закрываться собирались, и я не хотела ее впускать, но она такая наглая — все равно прошла! Роман Витальевич один был. Не знаю уж, что она там ему говорила, только вскоре крики послышались. Я перепугалась до смерти! Думаю — идти не идти? Потом все же решила постучать. Кричу — Роман Витальевич, у вас все в порядке? А тут дверь как распахнется, и вижу — он эту девицу за шиворот волочет! Блузка на ней разорвана, волосы растрепаны, помада размазалась! Я прямо оторопела! А он ее разворачивает и громко так заявляет: «Ольга Анатольевна, будьте свидетелем. Только что эта женщина пыталась обвинить меня в попытке изнасилования, сымитировав ее». Та шипит, царапается, как кошка, и все норовит ему в лицо попасть. И кричит, что сейчас, мол, в полицию пойду и заявление напишу, а твоей секретарше никто не поверит! А Роман Витальевич так спокойно ей отвечает — иди, сама себя на посмешище выставишь! У меня, говорит, камера в кабинете установлена, так что все записано, как было. Ну, она прямо аж затряслась от злости! А потом ушла, прошипев на ходу: «Ты у меня еще пожалеешь!»

— Ничего себе! Бывает же такое, а? — осуждающе покачал головой Крячко.

— И не говорите! — подхватила секретарша. — И главное, у нее совести хватило и дальше сюда ходить. У нее, видите ли, абонемент до конца года оплачен! Правильно, не пропадать же деньгам!

— А когда это было? — поинтересовался Стас.

— Да в январе, сразу после праздников. Может, она еще не протрезвела окончательно после Нового года, не знаю.

— А что, в кабинете действительно установлена камера?

48

— Понятия не имею, — призналась Ольга Анатольевна. — Может быть, он просто так ее припугнуть хотел. Я все голову ломала: зачем камера в кабинете? Там же и не бывает практически никого!

— Да, да... Действительно, вроде незачем, — согласился Крячко. — А фамилию этой женщины вы мне не скажете?

— Сейчас. — Ольга Анатольевна отодвинулась, щелкнула мышью и принялась искать нужный файл. — Мне ведь приходится и весь учет по клиентам вести, — то ли пожаловалась, то ли похвасталась она. — А тут такая прорва работы! Похлеще бухгалтерии!

Пока Ольга Анатольевна возилась со своими файлами в поисках нужного, Крячко раздумывал над тем, стоит ли в отсутствие Плисецкого проникнуть в его кабинет и осмотреть его на наличие камеры? Это можно было сделать двумя способами: легальным и нелегальным. Для легального надо было всего лишь убедить Ольгу Анатольевну отпереть кабинет. Для Крячко это не представлялось сложной задачей. Секретарше нужно лишь внушить, что от этого зависит благоприятный исход поисков Романа Витальевича и что Леонид Максимович за такое только похвалит. Так как она показалась Крячко весьма любопытной особой, то, скорее всего, согласилась бы.

А для нелегального вторжения в кабинет достаточно просто выпроводить куда-нибудь секретаршу под благовидным предлогом, причем постараться сделать так, чтобы она подольше не вернулась. Крячко уже осмотрел навскидку замок, открыть такой для него пара пустяков. И не над этим он ломал сейчас голову: при необходимости он нашел бы еще массу способов проникновения в директорский кабинет.

Волновало его другое: как потом объяснять Плисецкому свое самоуправство? Ведь если допустить, что камера все же существует, то на ней неминуемо отразится появление Крячко. И даже если он потом сотрет с пленки этот момент, все равно будет ясно, что ее трогали. Что там подумает Плисецкий о Крячко в этическом смысле, Станиславу было безразлично — на этику он плевать хотел. Он боялся спугнуть

Плисецкого раньше времени, потому что по-прежнему не доверял этому человеку. Знакомство и беседа с ним не сняли в глазах Крячко подозрений с компаньона исчезнувшего Любимова, да это и беседой-то назвать нельзя было. В одном Крячко убедился стопроцентно: Плисецкий нервничал и явно чего-то недоговаривал. И показать ему сейчас, что он на подозрении, было бы тактически неверным ходом. Посему Стас решил все же отказаться до поры до времени от этой затеи. До того времени, пока он хотя бы не встретится с Гуровым и не поделится с ним полученными сведениями, сопоставив с его.

— Вот, нашла! — произнесла Ольга Анатольевна, отрывая Крячко от его крамольных мыслей. — Круглова Любовь Владимировна.

— Адрес, телефон есть? — спросил Крячко.

— Адреса нет, а телефон есть. Вам продиктовать?

— Обязательно, — кивнул Крячко и достал из кармана пухлую записную книжку, которой пользовался в крайних случаях: все, что касалось письма, не вызывало у него положительных эмоций, и он больше надеялся на свою память. Посему записная книжка служила ему уже не один десяток лет и за эти годы существенно поистрепалась. Однако Крячко ее не выбрасывал, поскольку в ней на внутренней стороне тоже существовали кое-какие записи. Они были сделаны давным-давно, Крячко и сам уж не помнил, к каким людям и событиям имели они отношение. Дело в том, что, экономя место, Станислав использовал сокращения, смысл которых благополучно забывал. И когда доходило до нужного контакта, сам не мог понять, что обозначают эти, мягко говоря, странные записи.

Однажды весь отдел ломал голову над тем, что означает таинственное слово «стодор-жабд». Крячко даже обещал выставить пиво тому, кто первым догадается. Версии выдвигались самые разные, одна фантастичнее другой.

Разгадка пришла неожиданно, когда у Крячко разболелся зуб. Причем так, что он начал опрашивать всех коллег на предмет рекомендации хорошего стоматолога. Тут-то он и вспомнил, что, когда этот зуб заболел у него еще полгода назад, жена посоветовала ему знакомого зубного врача и дала его телефон. Крячко позвонил, выяснил стоимость услуг, и она ему не понравилась. К тому же вечером на работе он выпил с сослуживцами граммов триста водки и заглушил, наконец, распоясавшийся нерв. Тогда-то он и записал над номером слово «стодор-жабд», что означало «Стоматолог дорогой — жаба душит».

Под диктовку секретарши Стас нацарапал девятизначный номер, пометив его рядом как «Истшанизн», что на его языке означало: «истеричка—шантаж—изнасилование».

Поблагодарив Ольгу Анатольевну, он уже собирался сворачивать беседу и уходить, как вдруг дверь в приемную открылась, и в нее без стука вошла женщина. Поначалу Крячко принял ее за клиентку комплекса: она выглядела очень ухоженной, со стильной прической, модно одетая. Стас мало разбирался в моде и женских тряпках, но и для него было очевидно, что одежда и украшения женщины стоят очень дорого, а прическу она, вероятно, делала в одном из лучших салонов Москвы.

Женщина была довольно высока, стройна, в изгибе ее рта чувствовалась натура сильная, уверенная в себе и несколько капризная.

— Добрый день, — небрежно бросила она, сразу направляясь к двери в хозяйский кабинет.

— А там заперто! — сообщила ей секретарша. — Леонид Максимович уехал.

Женщина повернулась, и в ее глазах мелькнули недоумение и недовольство.

— Давно? — уточнила она.

— Да с полчаса, наверное.

Посетительница нахмурилась и достала телефон — изящную штучку в золоченом корпусе. Набрав номер, она приготовилась ждать ответа, но, видимо, так и не дождалась, потому что отключила связь, стараясь скрыть досаду, и обратилась к секретарше:

— Он не сообщил, когда вернется?

— Увы, нет, — развела руками Ольга Анатольевна и повернулась к Крячко: — А вы не знаете?

Тут женщина, до этого не замечавшая его, волей-неволей обратила свой удивленный взор на Стаса. Ей и в голову не могло прийти, что этот простоватый мужичок в какой-то старой пухлой куртке с вещевого рынка может быть в курсе насчет возвращения хозяина комплекса. Чуть приподняв искусно нарисованную бровь, она вопросительно смотрела на Крячко, ожидая, что он скажет.

— Он уехал на важную встречу, — произнес наконец Стас. — Возможно, она продлится долго.

— А вы кто? — прямо спросила женщина.

— А вы? — задал Крячко встречный вопрос.

— Это из полиции! — поспешила просветить незнакомку секретарша.

На этот раз у женщины взлетели обе брови. Повернувшись к Крячко и пройдясь по нему оценивающим взглядом, она усмехнулась уголками губ. Крячко, не прерывая возникшего молчания, достал удостоверение и, поднявшись со стула, раскрыл документ перед ее лицом. Та скользнула по нему глазами и чуть прикусила губу.

— Не думала, что у моего мужа могут быть проблемы с полицией, — проговорила она со странной интонацией, которой Крячко так и не понял: то ли скрытое злорадство, то ли неподдельное изумление. — Что ж, я, пожалуй, не стану ждать. Всего доброго, — и повернулась, собираясь уйти.

Крячко с удивительным для его комплекции проворством в один прыжок обогнал женщину и, встав у нее на пути, проговорил, улыбнувшись:

— Ну зачем же? Напротив! Мы как раз могли бы побеседовать с вами.

— О чем? — нахмурилась она. — Я совершенно не в курсе финансовых дел мужа.

— А с чего вы взяли, что я здесь по поводу его финансов? — удивленно спросил Стас.

— А почему еще?

— Да вот по поводу его компаньона, Романа Витальевича Любимова. Точнее, его исчезновения. Хотел вот спросить, что вы думаете об этом? Вы ведь дружите?

52

— Роман исчез? — неожиданно застыв на месте, спросила она.

— Во всяком случае, это первая версия следствия, — неуклюже выразился Крячко, но жена Плисецкого вряд ли была подкована в следственных формулировках.

Женщина еще пару секунд постояла, осмысливая услышанное, потом ее губы скривила какая-то усмешка, и она резко произнесла:

— На этот счет я еще менее в курсе, чем по финансам!

— Как же так? Вы ведь дружите... — напомнил Крячко.

— Мы не дружим! — категорически оборвала она его. — Не знаю, откуда вы это взяли. Так что я все же пойду, всего доброго! — И, круто развернувшись, решительно вышла из приемной.

— Светлана Владимировна не любит обсуждать личные дела, — оправдывая жену своего шефа таким тоном, словно она сама была виновата перед Крячко, проговорила секретарша. — Извините.

— Да ладно, я не барышня, — махнул рукой Стас. — Она что, действительно не в курсе? Или прикидывается?

— Не знаю, но вообще-то я бы не сказала, что они дружат. Во всяком случае, я никогда не видела их втроем. Светлана Владимировна здесь появляется нечасто, где-то примерно раз в месяц. И времени в кабинете проводит немного.

Помимо этого Ольга Анатольевна сообщила, что у Плисецких есть дочка лет десяти-двенадцати и что сама Светлана Владимировна не работает, а занимается ее воспитанием. Услугами центра «Гармония» не пользуется, ведет себя всегда корректно и холодно-отстраненно, а Романа Витальевича, кажется, недолюбливает. На вопрос Крячко, по какой причине, она развела руками, мол, понятия не имеет.

Собственно, на этом беседу с секретаршей можно было считать законченной. Разговаривать с бухгалтершей Крячко не видел смысла, а больше никого из персонала на этаже не было, за исключением юриста, но он, по словам Ольги Анатольевны, приходящий, и толку от него в плане сбора личных сведений было бы немного.

«Пусть этим Лева занимается!» — решил про себя Станислав и распрощался с секретаршей, сердечно поблагодарив ее за помощь следствию.

Спускаясь на второй этаж, он невольно был привлечен громкой фразой, донесшейся из коридора:

— Это преступление!

Крячко повернул голову: одна из дверей была открыта, и из нее показался мужчина в годах, невысокий, лысоватый и откровенно толстый. Красноватый цвет лица в совокупности с фигурой явственно свидетельствовали о том, что обладатель сего ведет, мягко говоря, нездоровый образ жизни. Взгляд мужчины был хмурым.

— Это преступление, Василий Порфирьевич, так поступать со своим здоровьем! Мы же с вами договорились, — послышался тот же рокочущий голос, а следом Крячко увидел стоявшего на пороге кабинета мужчину в белом халате. Он придерживал дверь кабинета и, прощаясь с Василием Порфирьевичем, давал ему наставления:

— Диету вы всю неделю соблюдаете строжайше — точно в соответствии с моими рекомендациями! Наверное, на этой неделе нарушали все-таки, а? — Мужчина в халате лукаво взглянул на Василия Порфирьевича, цвет лица которого стал еще гуще.

— Ну... Может, пару раз позволил себе лишнего, — пробормотал он.

— Ах, не лукавьте, Василий Порфирьевич, не лукавьте! — со смешком погрозил ему пальцем мужчина в халате. — Ведь это как раз тот самый случай, когда вы сами себя обманываете! Ну кого вы хотите ввести в заблуждение? Ведь мне по вашим показателям абсолютно ясно, что никакой диеты вы не соблюдали, а в тренажерном зале появились лишь один раз за неделю, к тому же безбожно халтурили!

Василий Порфирьевич стал совершенно бурым и топтался на месте, стыдливо пряча глаза. Ситуация для него усугублялась тем, что происходила на глазах постороннего человека, то бишь Крячко, при котором его этот жизнерадостный «пофигист» в белом халате отчитывал, как мальчишку!

— Вы же сами меня умоляли помочь вам сбросить вес! — громогласно вещал он на весь коридор. — Помните? Я вам даже приводил в пример нашего директора, Романа Витальевича, и он лично с вами беседовал! Вот с кого надо брать пример: ежедневные тренировки, бицепсы, ни грамма жира! Он, кстати, никогда не ест никаких гамбургеров или плюшек — только хлеб с отрубями! Конечно, для этого требуется сила воли, но зато результат налицо!

Крячко, услышав знакомое имя-отчество, невольно замедлил шаг, явно заинтересовавшись. Теперь ему уже очень хотелось задержаться, и он на ходу отчаянно придумывал повод для этого.

— Доктор, — тем временем жалобно проговорил Василий Порфирьевич. — Но ведь вы мне запретили не только хлеб с отрубями, а вообще любой! И макароны, и картошку, и рис... Но это же невозможно, так же нельзя! Я элементарно не наедаюсь!

— Компенсируйте это! — уверенно мотнул головой доктор.

Он был высок, кучеряв и буквально брызгал энергией и здоровьем. В отличие от Василия Порфирьевича, злоупотребляющего не только пищей, но, по всей видимости, и алкоголем, румянец на его лице был абсолютно здоровым и естественным. Завидный баритон, с которым можно было смело идти если не в оперу, то в оперетту уж точно, раскатисто разносился по длинному коридору.

— Налегайте на овощи, фрукты, бобовые! Я вам все очень подробно расписал! Составил самую сбалансированную диету и при этом максимально щадящую! А вы и ее нарушаете. И еще, я вам тысячу раз говорил: после занятий спортом не набрасывайтесь на еду!

— Но после занятий спортом я просто умираю от голода! — простонал Василий Порфирьевич.

— Дорогой мой! — с сочувствием произнес доктор. — А как бы вы выживали, если бы попали в экстремальные условия? Голод или, не дай бог, война?

— Не дай бог! — тут же подхватил Василий Порфирьевич с неподдельным ужасом на лице и, обратив внимание на топтавшегося рядом Крячко, поспешил воспользоваться этим и быстро распрощался с доктором, судорожно встряхнув ему руку и устремляясь в конец коридора к выходу.

— И не забывайте про упражнения для брюшного пресса! — прокричал ему вслед врач. Видя, как Василий Порфирьевич мячиком выкатывается на площадку к лифту, он с улыбкой покачал головой: — Эх, люди-люди! Вот типичный пример: человек живет, чтобы есть!

— М-да, — поддакнул Крячко для поддержания разговора. Он решил побеседовать с доктором, который, наверное, достаточно хорошо знал Любимова. — А вы диетолог?

Доктор с интересом перевел на него взгляд своих живых карих глаз, оценивающе скользнул по фигуре Крячко и ответил:

— Я, молодой человек, все! И диетолог, и терапевт, и психотерапевт, если хотите! Я обслуживаю клиентов «Гармонии», но вас вижу впервые.

— А я действительно здесь впервые, — честно признался Стас. — Вот, знаете, решил заняться собственной внешностью, здоровьем...

— Да, да, да! — тут же перебил его доктор. — Это совершенно правильно! Тем более что здоровье свое вы, молодой человек, явно запустили. Да и внешность тоже. Килограммчиков с десяток лишних набрали, пузико вон через ремень вываливается, щеки пообвисли! А вы ведь еще совсем не старый!

Крячко невольно втянул свой живот, чувствуя, как сам предательски краснеет. Это он-то, Станислав Крячко, которого вообще трудно чем бы то ни было смутить! Который даже плевок в лицо невозмутимо воспринимал как божью росу, чем приводил в бешенство многих злостных коллег-шутников и даже преступников, пытавшихся его уязвить!

Сейчас, услышав такую прямую и бесцеремонную оценку со стороны профессионала, он понял, что чувствовал Василий Порфирьевич, так спешно давший деру.

— А вот вы мне и помогите! Или слабо? — с неким вызовом уставился он на доктора.

— Мне-то не слабо, молодой человек, — ничуть не смутившись, рассмеялся тот. — Главное, чтобы не было слабо вам! Ибо я могу всего лишь дать вам рекомендации, а вот исполнить их за вас, увы, не могу.

— Так давайте начнем! — пожал плечами Крячко, тесня его в кабинет.

— Отлично! — обрадовался доктор. — Меня зовут Антон Семенович Молодцов. Позвольте узнать ваше имя?

— Станислав, — коротко отозвался Крячко, проходя в кабинет.

Антон Семенович посадил его перед собой и с ходу приступил к делу. Крячко был подвергнут самому тщательному опросу, длившемуся не менее получаса. Станислав, который сам привык быть в роли задающего вопросы, чувствовал явный дискомфорт от этого, но послушно и терпеливо отвечал, стараясь даже быть честным, ибо характер вопросов не предполагал какой-либо секретности.

Доктор измерил его давление, пульс, рост, вес, поинтересовался возрастом, привычками, кулинарными пристрастиями, образом жизни, количеством стрессов в неделю, семейной жизнью и даже регулярностью сексуальных отношений. Занеся все данные в компьютер, он дал Крячко для заполнения какие-то анкеты, а сам принялся двигать мышью, строя на экране непонятные графики. Крячко послушно ставил галочки, ломая голову над тем, как перейти к интересующему его вопросу. А интересовал его господин Любимов, а не методы похудения, над разработкой которых индивидуально для него и бился сейчас Антон Семенович.

Посему он решил не тратить время впустую и действовать напрямую.

— Вот я краем уха слышал, вы говорили, что ваш директор может служить примером для подражания.

— Что? — оторвал взгляд от экрана Молодцов. — Да-да, Роман Витальевич Любимов. Вот уж волевой человек! Прекрасная физическая форма, прекрасная! Сто отжиманий ежедневно, сто приседаний, плюс бассейн, плюс тренажеры... Правда, он и моложе вас...

— Дело не в молодости, — хмыкнул Стас. — Если постоянно заниматься спортом, то работу бросать придется. Это вашему Роману Витальевичу хорошо — он директор. А я — работяга!

— Напрасно вы так думаете! — воскликнул Антон Семенович. — Это поразительное заблуждение! Роман Витальевич постоянно в движении, и работать ему приходится не меньше, чем остальным сотрудникам, а гораздо больше! Вы, я вижу, никогда не были на руководящем посту?

— Да уж, не довелось, — признал Крячко.

— Вот видите! — попенял Молодцов. — Поэтому у вас такое искаженное представление. Скажите, а как часто вы выпиваете?

— По праздникам, — буркнул Стас, у которого были свои интересы в этой беседе, и они имели мало отношения к заботе о здоровье. — Скажите, а на фига ему все это нужно?

— Кому? — не понял доктор.

— Ну, этому вашему, Роману Витальевичу. Пашет, как лошадь, устает, наверное, как собака, а тратит столько времени на свою внешность. Он же не моделью работает! Или у него жена-раскрасавица, на двадцать лет моложе, что он пытается за ней угнаться?

— Нет, Роман Витальевич не женат, — просветил Молодцов Крячко, который уже знал об этом факте от секретарши. — И в модели не готовится. Просто он заботится о своем здоровье, развивает культуру тела. Знаете, в наше время эта культура утеряна, особенно в нашей стране. А вот, например, в Древнем Риме и Греции это было архиважно! Древние римляне, к примеру...

— Они плохо кончили, — мрачно прервал Крячко лекцию о древних римлянах, отказавшись ликвидировать пробел в своих знаниях. — Значит, у Романа Витальевича здоровье слабое, раз он о нем так заботится?

Молодцов перестал смотреть в экран. Вместо этого он с любопытством уставился на Крячко:

— Я не совсем понял — вы о своем здоровье заботиться собираетесь? Может быть, я вообще зря тут стараюсь, делаю расчеты?

58

— Не обижайтесь, пожалуйста! — Стас испугался, что доктор выставит его за дверь до того, как он успеет узнать то, что его интересует. — Я, наоборот, так сказать, пытаюсь перенять человеческий опыт. Интересная личность ваш Роман Витальевич! Вот бы мне побеседовать с ним самим! Можно это организовать? Я бы потом всем друзьям и знакомым рекомендовал ваш центр как уникальное заведение, в котором сам директор служит лучшей рекламой! — с намеком добавил он.

Молодцов слегка нахмурился и вздохнул:

— Увы, пока это невозможно. Роман Витальевич еще не вернулся с отдыха.

— Надо же, он все-таки иногда отдыхает! — с легкой иронией заметил Стас. — И скоро он вернется?

По еще более нахмурившемуся лицу доктора Крячко понял, что тот не знает, что ответить на этот вопрос. Наверное, он тоже был уже в курсе того, что директор центра не появился вовремя на работе. Возможно также, что до него дошли слухи о его исчезновении. Но обсуждать это с посетителем он, разумеется, не собирался, поэтому суховато произнес:

— Как только вернется, я передам ему вашу просьбу. Скажите, а сколько сахара в день вы потребляете?

— Три ложки, — механически ответил Стас, не уточняя, что три ложки кладутся им в чай или кофе всякий раз, как он пьет эти напитки, а подобных случаев доходит до десяти. — А куда он отправился? Я бы тоже, может, съездил... Раз уж брать пример с человека — так во всем, верно? — подмигнул он доктору.

— Он улетел на Карибы, в Доминикану, — сказал Молодцов. — Я сам ему посоветовал. Чудное место, местный климат отлично успокаивает нервы. Сейчас как раз самый сезон!

— Понимаю, — с сочувствием кивнул Крячко. — Что ни говори, а быть директором — работа нервная. Да и вообще от работы кони дохнут. Я бы и сам с удовольствием на Карибы махнул! Скажите, а вот этот курс, что вы мне готовите, он на какой срок рассчитан?

— Полный курс должен занять не менее полугода. Это чтобы закрепить результат. Да-да, а что вы хотите? Чудес не бывает! Это только в мошеннической конторе вам предложат чудодейственные таблетки по заоблачной цене, которые якобы позволят вам за месяц сбросить до пятидесяти килограммов, ничего не меняя в своем рационе! А в итоге это будет обычная сода пополам с толченым мелом. Вы этого хотите?

— Нет, конечно. Но все же хотелось бы побыстрее! Неужели ничего не можете предложить? Я готов лучше отжиматься по сто раз в день.

Доктор просмотрел на него с любопытством, с сомнением пожевал губами и сказал:

— Давайте для начала пройдем первый коррекционный курс. Дальше будет видно. Кстати, я закончил с расчетами. Готовы ознакомиться с предварительными рекомендациями? Если они вас устроят, я составлю персональную методику — уникальную, лично для вас. Для этого мне нужно будет взять у вас ряд анализов. Не волнуйтесь, ничего страшного! Обычные анализы.

— Я с детства кровь сдавать боюсь, — поежился Стас.

— Ну что вы! — рассмеялся Молодцов. — У нас здесь суперсовременная методика, новейшее оборудование! Уверяю вас, вы даже ничего не почувствуете.

— А сколько это будет стоить? — в лоб спросил Крячко.

Доктор назвал сумму, и Стас невольно присвистнул.

— Молодой человек! — с укором в голосе проговорил Молодцов. — Ну разве это высокая плата? Ведь речь идет о здоровье! А здоровье — это самое главное!

— Да уж... И самое дорогое. Причем в буквальном смысле, — сыронизировал Крячко. — Нет уж, давайте сначала по предварительной методике.

— Но она не будет такой эффективной, — предупредил Антон Семенович. — Кстати, Роман Витальевич всегда проходит самое полное, самое тщательное обследование. Вообще, у нас принято подвергать обследованию каждого посетителя. Мы должны быть уверены, что у человека нет никаких противопоказаний для занятий на тренажерах, к примеру, или посещения сауны. Мы заботимся о наших клиентах, и это не высокие слова и не рекламный слоган! Поэтому и наличие грамотного врача в центре обязательно. Мы отвечаем за каждого клиента, и, что показательно, ни один из них не остается недовольным! И Роман Витальевич тут просто моя палочка-выручалочка! Когда я говорю клиентам, что наш директор имеет полную медицинскую карту, открытую в нашем центре, люди проникаются и тоже соглашаются на обследование.

— Ну понятно, чего не скажешь для привлечения клиентов, — кивнул Крячко. — У меня вот сын-студент летом, когда подрабатывал — флаеры раздавал на улице, в книжный магазин приглашал, он всем говорил, что их директор лично прочитал все-все книги!

Доктор Молодцов улыбнулся из вежливости.

В этот момент у Крячко зазвонил сотовый телефон. Это был Гуров.

— Стас, привет, ты где? — коротко спросил тот.

— А ты? — в свою очередь, поинтересовался Станислав.

— Я только что привез в «Гармонию» Плисецкого, стою у входа.

— Отлично, отъезжай метров на сто — я подтянусь.

Гуров не стал удивляться и задавать дополнительных вопросов, уточняя, почему ему нужно поступить именно так, и Крячко всегда считал это замечательной чертой своего друга. Услышав в трубке «Хорошо, жду!» — он отключил связь и повернулся к доктору:

— Что ж, Антон Семенович, огромное вам спасибо! Когда мне в следующий раз к вам прийти?

— Раньше чем через неделю не имеет смысла, — покачал тот головой. — Так что жду вас в следующую среду.

Крячко протянул руку, Молодцов с улыбкой протянул ему несколько листов с распечатанным текстом и рисунками физических упражнений, которые, надо полагать, ему следовало выполнять в течение этой недели, а также небольшую квитанцию.

— А это что? — крутя ее в руке, с недоумением спросил Стас.

— Счет, — продолжая улыбаться, пожал плечами врач. — Оплатите, пожалуйста, в кассу и не забудьте попросить у них карту «Стандарт» клиента нашего центра — тогда вам будет положена трехпроцентная скидка на последующие услуги. Стоимость карты — пятьсот рублей. Если вы хотите приобрести «Голд-карту», то ее цена составляет тысячу рублей, но зато по ней идет уже семипроцентная скидка. А если «Голд-премиум», то...

— Спасибо, понятно! — перебил доктора Крячко и, нахлобучив куртку, которую вынужден был снять, когда Молодцов измерял ему давление, вышел из кабинета.

Ни в какую кассу он, естественно, не пошел, а сразу направился на выход. На улице Стас раздраженно смял квитанцию и, швырнув ее в урну вместе с рекомендациями, насупившись, зашагал по улице, сунув руки в пухлые карманы куртки.

Гуров ждал его на углу. Крячко дернул ручку машины и сел на переднее сиденье.

— Я так понимаю, что результат твоих действий соответствует твоему виду. То есть больше часа времени потрачено впустую, — смерил его Лев внимательным взглядом.

— А сам-то? — огрызнулся Стас, который считал по-другому.

— Да и я тоже не особо продвинулся, — признался Гуров. — Но все же кое-что интересное есть.

И он рассказал о таинственном господине Бурове, у которого к Плисецкому и Любимову были серьезные претензии.

— Буров, Буров... — нахмурив брови, пробормотал Крячко. — Нет, не слышал! И из фээсбэшников никогда никто его не упоминал. Что это за чел такой?

— Да бандит обыкновенный, как мне кажется. Специализируется, скорее всего, на наркоте плюс держит несколько доходных мест. Возник не вчера, поскольку успел сколотить очень приличный капитал, иначе не раздавал бы так щедро свои кровно заработанные, — усмехнулся Лев.

— Так надо в наркоконтроле поинтересоваться, — сказал Крячко.

— Разумеется, и не только. С фээсбэшниками следует поговорить прицельно. Вообще, сейчас одна из основных задач — собрать материал на этого Бурова. Мы должны знать о нем все.

— Задача номер один ясна, — кивнул Стас, — но я так понимаю, что есть еще и номер два, и три, и, может, даже четыре? Ты, Лева, явно поскромничал, когда сказал, что зря потратил время, — погрозил он другу пальцем.

— Не слишком, — возразил Гуров. — Задача номер два — узнать все о Романе Любимове, точнее, о его окружении. Не появилась ли в поле его зрения какая-нибудь знойная красотка? Не этим ли объясняются перепады в его настроении?

— Насчет красотки, Лева, не знаю, а вот насчет перепадов настроения у меня есть кое-какая информация, — заговорщицким тоном сообщил Крячко. — Ты вот меня несправедливо обвинил в бессмысленном протирании штанов, а я, между прочим...

— Тихо! — перебил его Гуров. — Смотри!

Мимо них на большой скорости проехал автомобиль, принадлежавший Плисецкому. Сам Леонид Максимович сидел за рулем и разговаривал с кем-то по сотовому телефону. При этом он был так возбужден и увлечен беседой, что не обратил внимания на машину Гурова, припаркованную у обочины.

Лев и Стас синхронно переглянулись, а затем Гуров, не советуясь, нажал педаль газа. Машина чуть отъехала назад, плавно развернулась и направилась вслед за автомобилем Плисецкого...

Глава 4

Сыщики ехали по дороге, внимательно следя за маячившим впереди малиново-красным «Рено» Плисецкого. Гламурный цвет машины был сейчас им на руку: он хорошо выделялся среди других машин, и Гуров мог себе позволить приотстать на достаточное расстояние, чтобы Плисецкий их не заметил. Но тот, кажется, совершенно не следил за тем, что происходит вокруг, а сосредоточенно смотрел только вперед и гнал автомобиль на приличной скорости. Таким образом можно было «вести» его сколь угодно долго, но поездка закончилась очень быстро: проехав светофор, Плисецкий остановил машину возле...

Гурову пришлось сбавить скорость, после чего он припарковался метрах в пятидесяти от автомобиля Плисецкого, который тем временем достал свой телефон и, выйдя из машины, начал на ходу разговаривать, осматриваясь по сторонам и крутя головой то налево, то направо.

— Похоже, у нашего Леонида Максимовича тайное свидание, — заметил Лев, наблюдая, как из торгового комплекса вышла женщина и направилась к Плисецкому.

— Думаю, вы ошибаетесь! — самодовольно возразил ему Крячко. — Держу пари, что эта женщина — его жена!

— Но как вы догадались, Холмс? — с притворным восхищением воскликнул Гуров.

— Это элементарно! — осклабился Стас. — Полчаса назад она сама мне об этом сказала!

— Ясно. И что еще полезного она тебе сообщила?

— Да ничего! Полезного во всей этой встрече лишь то, что она отказалась со мной беседовать, чем-то явно озаботившись, когда узнала, что я из полиции. Более того, не стала дожидаться своего супруга и ушла. А сама, вишь, созвонилась с ним и назначила встречу. К чему такая спешка? Не могла дома дождаться? И почему встреча на нейтральной территории? Почему бы ей спокойно не подождать своего благоверного в «Гармонии», в комфортных условиях, а? Маникюрчик бы пока сделала, причесочку там...

— Ну, думаю, она в этом не нуждается, — усмехнулся Гуров. — Она и так, что называется, вся из себя до кончиков ногтей.

— Э, не скажи, Лева! Нет предела совершенству! Особенно если ты женщина.

Тем временем Светлана Владимировна — а это действительно была она — подошла к Плисецкому совсем близко. Разумеется, сыщики не могли слышать, о чем они беседуют, находясь на расстоянии в полсотни метров, да еще в машине.

Супруги перебросились несколькими отрывочными фразами, после чего Плисецкий, снова покрутив головой,

64

повел жену к дверям, вывеска на которых гласила, что это «Спортбар».

— Не самое подходящее место для встречи с женой, — глубокомысленно заметил Крячко. — Это говорит о чем? О том, что встреча эта спонтанная! То бишь незапланированная.

— Не факт, — возразил Гуров. — Сам же говорил, что она приходила к мужу на работу — значит, заранее хотела с ним встретиться. Ты вот лучше, уважаемый, коль уж наглым образом примерил на себя роль Шерлока Холмса, скажи, что нам дальше делать!

— Ну, не все же тебе в этой роли ходить, а мне довольствоваться ипостасью милого простоватого Ватсона! — парировал Стас.

— Она тебе очень идет! — не остался в долгу Гуров.

— Потому что простоват?

— Потому что мил!

— Слушай, Лева, без дураков, что делать-то станем? Мы с тобой оба засвечены: тебя знает Плисецкий, меня — они оба. А в бар просто так не зайдешь...

— Ну, если ты готов применить один из коронных трюков лучшего сыщика в истории детективов, лавры которого не дают тебе покоя...

Крячко непонимающе уставился на друга.

— Маскировка, — снисходительно пояснил Лев. — У тебя случайно накладной бороды с собой нет? И темных очков заодно.

— Да ну тебя, Лева! — в сердцах проговорил Станислав. — Лучше бы придумал, что делать!

— Ничего, — пожал плечами Гуров. — В Главк надо ехать. По дороге ты мне расскажешь, что все-таки успел выяснить, а я с тобой уже поделился своими сведениями. Потом мы их выложим Петру и вместе проанализируем.

— Очень здо́рово! И профукаем самое интересное! — разочарованно воскликнул Крячко.

— А почему ты решил, что в этой встрече есть что-то интересное?

— А потому что чую! Чую своим самым главным органом! — постучал себя по груди Стас.

И тут в дверях «Спортбара» снова показались Плисецкие. Однако они не пошли к машине Леонида Максимовича, как рассчитывали сыщики, а быстро распрощались и разошлись в противоположные стороны: муж к своему автомобилю, а женщина пошла вперед и вскоре миновала машину Гурова. На перекрестке она остановилась, быстро поймала такси и уехала.

Гуров с Крячко переглянулись.

— Наверное, Плисецкий собирается вернуться в центр, — пожав плечами, предположил Лев.

— Лева! Вон он! — шепотом произнес Крячко. — Он приближается!

Гуров быстро взглянул в зеркало и увидел, как автомобиль Плисецкого движется по проезжей части в их направлении. Выругавшись сквозь зубы, он дал по газам, чтобы успеть исчезнуть из поля зрения и не оказаться замеченными. Плисецкий ехал не торопясь, в то время как Гуров рвался к перекрестку, дабы успеть проскочить его на зеленый сигнал светофора.

Увы, ему это не удалось: светофор уже мигал, переключаясь на красный сигнал, когда автомобиль с сыщиками подлетел к перекрестку. Пришлось остановиться. Взглянув еще раз в зеркало заднего вида, Лев увидел позади, левее их, машину Плисецкого, стоявшую в среднем ряду, в то время как они находились в правом крайнем.

— Уймись, Станислав, — проговорил Гуров спокойно. — Даже если он нас увидит, вряд ли решит, что мы за ним следили. А если и решит — его проблемы. Мне вообще не нравится, что он от нас явно что-то скрывает.

Плисецкий за это время успел продвинуться ближе, и теперь Лев явственно видел, что Леонид Максимович в машине не один. Рядом с ним сидела какая-то женщина. Худощавая, угловатая, с птичьим треугольным лицом, которое отнюдь не украшали очки с зауженными углами. Все в ней было каким-то острым и неправильным. Она что-то говорила Плисецкому, периодически вскидывая тонкие руки.

— Ну, дает мужик! — выдал свой вердикт Крячко. — Практически не таясь от жены, катает любовницу! А ты говоришь, трус!

Гуров ничего не ответил, продолжая наблюдать за парочкой.

Когда сигнал светофора сменился, он проехал перекресток, а затем сбросил скорость, пропуская Плисецкого вперед. Кажется, они напрасно волновались, что он их заметит: Леонид Максимович вообще не обращал внимания на то, что делается вокруг.

— Ну что, Лева? Теперь можно и проследить! — сказал Крячко, и Гуров не стал возражать.

Не спеша, стараясь держаться на почтительном расстоянии, он ехал за машиной Плисецкого.

Бизнесмен доехал до супермаркета, остановился и вышел из салона. Гуров подумал, что он собирается что-то купить в супермаркете, однако Плисецкий обогнул машину, открыл дверцу пассажирского сиденья и помог выбраться женщине.

Глазам Гурова и Крячко предстали тоненькие, искривленные ножки, на которых женщина держалась с трудом. Плисецкий подал ей складную металлическую палочку-трость, она одной рукой оперлась на нее, а второй ухватилась за Плисецкого, и так они двинулись к подъезду.

— Ничего себе любовница! — растерянно произнес Крячко. — При такой-то красотке жене!

— Неизвестно еще, кто она ему, — негромко отозвался Гуров. — Но я обязательно это выясню.

Он посмотрел на табличку с номером дома и сфотографировал ее на телефон. Затем, ни слова не говоря, развернул автомобиль и поехал в обратном направлении.

— Что, дожидаться не станем? — спросил Крячко.

— А смысл? Чтобы проследить, как Леонид Максимович вернется в «Гармонию»? К тому же неизвестно, когда он выйдет. Так что едем в Главк.

— Ладно, как скажешь, товарищ начальник, — пожал плечами Крячко.

По дороге Крячко поделился с Гуровым информацией, полученной в спортивно-развлекательном центре «Гармония». Рассказал о своем знакомстве с доктором Молодцовым, упомянув при этом и Василия Порфирьевича, и секретаршу Ольгу Анатольевну, с которой установил почти неформальные отношения.

Пока Крячко вещал, они как раз доехали до Управления.

— Значит, настроение у Любимова действительно претерпело метаморфозы... — задумчиво произнес Лев.

— Чего? — нахмурился Крячко. — Я этого не говорил!

— Да это и без тебя несложно догадаться!

— Ах вот так, да? — взвился Стас. — Умными словечками меня уесть решил, да? Ну, вот и сиди вместе с Орловым, ему кидай свои словечки! Он, кстати, сам в них ни бельмеса не понимает, только признаться ему в этом должность не позволяет, вот и кивает с умным видом. А я пошел анализировать свой бесценный материал, выделяя из него кристаллы фактов!

И он вышел из машины, намеренно бахнув громко дверью, потому что знал, что Гурова от такого святотатства начинает аж колошматить. Поморщившись, тот поставил автомобиль на сигнализацию и, поднявшись наверх, пошел прямо к Орлову.

— А Крячко где? — увидев Гурова в одиночестве, спросил генерал-лейтенант,

— Кристаллы выделяет! — усмехнувшись, ответил тот.

— Че-го? — уставился на него Орлов из-под очков. — А ну-ка, быстро его сюда! Впрочем, я сам!

Он набрал номер телефона и двумя емкими фразами объяснил Станиславу, почему тот через минуту должен быть в его кабинете. Крячко явился очень быстро и с недовольным видом уселся на стул, показывая своим видом, что самодур начальник отрывает его от работы.

Но Орлову было не до закидонов Стаса: его волновало продвижение расследования, и он махнул рукой Гурову, чтобы тот начинал.

Генерал слушал внимательно, постукивая пальцами по крышке стола, что означало у него мыслительный процесс. Гуров уже по дороге в Главк созвонился со знакомыми коллегами из наркоконтроля и попросил сведения по Бурову. Там обещали подготовить материалы и прислать.

68

— Я свяжусь с ФСБ, — утвердительно кивнул Орлов. — Занимательная личность этот Буров. Но я о нем тоже, признаться, не слышал.

— Это потому, что не нашего ведомства ягода, — поделился своей мыслью Гуров. — Если кто и имеет на него зуб, то не наш отдел.

· — Ладно, с этим ясно, — кивнул Орлов. — А у тебя что, Крячко?

Станислав посопел и, поглядывая на Гурова с обидой, поделился своей информацией. Она была куда обширней, чем у Гурова, и Орлову неоднократно приходилось просить Крячко рассказывать покороче.

— Вот если бы не дергали меня, пока я не подготовился, то и времени на рассказ ушло бы меньше, я успел бы все привести в нужную форму.

— Ага, кристаллическую, слышал, — усмехнулся Орлов. — Давайте-ка вместе подумаем. Значит, что мы имеем? Роман Любимов, успешный бизнесмен, не обремененный семьей и детьми и одержимый заботой о своем здоровье и внешнем виде, всю осень мается от тоски и депрессии. При этом вместе со своим компаньоном заключает договор с неким бандитом Буровым о кредитовании крупной суммы и занимается новым бизнес-проектом. К концу зимы настроение Любимова вдруг резко меняется, и он решает поехать отдохнуть в Доминикану, откуда не возвращается вовремя. А у его компаньона возникают серьезные финансовые проблемы, которые он не может решить по причине отсутствия господина Любимова. Сам Плисецкий при этом ведет себя несколько подозрительно, особенно непонятными выглядят его отношения с супругой и весть о том, что Любимов, возможно, уехал в Доминикану с новой пассией. И о чем все это может нам сказать? — Генерал обвел взглядом своих подчиненных, явно ожидая услышать ответ от них.

— У меня две версии, — высказался первым Крячко. — Любимов просто свалил, прикарманив деньги. Получив от Бурова на свой счет, он их либо обналичил, либо перевел еще на какой-то счет. Заниматься бизнесом ему надоело, а может, он решил, что этих денег ему будет вполне достаточно, вот и свалил вместе с какой-нибудь юной красоткой. Лежит сейчас с ней где-нибудь на пляже в этой самой Доминикане, попивает себе текилу и в ус не дует.

— На Карибах текилу не пьют, — возразил Гуров. — Там пьют ром. И вообще мне эта версия не кажется правдоподобной. Посуди сам: он не продал ничего из своего имущества — а оно, заметь, у него немаленькое! Одна четырехкомнатная квартира в центре Москвы в новостройке сколько стоит! А машина? По словам Плисецкого, у него новенькая «Х7». А загородный дом? А прочее имущество? Он что, все это оставил просто так, ради половины суммы, полученной от Бурова? Так разница-то, поди, не слишком большая получится!

— А может, ему просто нужно было свалить? — стоял на своем Крячко. — Может, у него еще какие-то проблемы нарисовались, вот он и свалил от них в Доминикану?

— Прошу прощения, что перебиваю ваш увлекательный диалог, но позвольте и старому бесполезному пню внести свою лепту, — прокашлявшись, заговорил Орлов. — Я сделал запрос и уже получил ответ, что Роман Витальевич Любимов не вылетал из Москвы в Доминикану. Среди пассажиров всех рейсов, отправляющихся туда, он не зарегистрирован.

— Так, может, не в Доминикану, а... — попытался встрять Крячко, но генерал жестом остановил его:

— Роман Любимов вообще не числится среди пассажиров рейсов, вылетающих куда бы то ни было: ни за границу, ни на территории Российской Федерации! И я надеюсь, что вы примете это обстоятельство к сведению!

После этого в кабинете повисла тишина. Правда, она была недолгой, уже через полминуты Крячко неуверенно спросил:

— А поезда?

Орлов смерил его выразительным взглядом и, словно разговаривая с несмышленышем, произнес:

— Станислав, неужели ты думаешь, что, если бы он числился среди пассажиров поезда, я бы об этом умолчал и начал с авиарейсов?

— Да ладно, ладно, понял я! — махнул рукой Крячко. — Ну а автомобиль? Что ему мешало отправиться на отдых на машине?

— В Доминикану? — съязвил Гуров. — На всякий случай просвещаю тебя, что она находится на Гаити. А Гаити — это остров. А остров, Станислав, это часть суши, со всех сторон окруженная водой! Со всех сторон, Станислав!

— Да пошел ты!!! — не выдержав, заорал Крячко. — Долго со мной, как с идиотом, разговаривать будете? Нашли тоже дурачка! Ежу понятно, что ни на какие Карибы ваш Любимов не поехал, а это еще раз свидетельствует в защиту моей версии, что он просто свалил, ясно?

— Автомобиль Любимова остался в Москве, — сообщил Орлов, оставляя без внимания гневный выпад Крячко, но на всякий случай делая Гурову знак сбавить обороты. — Проверили — он по-прежнему стоит у него дома в подземном гараже.

— А ему ничего не мешало поехать на автомобиле своей девицы! Он вообще мог купить автомобиль и оформить на нее! — бушевал Крячко. — И мне вообще непонятно, почему вы отказываетесь признавать столь очевидные вещи! Ну, жаба душит — понятно, но вы ж все-таки профессионалы, сыщики! Должны понимать, что в моих словах есть резон!

— Резон, конечно, есть, — согласился Гуров. — Но я тебе уже привел контраргумент — как он мог бросить имущество?

— А с чего ты вообще решил, что он ничего не продал? Мы же этого не знаем! Может, он сначала все на свою девицу оформил и от ее имени продал, просто никто об этом не знает? А он уже давно «бабки» получил и сидит на своей вилле — пусть не в Доминикане, так где-нибудь в Испании или вообще в Австралии! И, всего вероятнее, с фальшивыми документами! Потому что, если он решил скрыться от такого человека, как Буров, надо быть совсем без мозгов, чтобы ехать под своим именем и рассчитывать спрятаться в какой-нибудь другой стране!

— Молодец, Станислав, — похвалил Орлов. — Мы это тоже обязательно проверим. Да я и сам думал, но, понимаешь...

— Понимаю, — язвительно сказал Крячко. — Пока я не озвучил, ты до этого не додумался!

71

— Нет, просто мы не можем сделать официальный запрос! — развел руками Орлов. — Дела-то нет! Никто в банке не сообщит нам состояние счета Любимова, равно как и никто из нотариусов не скажет, каким имуществом он владеет, вот в чем загвоздка! А без этих сведений нам очень трудно продвигаться вперед. Да еще и невозможность побеседовать с родителями Любимова! Действительно, не хочется пугать стариков раньше времени. Не дай бог, случись с ними что — потом не простишь себе. К тому же, а вдруг сын вернется живой и невредимый! Эх, придумать бы, как ускорить процесс! У тебя, Стас, нет каких-нибудь идей?

— Есть, — мрачно сообщил Крячко и, поймав заинтересованный взгляд Орлова, добавил: — Пойти и напиться! А то, ей-богу, без ста граммов с вами разговаривать совершенно невозможно!

— Погоди, Стас! — остановил его Гуров. — После работы напьешься. Какая твоя вторая версия? Хочу сравнить, совпадает ли она с моей.

— Что, самому себе не доверяешь? И Крячко иногда нужен?

— Стас, ты всегда нам нужен, — елейным голосом проговорил Орлов, который уже чувствовал себя виноватым за то, что с утра невольно сам поджег костер вражды, который теперь разгорался.

— Любимова грохнул Плисецкий! — гордо сообщил Крячко.

Но Гуров не дал ему насладиться эффектом — он тут же спросил:

— Зачем?

— За деньги, — не задумываясь, бросил Стас.

— За какие деньги, о чем ты? Плисецкий остался должен Бурову, причем еще и ту сумму, которая числится за Любимовым! На фига ему это надо?

— Это Плисецкий так говорит, — с нажимом произнес Крячко. — А у меня нет оснований ему доверять, потому что этот человек явно темнит и что-то скрывает.

— А зачем тогда он вообще инициировал это расследование? — недоверчиво спросил Орлов.

— Да затем, чтобы на него никто не подумал! Что, разве не было таких случаев? А потом, когда Любимова найдут — если найдут, конечно, — он будет театрально сокрушаться и невзначай напоминать, что он подозревал нечто подобное, а к нему самому никаких претензий!

Все помолчали. Версии, высказанные Крячко, в принципе имели право на существование. Собственно, Орлов с Гуровым понимали, что другой, третьей, у них и не было. Трудность заключалась в том, как проверять эти версии? Искать труп Любимова? Где? По всей Москве? За МКАДом, в близлежащих лесах? Искать доказательства вины Плисецкого? Тоже непонятно, как. Следить за ним бессмысленно — если он уже совершил свое преступление, то и от следов избавился, ставить на «прослушку» — тоже, потому что вряд ли он станет обсуждать с кем-то подробности совершения убийства, да еще и по телефону. Плюс отсутствие официального дела! Оно очень здорово все тормозило. А завести дело Орлов, в общем-то, мог — дать распоряжение, но в таком случае есть огромная вероятность повесить на себя «висяк». И получится, что Орлов, всегда стремившийся их избегать, повесит на отдел «висяк» своими руками, чего подчиненные ему точно не простят.

Словом, сыщики находились в задумчивости. Из этого состоянии их вывел возглас Крячко:

— Шерше ля фам!

Орлов и Гуров синхронно обратили свои взгляды на Станислава.

— Я говорю, бабу надо искать! — снисходительно сообщил тот вольный перевод с французского. — Ту самую, с которой предположительно мог свалить Любимов. Таким образом мы хотя бы одну версию проверим! Если выяснится, что баба была — значит, все проще пареной репы: с ней Любимов и удрал. Ну а если нет, значит... — Крячко смерил всех взглядом, наполненным драматизмом, и со вздохом закончил: — Значит, искать Любимова не имеет смысла. Во всяком случае, живого.

— Ну, тогда тебе и карты в руки! — поддержал его Орлов. — Ты же, Стас, на личные темы, касающиеся Любимова, общался больше всех. Вот и вспоминай: были намеки на женщин?

— Нет, — покрутив головой, ответил Крячко. — В смысле, намеков было достаточно, то есть баб всяких было достаточно — секретарша говорила, что вокруг него кто только не увивался, — а вот чтобы кто-то конкретный — нет.

— Может быть, у Плисецкого спросить? — предложил Орлов. — Я сам могу ему позвонить.

— Не надо! — решительно возразил Крячко. — Во-первых, он соврет, во-вторых, думаю, что он не в курсе. Лева же говорил, как он призадумался, когда он ему намекнул насчет того, что Любимов влюбился и уехал со своей пассией.

— Может, потому и призадумался? — вступил Гуров. — Я все же попытаюсь переговорить с ним об этом. А ты, Стас, расспросил бы еще раз секретаршу и остальной персонал. Роман Любимов, я так понял, там фигура популярная, его многие знают. Что называется, близкая к народу. Врач его даже в пример пациентам приводит!

— Что же, мне опять туда тащиться и по второму кругу сплетни собирать? — возмутился Крячко.

— Стасик, но ведь с такой ювелирной работой никто лучше тебя не справится, — улыбнулся Гуров. — Что тебе стоит получить еще один кристалл?

— Нет, — решительно заявил Крячко. — Не стóит. Я созвонюсь с секретаршей и задам ей этот вопрос прямо. Кстати... — Он вдруг нахмурился и задумался. — Забыл совсем! Она там рассказывала среди прочего, что у Любимова произошел инцидент с одной из клиенток. И как это у меня из головы вылетело! А все потому, что Лева только свою информацию ценной считает, а мои сведения в грош не ставит.

— Клевета! — бросил Гуров. — Что за инцидент?

Крячко пересказал неприятный эпизод с попыткой обвинения Любимова в изнасиловании и в конце добавил, достав свою записную книжку:

— Зовут дамочку Круглова Любовь Владимировна. Я тут вот и телефончиком разжился, так что начну-ка я со звонка ей. — И он, что называется, не отходя от кассы, достал свой телефон и набрал номер: — Алло? Любовь Владимировна?

День добрый... Это вас беспокоит один интересный мужчина... По какому поводу? Да вот хочу пригласить вас в одно уютное местечко... Зачем? Любовь Владимировна, голубушка, ну не заставляйте меня сразу раскрывать все карты и нарушать интригу! Пусть это станет для вас приятным сюрпризом. Как вам ужин на двоих в романтической обстановке? Не понравится — вы в любой момент можете уйти. Ну что? Заинтриговал? — Крячко обаятельно улыбнулся, явно жалея, что Любовь Владимировна сейчас не видит его улыбки. — Отлично, значит, в семь у Никитских Ворот... А я сам вас узнаю! Все, договорились, до встречи! Жду с нетерпением.

Продолжая улыбаться, Крячко отключил связь.

— Как тебе удалось так сразу ее уговорить? — спросил Орлов.

— Учитесь, пацаны! — снисходительно бросил Крячко и поднялся. — Впрочем, обаянию и привлекательности научиться нельзя! Это врожденное!

— Посмотрим, что будет, когда она увидит тебя вживую! — усмехнулся Лев, оглядывая напарника.

Не первой свежести рубашка с расстегнутым воротом и закатанными рукавами, мятые брюки, щетина на щеках — проспал утром лишние полчаса, в итоге на бритье времени не осталось, да и лень было, — общая неухоженность в облике никак не делали из Станислава покорителя женских сердец. Сам же Крячко то ли этого не замечал, то ли ему было глубоко на это плевать.

— М-да, — выразительно произнес Гуров. — Боюсь, что свидание закончится полным провалом!

— Обломись! — гордо проговорил Крячко. — Короче, я пошел, а вы тут сидите, завидуйте!

— Постой, а куда это ты собрался? — нахмурился Орлов. — До конца рабочего дня еще два часа!

— Так мне же нужно успеть себя в порядок привести! Вон и твой любимчик Лева говорит, что негоже в таком виде идти. Так что пойду себя усовершенствовать. Хотя улучшать Станислава Крячко — только портить. Кстати, ты мне не подкинешь из казенных денег на новый имидж? Все-таки это служебное задание, как-никак...

— Обломись! — сердито передразнил его Орлов. — Был бы еще толк от этого имиджа! Как ты вообще собираешься строить с ней беседу? Кем представляться? Подожди, сядь! Расскажи сначала.

— А это, дорогой Петр, мои личные секреты успеха расследования, которыми я ни с кем не делюсь! — усмехнулся Крячко и, весело насвистывая, двинулся к дверям. Там он обернулся и добавил: — Да, если моя Наташка будет вдруг интересоваться, почему от меня женскими духами пахнет, вы уж подтвердите, что это служебное задание!

Орлов посмотрел на Гурова, но тот только махнул рукой — дескать, пускай идет. Когда за Крячко закрылась дверь, он сказал:

— Итак, за мной Буров. Плюс вот еще что: нужен опрос дэпээсников, дежуривших двадцатого февраля на выезде из Москвы. На случай, не видел ли кто из них Любимова в автомобиле. Вдруг опознают? И запись с камер надо посмотреть. Шанс маленький, конечно, но, учитывая, что у нас и так материала негусто, проверить стоит, пусть сержанты займутся. Дальше. Нужен доступ к финансовым и юридическим документам центра «Гармония». У него должно быть какое-то официальное юридическое название. Нас сейчас интересует, какие точно отношения связывают компаньонов, то бишь кому какая доля принадлежит, каковы состояния счетов и прочее. Кроме того, кто становится владельцем центра, если один из хозяев исчезнет с горизонта. То есть мы должны опираться не на слова Плисецкого, а на факты. И в связи с этим я прошу тебя самому ему позвонить и все это объяснить. Пусть даст доступ к документам. В версии Крячко ведь на самом деле есть резон. Мне тоже Плисецкий кажется фигурой подозрительной. И кому как не компаньону может быть выгодно, чтобы Любимов пропал? Мы же точно не знаем, как обстоят дела на самом деле. Может быть, и с Буровым все не так, как рассказал мне Плисецкий.

— А может, тогда не вводить его в курс дела? Он же может подсунуть нам «липу»! — заметил Орлов.

Гуров согласился с этим замечанием и посмотрел на часы.

— Так, над этим надо подумать. Сегодня все равно уже ничего не получится. До завтра я постараюсь сообразить, как сделать это лучше. И дальнейшие действия будем обсуждать после проверки документов. А там, глядишь, и Крячко что-нибудь интересное подкинет.

— Ой, не знаю! — с сомнением покачал головой Орлов. — У меня создалось впечатление, что он просто водит нас с тобой за нос! Что он может узнать на этом свидании? И что вообще эта дамочка может знать о Любимове, о том, где он сейчас? Развлекается Крячко просто-напросто, время впустую тратит!

— Ну, у нас все равно возможностей дальнейших действий кот наплакал, — с сожалением возразил Гуров. — Пусть хоть что-то делает! Пока нет фактов — о Бурове, о фиксации местонахождения Любимова, о финансовом положении дел в спортивно-развлекательном центре, — у нас руки связаны!

— Ладно, ладно, защитничек, — проворчал Орлов. — До завтра думай, а утром переговорим.

Гуров поднялся и, попрощавшись с генералом, вышел из его кабинета. На душе у него отчего-то скребли кошки.

На следующее утро, когда Лев пришел на работу, его окликнул дежурный и передал пухлый конверт с документами. Он не стал вскрывать его на ходу, а прошел в свой кабинет. Станислава Крячко еще не было. Гуров сел за свой стол, ножом для разрезания бумаги вскрыл объемный конверт и стал просматривать содержимое. Это были материалы по Бурову Всеволоду Степановичу. Моментально заинтересовавшись, Лев углубился в чтение. Информация оказалась обширной и очень занимательной.

В тысяча девятьсот девяносто третьем году фамилия Бурова впервые всплыла в базе, содержащейся в правоохранительных органах. На тот момент это был особый отдел по борьбе с бандитизмом. Буров был во главе одной из группировок — впрочем, недолго. Группировка распалась, а Всеволод Степанович переквалифицировался в коммерсанты, занявшись продажей различной техники. Затем его следы затерялись на несколько лет. Позже Буров «всплыл» уже как солидный бизнесмен, хозяин нескольких магазинов оргтехники и нескольких фабрик по производству кондитерских изделий. По данным ФСБ, они служили прикрытием для изготовления «паленой» водки, а также наркотиков. «Накрыть» Бурова пытались неоднократно, и всякий раз безуспешно: во время рейдов в его цехах было чисто, как в операционной. Фээсбэшники полагали, что его кто-то предупреждает, но выявить стукача им так и не удалось. Были сведения, что Всеволод Степанович не гнушается и продажей оружия, однако сведения эти были совсем хилыми и явно недостаточными для того, чтобы брать его с поличным. Налоги Буров платил исправно, и с этой стороны к нему претензий не было. У Бурова имелись жена и дочь, которые уже много лет проживают в Лондоне. Сам Буров ездит в Лондон не чаще раза в год, предпочитая проводить время в более теплых краях. Это то, что касается официальных данных.

По неофициальным, у Бурова было прикрытие в лице чиновничьей братии, но эти данные были помечены как непроверенные. Имелась у него и своя охрана, состоявшая из нескольких человек, двое из которых были отъявленными головорезами, получившими в свое время солидный срок, но вышедшие на свободу раньше его завершения — опять же, как считали особисты, не без помощи Бурова. Оба они в свое время являлись членами той самой группировки, что возглавлял Всеволод Степанович. К материалам приобщались фотографии обоих и подписи: Клещов Владимир Павлович и Заманихин Виктор Богданович. Остальные «сотрудники службы безопасности» были бывшими ментами, по тем или иным причинам покинувшими органы, спортсменами и просто физически развитыми людьми.

Упоминалось здесь и о совершенном пять лет назад убийстве некоего бизнесмена Глоткова — негласного конкурента Бурова, с которым они якобы не сумели договориться о цене. Спустя три дня после их встречи Глотков был убит. В убийстве подозревали начальника охраны Бурова Виктора Заманихина, но собрать достаточных улик так и не удалось, и он проходил как свидетель. А потом и дело перешло в разряд «висяков».

Из родственников в России у Бурова есть родной брат, с которым они практически не поддерживают отношений, а также престарелая мать, проживающая в Питере.

Прочитав материалы, Гуров задумался. Фигура Бурова стала ему более понятной — собственно, примерно что-то такое он и предполагал. Но света на отношения с совладельцами спортивно-развлекательного центра «Гармония» материалы эти не проливали...

На столе у Гурова зазвонил телефон, и он снял трубку.

— Лева, Крячко пришел? — послышался голос генерал-лейтенанта Орлова.

— И тебе доброе утро, Петр Николаевич! — отозвался Лев. — Нет, пока не пришел.

— Ясно. А ты чем занят?

— Просматриваю материалы по Бурову. Меня тут кое-что заинтересовало, могу поделиться.

— Потом поделишься, давай срочно ко мне в кабинет!

Пожав плечами, Гуров положил трубку, убрал документы в стол и, заперев его на ключ, направился к генералу. У него в кабинете сидел мужчина, в котором Гуров узнал одного из судмедэкспертов, работавших в морге. Фамилия его была Волков.

Поздоровавшись, Лев сел на стул и вопросительно посмотрел на Орлова. Тот, в свою очередь, кивнул на эксперта и сказал:

— Виктор Павлович, расскажи-ка полковнику Гурову то, что говорил мне.

— Не знаю уж, может, и зря вас беспокою, — вздохнул эксперт.

— Ладно, ладно, хватит расшаркиваться, у нас не институт благородных девиц, — насмешливо произнес Орлов. — С каких пор наши циничные патологоанатомы стали вдруг такими нежными?

Волков проглотил слова генерала и начал докладывать:

— Привезли мне вчера ближе к ночи труп — бомжик какой-то замерз в Битцевском лесопарке. Ну, замерз и замерз, хотя сейчас уже сезон обморожений прошел, смерти от переохлаждения потихоньку на спад идут. Я вообще хотел его до утра оставить, но все же взялся. Думал, быстро управлюсь. А там... В общем, мужик совсем еще не старый, лет тридцать пять — сорок. Из одежды на нем — обноски какие-то потрепанные. Лицо, правда, изуродовано — обожжено все, это меня сразу и смутило.

— Убийство? — нахмурился Гуров. — Или надругательство?

— Изуродовали его после смерти, — уверенно сказал эксперт. — И умер он не от переохлаждения. Но и на убийство не похоже. Смерть не криминальная — сердце у него не выдержало. Слабое было, хотя мужик и крепкий.

— И в чем тогда дело? — нетерпеливо спросил Лев.

— Да в том, что не похож он на бомжа! Более того, это вообще не бомж! Во всяком случае, если и стал им, то несколько дней назад. Во-первых, у человека абсолютно здоровые внутренние органы, за исключением упомянутого слабого сердца. А остальное — почки, печень, сосуды — как у младенца! Дальше. Отличные зубы — вы бы обзавидовались! Все свои, и в большинстве своем здоровые. Парочка кариозных залечена несколько лет назад, причем пломбы на них стоят высшей пробы. И работа очень хорошего стоматолога. Уже интереснее пошло, да? — Волков с усмешкой посмотрел на Гурова, который теперь слушал очень внимательно. — Едем дальше. У мужчины отличная физическая форма, он атлетически сложен, что является результатом регулярных занятий на тренажерах. Развитая мускулатура, загар из солярия... Кожа ухоженная, волосы тоже, на них даже слабый запах парфюма сохранился. Причем парфюм о-очень дорогой, иначе давно бы выветрился. Вам часто такие бомжи попадаются? Но и это еще не все! На фоне вышесказанного особенно странным выглядит ветхое тряпье, которое было наброшено на мужчину, а также его состояние. Во-первых, организм крайне истощен и обезвожен. То есть несчастному несколько дней приходилось обходиться без воды и пищи. Во-вторых, на теле имеются следы, свидетельствующие о том, что человек был подвергнут пыткам. На теле имеются раны от ожогов, следы выглядят так, будто к нему прижимали раскаленные металлические предметы. Имеются также раны от колющих предметов. Под ногтями — ногти, кстати, отполированы и, до того как мужчина попал в переплет, выглядели очень ухоженными, — так вот, под ногтями тоже кровоточащие следы, как будто под них загоняли иглы. Также имеются характерные следы в области плеч... Я не страдаю излишней фантазией, но меня они наводят на мысль, что ему пришлось висеть на чем-то, напоминающем дыбу. И в заключение — на ногах мужчины следы от колодок. В общем, бедолаге пришлось изрядно помучиться перед смертью, — со вздохом заключил судмедэксперт.

После его слов в кабинете не меньше минуты висела тягостная тишина. Гуров и Орлов, многое повидавшие на своем веку, находились под сильным впечатлением. Лев первым взял себя в руки, «включив» сыщика-профессионала.

— Насколько я понимаю, — глуховатым голосом заговорил он, — мужчину держали где-то в качестве пленника.

— Или заложника, — предположил Орлов.

— Если заложника, то зачем пытать? — возразил Лев. — Кстати, а где нашли тело?

— В Битцевском лесопарке.

— Странно, там ведь его легко можно обнаружить. Почему не спрятали, не закопали, если изуродовали лицо? В том же лесу вырой яму поглубже — и сто лет никто не найдет! А его чуть ли не к трассе подбросили! Хотели, чтобы обнаружили? Но зачем? Ведь это преступление, скорее всего, организованное, то есть за ним стоит, выражаясь юридическим языком, преступная группировка. Они же сами себя подставляют таким образом под удар!

— Лева, если ты ждешь ответа на этот вопрос от меня, скажу прямо — я его не знаю, — отозвался Орлов.

— Нет, я просто пытаюсь рассуждать вслух. А когда наступила смерть? — обратился Гуров к Волкову.

— Примерно неделю назад, — ответил судмедэксперт. — Только ради бога, не спрашивайте меня, где его держали и в каком качестве! Наши разыскники порой грешат подобными вопросами. Так вот, этого я не знаю. Я вам рассказал абсолютно все, что выяснил, и это же все отразил в заключении. — Он положил на стол Орлова лист бумаги. — Просто случай нехарактерный, вот я и пришел сам.

— Понятно, спасибо, — кивнул Гуров, беря заключение в руки. — Я позвоню, если возникнут вопросы. Не разыскного характера, — невесело усмехнувшись, добавил он.

После того как судмедэксперт ушел, Гуров и Орлов обменялись мрачными взглядами.

— Я так понимаю, это теперь мое дело? — медленно спросил Лев. — Значит, дело Любимова отставить в сторону?

— Лева, — не отрывая взгляда от его лица, тихо проговорил Орлов. — А тебе не приходило в голову, что дело Любимова сливается с этим таким вот неожиданным способом?

— Ты думаешь, что... — побледнел Лев. — Да нет, не может быть! — Он вскочил со стула и заходил по кабинету.

— Почему? — негромко спросил Орлов. — Мы же уже выяснили, что в Доминикану Любимов не полетел. А вот где он был, нам и предстоит узнать. И почему принял такую ужасную смерть... Чтобы не гадать, нужно установить личность убитого. Я намереваюсь вызвать Плисецкого. В конце концов, он кашу заварил — пусть и помогает расхлебывать.

— Не надо, я сам позвоню, — произнес Гуров, доставая из кармана сотовый телефон.

— Что? Труп? Изуродованный? Господи! Кошмар какой! Этого не может быть! — Поток слов Плисецкого был настолько эмоционален, что был услышан даже Орловым. — Почему вы решили, что это Роман?! Это невозможно! Этого не может быть!

— Леонид Максимович, вот вы нам и помогите. Приезжайте, пожалуйста, в морг на опознание, я вас там встречу.

— Что?! В морг? Вы с ума сошли! Я... Я не могу! — истерически выкрикнул Плисецкий.

— Но почему? — удивленно проговорил Лев.

— Потому что это... Это... Я не перенесу! Я вообще с детства отличаюсь повышенной впечатлительностью! Я в обморок падал, когда у меня кровь из пальца брали! — зачастил Плисецкий. — Нет-нет-нет! Ни в коем случае! А если это на самом деле Роман? Я же не переживу такого!

— Да что уж вы так сокрушаетесь-то, Леонид Максимович! — укорил его Гуров. — Будьте, в конце концов, мужчиной! Иначе нам придется вызывать для опознания родителей Романа, — на всякий случай приберег он аргумент, который должен был стать для Плисецкого убедительным.

Действительно, Леонид Максимович тут же принялся говорить, что подобного ни в коем случае допустить нельзя, но и сам наотрез отказался принимать участие в опознании. Толку от него было, как от козла молока, и Гуров уже начал злиться, решив, что махнет рукой на все «экивоки» и вызовет отца Любимова.

— Нужен какой-то человек с более крепкими нервами! — тем временем высказал пожелание Плисецкий.

— Да? Может быть, подскажете, где такого найти? — съязвил Лев. — Был бы вам крайне признателен.

Однако Плисецкий воспринял его слова буквально и сразу же принялся бормотать:

— Подождите, подождите... Может быть, секретаршу попросить?

— А что, ваша секретарша так хорошо знает своего шефа, что может опознать его без одежды? — продолжал язвить Гуров.

— А вы полагаете, что я могу узнать его без одежды? — ахнул Плисецкий. — Вы на что намекаете?

— Извините, просто вы, я думаю, гораздо больше времени проводили вместе. К тому же ездили вместе отдыхать на Ибицу. Ну и вообще, по общим признакам — волосам, телосложению, рукам...

— Нет-нет, насчет меня и речи быть не может! — снова открестился Плисецкий. — Постойте, я, кажется, придумал! А что если попросить Антона Семеновича?

— Это кто?

— Это врач из нашего центра, Роман у него наблюдался! Уж он-то должен знать его тело вдоль и поперек, он же его регулярно осматривал! Измерял рост, вес, еще какие-то параметры — я не в курсе, я сам не занимаюсь на тренажерах.

— Что ж, мысль подходящая. Привозите вашего доктора.

— Только сам я в морг не пойду! — тут же предупредил Плисецкий.

— Да ладно, ладно. Жду вас через сорок минут.

И Гуров отключил связь.

— Что ж, Лева, — произнес Орлов, — с богом!

— Ты этим что хочешь сказать? — уточнил Гуров. — Пусть это окажется не Любимов? Или наоборот?

— Честно? Не знаю, — признался Орлов. — Мне бы вообще хотелось, чтобы никакого трупа не было.

— Увы, человек предполагает, — вздохнул Лев и поднялся. — Ладно, я поехал. Крячко появится — пусть мне позвонит.

— Сначала пусть мне на глаза попадется! — ворчливо добавил генерал.

Глава 5

Погода была пасмурной, под стать ситуации. Солнце, несколько дней назад уверенно возвестившее скорый приход весны, сегодня скрылось за тяжелыми мрачными тучами, затянувшими все пространство густой туманной пеленой. Непрозрачный воздух казался ватным. С неба накрапывала какая-то морось.

Гуров сидел в машине, и выходить из нее ему совсем не хотелось. Однако спустя пару минут к воротам морга подъехал автомобиль Плисецкого. Из него вышел незнакомый Гурову мужчина лет сорока пяти, с густой кудрявой шевелюрой на непокрытой голове. Он был высок и широк в плечах.

Плисецкий боязливо высунул нос через наполовину опущенное стекло и тут же произнес в напоминание:

— Только я в машине посижу. Меня уже что-то подташнивает.

В других обстоятельствах Гуров охотно съязвил бы на этот счет, поскольку Плисецкий начал его раздражать своей повышенной чувствительностью, но в данной ситуации он лишь молча кивнул и повернулся к высокому мужчине.

— Молодцов, — проговорил тот, протягивая Гурову крупную ладонь для приветствия.

— Полковник Гуров, — представился Лев. — Пойдемте!

— Господи, только бы это был не Роман! — вскинув руки и глаза к небу, взмолился Плисецкий.

Гуров с Молодцовым прошли внутрь через серую стальную дверь и оказались в узком коридоре. Первым делом Гуров, хорошо знакомый практически со всеми моргами Москвы, даже относящимися к другим округам, заглянул в комнату, где обычно собирался персонал морга в перерывах между своей незавидной работой. Там находился и судмедэксперт Волков.

— А, приехали, — кивнул он. — Быстро вы. — И вопросительно посмотрел на Молодцова, пытаясь определить, кем он может приходиться покойному.

— Это, Виктор Палыч, ваш, можно сказать, коллега, — представил его Гуров.

— Я — лечащий врач Романа Любимова, — пояснил Молодцов.

— Лечащий? — заинтересовался Волков. — А по какому заболеванию он у вас наблюдался?

— Давайте пока говорить о Романе Витальевиче в настоящем времени, — чуть скривившись, твердо попросил Молодцов. — С вашего позволения, я взгляну на тело? Возможно, тогда все ваши вопросы окажутся излишними.

— Да на здоровье, — пожал плечами Волков. — Пойдемте.

Все трое прошли по коридору в комнату, где в специальных выдвижных блоках хранились тела. Судмедэксперт уверенно подошел к одному из них, одним движением выдвинул блок и отдернул простыню. Молодцов побледнел.

«Даже человек его профессии остается беззащитным перед видом смерти, — подумал Лев. — Но узнал ли он его?»

— Вы узнаете этого человека? — вслух спросил он.

Молодцов овладел собой, сделал шаг вперед, склонился и стал пристально всматриваться в покойного. Причем взгляд его больше скользил по телу, а не по лицу.

— Это он, — выпрямившись, проговорил он и отвернулся в сторону. — Роман Витальевич... Только почему он в таком виде? Я не ожидал ничего подобного, Леонид Максимович меня не предупредил...

— Следствие пока не может сказать ничего конкретного, Антон Семенович, — произнес Гуров, — но есть основания полагать, что Романа Витальевича удерживали где-то силой без воды и пищи, кроме того, к нему были применены пытки.

— Кошмар какой! — ошарашенно проговорил врач. — Но как? Кто удерживал? Почему пытки?

— Следствие ведется, — кратко бросил Лев, протягивая Молодцову документы на подпись.

Тот машинально расписался там, где было указано, и снова спросил:

— А где же его... нашли?

— В Битцевском лесопарке. Пойдемте. Спасибо большое, Антон Семенович, за помощь, мы вас больше не задерживаем.

— Постойте минутку! — вмешался Волков. — У меня к вам, как к коллеге, есть пара вопросов.

— Конечно, слушаю! — с готовностью кивнул Молодцов. — Наверное, вы хотите спросить насчет состояния здоровья Романа Витальевича? Здоровье у него было отличным, за исключением слабого сердца.

— Ага, значит, диагноз все-таки был поставлен?

— Конечно, а как же! Он же наблюдался у меня. В карте есть все показатели, все анализы. Кардиограмму мы делали регулярно.

— То есть Роман Любимов знал, что у него больное сердце? — вмешался в разговор Гуров.

— Да, конечно. Я не мог от него это скрывать!

— Дело в том, Антон Семенович, что Роман Любимов умер от остановки сердца, не выдержавшего нагрузок. Все эти пытки в совокупности с отсутствием еды и пищи его убили.

— Так это неудивительно! — воскликнул Молодцов. — Ему противопоказаны были не то что пытки — господи, какую чушь я сказал! — схватился он за голову. — Это все от... от

86

растерянности. Я в страшном сне не мог себе такого представить. Я имел в виду, что ему противопоказаны были любые стрессы! А уж плен, пытки, голод — уму непостижимо! Тут здоровый-то человек не выдержит! А когда вообще все это с ним приключилось? — спросил он судмедэксперта.

Волков посмотрел на Гурова, и тот ответил за него:

— Смерть наступила около недели назад, если вы об этом.

— Как? Не может быть! Неделю назад он был в Доминикане!

— Я не знаю, где он был неделю назад, — снисходительно произнес эксперт, — но то, что именно тогда он умер, сомнению не подлежит. Или вы желаете сами убедиться? — усмехнулся он.

— Да нет, что вы, я вам доверяю, — смутился Молодцов. — Просто как же это объяснить?

— А это уже по части Льва Ивановича, — кивнул на Гурова Волков и обратился к нему: — Ну что? Можно закрывать?

— Да, спасибо, — ответил Лев, и они с Молодцовым вышли на улицу и направились к машине, в которой их ждал Плисецкий. При приближении Гурова и Молодцова он приоткрыл дверцу и высунулся наружу. Наверное, по лицам обоих все было ясно, потому что Плисецкий натурально побледнел и схватился рукой за сердце.

Гуров невольно поморщился и подумал: «Ну что же он так переигрывает? К чему эта театральщина?»

— Что? — шепотом спросил Плисецкий.

Лев промолчал, а Молодцов подошел к своему шефу и, положив руку ему на плечо, мягко сказал:

— Поедемте, Леонид Максимович. Крепитесь.

Глаза Плисецкого вдруг стали закатываться кверху, а сам он медленно начал заваливаться назад.

— Ох, е! — невольно воскликнул Молодцов, профессиональным движением успевая подхватить Леонида Максимовича и осторожно прислонить к спинке сиденья.

Затем быстро взял в машине аптечку, достал из нее пару каких-то пузырьков, один из которых поднес к носу Плисецкого, а из второго извлек большую круглую таблетку и ловко сунул ему под язык.

Гуров не спешил помогать, потому что, во-первых, думал, что Молодцов и сам прекрасно справится, а во-вторых, потому что не верил в натуральность обморока Плисецкого. Подозрения, высказанные Крячко, стали передаваться и ему, чем больше он наблюдал за поведением Плисецкого.

— Ну вот, так-то лучше, — удовлетворенно проговорил Молодцов, легонько хлопая того по начавшей розоветь щеке. — Посидите немного, Леонид Максимович, придите в чувство. Сейчас лекарство быстро поможет.

Он оставил Плисецкого на сиденье, а сам подошел к Гурову.

— Ну, и что это за спектакль? — хмуро спросил Лев. — Зачем вы делаете вид, что верите ему? Из профессиональной этики?

— Профессиональная медицинская этика, Лев Иванович, не предполагает потакания симулянтам, — ответил тот.

— Вы хотите сказать, у него настоящий обморок? — удивленно поднял брови Гуров.

— Самый что ни на есть, — заверил его Молодцов.

— Странно. Потеряв друга и компаньона, человек, конечно, может сильно расстроиться, но не терять при этом сознание, как кисейная барышня!

— Ну, у Леонида Максимовича вообще очень чувствительная нервная система, — пояснил доктор. — Он нервен, легкораним, впечатлителен. Это называется...

— Так, а вопрос задать нашему легкоранимому можно? — решительно спросил Гуров, не желавший тратить время на возню с хрупкой телесной и душевной организацией Плисецкого.

— Да, только желательно не сильно травмирующий, — ответил Молодцов и, усмехнувшись, добавил: — Вы же не хотите, чтобы он грохнулся прямо на асфальт!

Гуров совсем этого не хотел, поэтому, подойдя к Плисецкому, спросил нейтральным тоном:

— Дайте мне телефон и адрес родителей Романа Любимова.

— Вы хотите... — испуганно посмотрел тот на него.

— А вы хотите сами? Пожалуйста! — пожал плечами Лев и, услышав в ответ «что вы, ни за что, я не смогу», записал данные, продиктованные Плисецким.

Понимая, что сейчас вести дальнейшие расспросы бесполезно, и решив дать время Плисецкому, чтобы собраться с мыслями, он простился с ним, наказав быть на связи. Плисецкий вяло кивнул. Гурова порадовало, что место за рулем занял Молодцов, и он с чистой совестью отправился в Управление.

— Ну что, Петр, нашелся наш потерянный Любимов, — проговорил Гуров, войдя в кабинет генерал-лейтенанта Орлова. — Так что просьба Плисецкого, можно сказать, выполнена. Только я почему-то не чувствую удовлетворения от выполнения задания. Не знаешь, почему?

— Лева, не юродствуй, пожалуйста, — болезненно скривившись, попросил Орлов. — И так тошно! Теперь у нас не пропажа человека, а убийство! Причем дело официальное.

— Да, к тому же слишком уже многое тут завязалось на нас, — отозвался Лев. — Да и... — Не закончив фразу, он замолчал.

— Буров? — внимательно посмотрев на него, спросил Орлов.

Гуров кивнул.

— Я только недавно ознакомился с материалами по нему.

— Да, помню, ты, кажется, хотел чем-то поделиться?

— Теперь это уже не имеет значения! — махнул рукой Лев. — Обстоятельства изменились, и у нас новый вектор в работе. Буров Буровым, но теперь в первую очередь нужно устанавливать, куда направился Любимов, если не в Доминикану, и почему он всех ввел в заблуждение. Или он действительно собирался в Доминикану, но не успел, и его кто-то перехватил? Меня во всем этом очень смущает то, что предшествовало его смерти! Кто мог его насильно удерживать, где? И главное, почему? Что у него хотели узнать, зачем пытали? И раз убили, значит, выпытали? Или не успели? Целая куча вопросов!

— Нужно просмотреть все сводки, — сказал Орлов, — не было ли где похожих случаев. В смысле, похожих трупов. Это хорошо, Волков такой сознательный попался, нам сообщил, а другой мог бы и рукой махнуть. Причина смерти-то не криминальная! Подумаешь, сердце! И внешне на бомжа смахивает.

— Не думаю, что будут похожие трупы! Интересно, какой такой информацией обладает круг людей, что ее нужно в буквальном смысле выдирать клещами?

— А если это не информация? — предположил Орлов.

— А что? Имущество? Надо быть совсем больным на голову, чтобы вот так похитить уважаемого человека, сына влиятельного лица, пытками заставить отписать имущество, а потом явиться и захапать его якобы на законных основаниях! — в сердцах произнес Гуров. — Да еще и труп Любимова подкинуть!

— Да, мотив неясен, — задумчиво проговорил Орлов. — Кстати, насчет влиятельного отца. Родителям сообщил?

— Как раз собираюсь. Не сейчас, конечно, когда он в шоке. Но поговорить нужно обязательно! Вдруг Роман делился с родителями своими планами? Может быть, он чего-то боялся и хотел удрать, поэтому и говорил всем про Доминикану, а на самом деле собирался совсем в другое место, но его перехватили... Надо бы и в центре об этом расспросить — вдруг кто-то что-нибудь слышал хотя бы краем уха... Вот где талант Крячко по сплетням пригодится! Кстати, где он?

— Талант? — съехидничал Орлов.

— Кончай, Петр! Крячко где?

— А хрен его знает, где его черти носят! — вдруг рявкнул Орлов. — Так и не появился с утра!

— Ничего себе! А телефон? Или ты из гордости ему не звонил?

— Какая гордость? — начал закипать Орлов. — Я вообще-то начальник его, чтобы перед ним обиженного разыгрывать. Отключен у него телефон! Поди, свидание затяжное получилось! Отсыпается в новом гнездышке! Я вот Наталье позвоню — она ему устроит!

90

— Это точно, — засмеялся Гуров, представив реакцию жены Крячко на такое «служебное задание». — Ладно, я пойду. Если дозвонюсь до него, пошлю к тебе.

— Пошли его знаешь куда? — снова завелся Орлов.

— Ну, туда он всегда успеет, — усмехнулся Лев и вышел из кабинета.

Вернувшись к себе, он совершил одну из самых малоприятных миссий своей работы: сообщил родителям убитого Романа Любимова о смерти сына. Миссия прошла со всеми сопутствующими ситуации тягостными моментами, но все же Гурову удалось договориться с отцом Романа, Виталием Евгеньевичем, о встрече на сегодняшний вечер у него дома.

Крячко появился к середине дня и был крайне удивлен тем, что его заждались. Он сообщил, что вчерашняя встреча с Кругловой не состоялась, и он напрасно прождал «эту дуру» битый час, пока она, наконец, не перезвонила и не сообщила, что застряла в лифте, а дозвониться раньше не могла, потому что телефон в лифте «не ловил». Но потом неожиданно сработало, она уже вызвала лифтера, и он обещал прийти «ну в самое ближайшее время». Как только ее освободят из заточения, она тут же приедет.

Крячко подобная перспектива никак не улыбалась, и он тут же перенес встречу на сегодняшнее утро.

— Ну и как? — спросил Лев. — Встреча-то хоть полезной оказалась?

— А-а-а! — махнул рукой Крячко. — Пустышка! Она вообще была на симпозиуме три недели, только позавчера вернулась. А в «Гармонии» не появлялась с начала зимы — сразу после того скандала. Я уж так и так крутил-вертел, пытался на тот скандал ее вывести, но она о нем, кажется, и думать забыла. Как и о Любимове. Так что к его исчезновению точно не причастна.

— Исчезновению... — вздохнул Гуров. — Да нет, теперь речь идет уже не об исчезновении...

И он рассказал Крячко об обнаруженном трупе.

— Значит, все-таки убили голубчика, — заметил тот.

— Официально он умер от остановки сердца.

— Угу. А измордовали его всего — это как?

— Версии есть? — вместо ответа спросил Гуров.

— Новых нет.

— Значит, по-прежнему Плисецкого подозреваешь? А он вот пропал, между прочим! И мне что-то неспокойно по этому поводу...

Гуров еще несколько раз набирал номер Плисецкого, но тот по-прежнему не отвечал. Наконец полковник не выдержал и позвонил в спортивно-развлекательный центр «Гармония», где услышал от секретарши, что Леонид Максимович приезжал, сообщил о смерти Романа Витальевича, был в очень плохом душевном состоянии, после чего закрылся в своем кабинете. Где-то минут через сорок он вышел и сказал, что уезжает на важную встречу, при этом очень волновался. Обещал приехать через час, однако до сих пор не вернулся.

Гуров посмотрел на часы. Времени было уже половина шестого. Все это ему совершенно не нравилось. Куда мог деться Плисецкий?

— Да ладно тебе, — сказал Крячко. — Ну, расстроился мужик и поехал домой! Выпил, может, с горя...

— Домой, говоришь? — задумчиво переспросил Лев. — Слушай, Стас, давай-ка, дуй к нему домой. Но не звони! Езжай прямо туда. Если даже Плисецкого нет, поговоришь с его женой. Думаю, тебе не надо объяснять, что у нас есть к ней вопросы?

— Не надо, я сам знаю, как с ней разговаривать. — Крячко поднялся и пошел к двери.

— Смотри только, до завтра там не пропади! — вдогонку бросил ему Гуров.

В ответ Крячко хлопнул дверью. Гуров же набрал номер Виталия Евгеньевича Любимова и услышал, что тот ждет его. Убрав документы, он вышел из Управления и поехал в Кунцево, где жил Любимов-старший.

Виталий Евгеньевич Любимов оказался высоким поджарым мужчиной с хорошо сохранившимися темными волосами, кое-где убеленными сединой. Наверное, для своих лет — а ему должно быть за шестьдесят — он выглядел очень хорошо, но сегодняшнее трагическое известие о гибели сына не могло не наложить свой отпечаток: под глазами набрякли мешки (видимо, подскочило давление), щеки как-то безвольно обвисли, а в глазах застыла тоска, которая свойственна порой очень пожилым людям, чувствующим приближение смерти и совсем не готовым ее принять. Кроме того, от него исходил сильный запах лекарств.

Он сам протянул руку Гурову для пожатия, после чего пригласил пройти на второй этаж. Когда они поднимались по лестнице, снизу их окликнул женский голос:

— Виталий, кто это?

— Лена, это... это господин полковник из МВД, я тебе говорил, — обернувшись, проговорил Любимов-старший. — Зачем ты встала?

Гуров увидел женщину — по всей видимости, жену Любимова. Она была явно моложе его, хотя и не на целое поколение, и удачно сохранила в своем возрасте следы былой привлекательности. Хотя так же, как и супруг, пострадала от полученной сегодня вести. Красивые серые глаза ее были подернуты каким-то туманом, голос звучал словно издалека, да и на ногах женщина держалась нетвердо, из чего Гуров сделал вывод, что ее накачали транквилизаторами, чтобы хоть как-то успокоить.

— Я подумала, может быть, я понадоблюсь, — проговорила женщина. — Со мной же, наверное, тоже захотят побеседовать?

Виталий Евгеньевич нахмурился и приготовился уже возразить, но вместо него ответил Гуров:

— Отдыхайте, я не стану вас беспокоить.

— Мне не беспокойно. Если я смогу помочь найти того, кто убил моего сына! А я знаю! Знаю! Это все она, она! Наталья! Злобная, завистливая, она всегда его ненавидела!

С каждой фразой голос женщины поднимался все выше. Любимов-старший пробормотал про себя ругательство и кинулся к жене. Обхватив ее за плечи, он мягко, но настойчиво стал теснить ее в сторону комнаты, приговаривая на ходу:

— Тома, Тома, успокойся! Полковник Гуров во всем разберется, я созванивался, это лучший следователь Москвы!

Пойдем, пойдем, дорогая, тебе пора принимать лекарство. Не терзай себя, скоро все выяснится!

Гуров видел, как Любимов, проходя мимо туалетного столика в холле, взял с него шприц и вместе с женой скрылся в одной из комнат. Идя за мужем, Тамара продолжала выкрикивать какие-то фразы, но постепенно успокаивалась, а после того как закрылась с ним в комнате, и вовсе затихла. Следом появился и он сам. Швырнув шприц в мусорную корзину, подошел к Гурову и отрывисто произнес:

— Прошу прощения. Моя жена в шоке. Пойдемте.

Лев последовал за ним в комнату, которая, видимо, была предназначена именно для деловых бесед и больше напоминала кабинет.

Любимов опустился в одно из кожаных кресел, предложив Гурову занять точно такое же, взял со стола пачку дорогих сигарет, щелкнув зажигалкой, затянулся и тут же закашлялся.

— Шесть лет не курил, — качая головой, проговорил он. — А тут... Не знаешь, чем горе забить...

Лев обратил внимание, что на столе стояла бутылка коньяка, опустошенная примерно наполовину. При этом Виталий Евгеньевич совершенно не был пьян: алкоголь, что называется, не брал его, как бывает при сильном стрессе. Он вообще старался держаться спокойно и твердо, но огромная, тщательно скрываемая боль в глазах говорила о том, насколько тяжело дается ему беседа с посторонним человеком.

— Я знаю, Роман был вашим единственным сыном, — заговорил Гуров. — Понимаю ваше горе, но наша беседа необходима как раз для того, чтобы найти его убийцу.

Любимов открыл было рот, но ничего не стал говорить, только кивнул. Затем наполнил рюмку коньяком и вопросительно посмотрел на Гурова. Из солидарности полковник согласился пригубить, хотя практически никогда не пил даже немного, находясь за рулем.

— Скажите, когда вы в последний раз общались со своим сыном? — начал он расспрашивать хозяина дома.

Виталий Евгеньевич ответил, что это было три недели назад, буквально перед отъездом. По его словам, сын находился в хорошем расположении духа, при этом словно в ожидании чего-то.

— Он был в радостно-тревожном ожидании, — так и выразился Любимов.

— Что вы имеете в виду? — не понял Гуров.

— Было ощущение, что ему и радостно, и страшно одновременно, — пояснил тот. — Знаете, как перед прыжком в прорубь, например. Или с парашютом. Когда сердце замирает в предчувствии и хочется одновременно и поскорее испытать восторг, и замедлить прыжок, потому что организму инстинктивно страшно. Вы прыгали с парашютом?

— Доводилось, — кивнул Лев.

— Тогда вы поймете, что я хочу сказать.

— Да, думаю, что понимаю. А ваш сын прыгал с парашютом?

— Семь раз, — не без гордости ответил Виталий Евгеньевич. — Знаете, он рос довольно болезненным ребенком и всю последующую жизнь пытался изжить этот комплекс. Очень работал над собой, очень! Старался воспитать железную волю.

— Но он всего лишь собирался ехать отдыхать в Доминикану, — напомнил Гуров. — Место вполне спокойное, не о чем волноваться, да и парашютный спорт там не развит.

— Да, и это мне показалось удивительным. Удивительным и непонятным. Я даже подумал, что он, может быть, решил, наконец, жениться? Тогда все было бы объяснимо: мы все немного боимся у дверей загса. — Любимов слегка улыбнулся, и Гуров поддержал его. — Но Рома ничего не рассказывал ни о каких девушках. Он вообще никогда не распространялся о своей личной жизни — в этом плане был очень закрытым. Только пошутил перед отъездом: «Еду лечиться от скуки». Так и сказал. Я тогда не обратил внимания на эти слова, но сейчас они мне кажутся немного странными. Рома ведь весь мир объездил, но никогда не употреблял подобных выражений!

— Хм, я слышал, что у него было депрессивное настроение, но потом он вроде бы воспрянул, — кивнул Лев. — Я подумал, не могло ли это быть связано с проблемами в бизнесе?

95

— Проблемы в бизнесе? — нахмурился Виталий Евгеньевич. — Впервые слышу. Насколько мне известно, в бизнесе у них все шло хорошо.

— А вы знакомы с Леонидом Плисецким?

— С Лешей? Конечно. Они с Ромой с юности неразлей-вода.

— Странно, а Леонид Максимович утверждал, что их связывают исключительно деловые отношения.

На это Любимов ответил, что Плисецкий, скорее всего, таким образом не хотел вдаваться в подробности личной жизни Романа. Что же касается самой личной жизни, если она и была, то, как уже говорилось, Роман о ней не распространялся. Не создав семью в свое время, он никого из девушек не приводил в родительский дом в качестве невесты. Мать еще хранила надежду, что сын женится и подарит им внуков, а сам Виталий Евгеньевич склонялся к мысли, что этого, увы, не будет.

— Он слишком любил свою работу, проводил там много времени.

— И самого себя, — заметил Гуров. — Тщательная забота о своем теле, различные виды спорта, в том числе экстремальные, — такому человеку должно быть скучно в узах семейного быта. Правда, как оказалось, ему и без него было скучно... Но вернемся к бизнесу. Вы считаете, что Плисецкому как деловому партнеру Романа можно доверять?

— У меня не было и нет оснований считать иначе, — осторожно ответил Любимов. — А почему вы спрашиваете?

— Вам знакома такая фамилия — Буров? — в упор спросил Лев, не отвечая на вопрос Любимова.

— Если это тот Буров, о котором я думаю... — нахмурив брови, начал Любимов, но Лев не дал ему договорить:

— Это тот Буров. Значит, знаком?

— Мне лишь однажды довелось иметь с ним дело. Это было давно, лет пятнадцать назад. Я собирался приобретать крупную партию сотовых у немецких производителей, и он, как выяснилось, тоже. Я договорился с поставщиком раньше, но Буров настаивал, чтобы купить ее самому. Предлагал мне перекупить телефоны уже у него — разумеется, совершенно по другой цене. Мне это было невыгодно, я стоял на своем. Буров предупредил, чтобы я согласился по-хорошему. Я отказался. Через два дня у меня взорвали склад с товаром. Погибли двое охранников. Я тут же перевел все в «безнал», забрал жену с сыном и уехал на три месяца за границу.

— И с тех пор вы с ним не пересекались?

— Нет, бог миловал. А что такое?

— Он ссудил денег вашему сыну и Плисецкому на развитие бизнеса.

— Нашел у кого кредитоваться! — с досадой произнес Любимов и поднялся с кресла. — Не мог у меня попросить! Нет, он же всегда хотел доказать, какой он самостоятельный!

— Что, действительно так?

— Поначалу он, конечно, не отказался от моей помощи — в самом начале, когда они с Лешей только основали свой бизнес. А потом сам всего добивался. У меня складывалось впечатление, что он усиленно изживает из себя комплекс мамочкиного сынка, хотя никто из нас специально не прививал ему такого комплекса. Так что же с Буровым?

Гуров вкратце пересказал ему ситуацию — так, как услышал ее от Плисецкого. Любимов-старший помрачнел.

— Буров на убийство вполне способен, — сказал он после паузы. — Не задумываясь наказал бы того, кто вздумает его кинуть. Но здесь не тот случай. Мой сын не мог просто сбежать с деньгами. Да и смысла не было.

— А деньги? — спросил Гуров.

— Роман с детства был привычен к деньгам, — усмехнулся Виталий Евгеньевич, — даже крупная сумма не могла явиться для него соблазном.

Гуров не стал спорить и спросил:

— А Плисецкий? Не мог он избавиться от своего компаньона и просто присвоить деньги?

— Леня? Я вас умоляю!

— Вы так верите в чистую и светлую дружбу?

— Леша по натуре слабее Романа, — неожиданно посуровел Любимов. — Убить человека у него кишка тонка, это во-первых. Во-вторых, оставшись один на один, он завалит весь бизнес, и сам отлично это понимает. Ну и, в-третьих, играть в игры с Буровым — это нужно быть совсем безбашенным, а Леша не такой. — Он замолчал, а потом, выждав несколько секунд, добавил: — Ну а если отвечать на ваш вопрос... Такая дружба встречается редко, но я в нее верю. И почему-то мне кажется, что вы тоже верите.

— Виталий Евгеньевич, — не стал распространяться на эту тему Лев, — но ведь вашего сына кто-то убил. И я прошу вас помочь разобраться, кто мог это сделать.

— Неужели вы думаете, что если бы я знал, то не поделился бы с вами своими соображениями? — с горечью произнес Любимов. — Но я не знаю. И даже предположений у меня нет. Конкуренты? Зачем? Запугать, отобрать бизнес? Но ведь за ним, как я теперь понял, стоит Буров, а они не могли этого не знать. И потом, Леонид вроде не получал никаких предупреждений? — Он вопросительно взглянул на Гурова.

— Во всяком случае, мне он об этом не рассказывал, — ответил тот. — И все же меня не покидает ощущение, что Леонид Максимович что-то скрывает. И еще — он напуган. Очень. Говорит, что боится Бурова, но мне кажется, что не только его.

— Я поговорю с ним, — решительно заявил Любимов. — Мне он все расскажет!

— Это было бы очень кстати, но вот только есть закавыка: Леонид Максимович пропал.

— Пропал? — Виталий Евгеньевич неожиданно побледнел. — Когда?

— Сегодня. Как сквозь землю провалился.

— Ну, сегодня — это еще не повод для беспокойства, — с облегчением проговорил Любимов, и у Гурова возникло ощущение, что он относится к Плисецкому по-отечески. — Знаете, меня не покидает вопрос, зачем надо было убивать Романа с такой жестокостью. Я ведь был в морге, хотя мне настоятельно не рекомендовали заходить в покойницкую.

— Может быть, и правда не стоило?

— Мне нужно было видеть, что сделали с моим сыном! — резко возразил Виталий Евгеньевич. — Сказать, что я был в шоке — ничего не сказать! Но я не жалею, что увидел это. И теперь у меня есть цель — найти тех, кто довел моего Рому до смерти, кто издевался над ним, и наказать. И я это сделаю, чего бы мне ни стоило!

— Виталий Евгеньевич, — серьезно перебил его Гуров. — Оставьте это! Кто бы ни стоял за смертью вашего сына — это страшные люди. Те, кто способен хладнокровно так изувечить человека, встречаются не часто.

— Лев Иванович! Неужели вы не понимаете, что мне самому уже бояться нечего? Все, чем я жил — а это мой сын, — у меня отнято.

— Речь не только о вас! У вас есть еще и жена, в конце концов! Мы пока не знаем, что это за люди. Я не хочу вас запугивать, но остерегаться их, по меньшей мере, разумно. Я вас прошу, не лезьте не в свое дело, вам оно все равно не по силам. К тому же им уже занимаются профессионалы. А по моему убеждению, именно профессионалы должны заниматься всем и вся. Представьте, что я бы вдруг влез в ваш бизнес. Надеюсь, не надо объяснять, что бы из этого вышло — он бы развалился через месяц, если не раньше. Вы лучше просто мне помогите.

— Но как, как, черт подери! — вскричал Любимов.

— Вот видите, вы пока даже этого не знаете. Для начала просто дайте мне ключи от квартиры Романа. Осмотр все равно будет произведен, но чтобы не ломать дверь, давайте упростим процесс.

— Я бы с удовольствием помог уберечь от полицейского вандализма дверь, — невольно усмехнулся Любимов, — но, увы, у меня нет ключей от квартиры.

— Как так? — удивился Гуров.

— Очень просто, — пожал плечами Виталий Евгеньевич. — Зачем? Я никогда не был дома у сына в его отсутствие.

В этот момент внизу раздался звонок в дверь. Он был очень настойчивым: человек не переставая нажимал на кнопку.

— Что там такое! — с досадой проговорил Любимов и прошел к двери, извинившись на ходу: — Я открою с вашего позволения, отпустил прислугу, не хотел в этот день видеть посторонних в доме! Это, наверное, из каких-нибудь услуг.

Он спустился вниз, откуда вскоре донесся резкий, пронзительный голос, явно принадлежащий женщине. Она что-то верещала — настолько быстро и эмоционально, что полковник не мог разобрать, хотя невольно прислушался.

Сквозь женский монолог иногда слышалась фраза Любимова, одна и та же: «Наташа, успокойся!»

Потом раздался хлопок двери, и голос Тамары Юрьевны произнес:

— Ты зачем сюда явилась? Лично полюбоваться нашим горем?

— Тамара, зачем ты встала! — с упреком произнес ее супруг.

— Как же можно спать под этот визг! Это она нарочно!

Гуров прошел к лестнице и, перевесившись через перила, увидел, что в холле, опираясь на металлический костыль, стоит та самая женщина, которая была в машине с Плисецким. Худые кривенькие ножки ее норовили разъехаться, за костыль она держалась лишь одной рукой, а второй отчаянно размахивала и верещала. Наконец Гуров смог разобрать хотя бы некоторые слова: дикция женщины была нарушенной, речь невнятной, половину слов она проглатывала. Но смысл ее высказываний сводился к тому, что «свершилась кара Господня, Господь наказал нечестивых, пришла расплата за грехи». При этом костлявая рука женщины с вытянутым вперед указательным пальцем тыкала в сторону Виталия Евгеньевича и Тамары Юрьевны.

— Прекрати сейчас же! — воскликнула Тамара Юрьевна. — Ты сумасшедшая! Виталий, я прошу тебя — убери ее отсюда, иначе я... я не знаю, что с ней сделаю!

Виталий Евгеньевич сделал шаг в сторону женщины, а та вдруг выбросила руку вперед и растопыренными пальцами решила провести по его лицу, но не удержалась, качнулась и полетела вперед. Она наверняка упала бы на пол, но Виталий Евгеньевич сумел ее подхватить и, обняв за худые плечи, стал успокаивать. Женщина трепыхалась в его руках и пыталась вырваться. Это ей, правда, не удалось, зато удалось другое: задрав костыль, она взмахнула им в воздухе, и железка опустилась на плечо Тамаре Юрьевне. Та ахнула и схватилась за плечо. Виталий Евгеньевич заметался, не зная, что делать: то ли держать разбушевавшуюся женщину, то ли спешить на помощь жене.

Гуров решил, что пора вмешаться, и спустился вниз.

— Я сдам ее в полицию! — плача, проговорила Тамара Юрьевна. — Господи! До каких пор ты будешь нас травить? За что ты нас так ненавидишь?

— Сами знаете, — гортанно произнесла женщина.

Гуров подошел к Тамаре Юрьевне и спросил, нужна ли ей помощь. Она принялась отказываться, но он все же ощупал ее плечо. Кажется, ничего страшного не было, просто ушиб.

— Нужно приложить что-нибудь холодное. И лучше вам уйти отсюда, — посоветовал он.

— Пусть сначала она уйдет! — Тамара Юрьевна жестом указала на дверь. — Я не стану терпеть ее в своем доме!

Тут звонок снова затрезвонил, но, поскольку дверь оставалась открытой, на пороге появился незнакомый мужчина средних лет. Увидев бьющуюся в руках Виталия Евгеньевича женщину, он сразу подошел к ним и, извиняясь, проговорил:

— Простите, она сама в шоке! Я уже вызвал Анатолия Степановича, сейчас он подъедет.

Анатолий Степанович оказался врачом. Это Гуров понял по медицинской форме, в которую он был одет. Уже в возрасте, выглядевший очень солидно, с аккуратной бородкой и длинными тонкими пальцами, он прошел в холл практически сразу после прибытия незнакомого мужчины и, подойдя к женщине с костылем, с укором проговорил:

— Ну-ну, Наташенька! Зачем же ты всех нас так огорчаешь? Ты же хорошая девочка! Будь умницей, давай поедем домой!

Ласково приговаривая все это, врач достал какую-то розовую таблетку и быстро сунул ее женщине. Та при его появлении сразу помягчела и послушно выпила таблетку. А он продолжал говорить ей что-то нежно-укоряющее, при этом похлопывая по плечу. Буквально на глазах женщина окончательно растаяла, на глазах ее появились слезы, и она проговорила растроганно:

— Простите меня, Христа ради! Я не хотела никого обидеть!

— Павел, давай быстро, забираем ее! — шепнул врач мужчине и снова обратился к Наташе: — Ну, вот и умница, хорошая девочка, попросила прощения, искупила грех гнева, а теперь поедем домой. Поедем!

Наташа посмотрела на Виталия Евгеньевича. Тот засуетился и торопливо проговорил:

— Да-да, деточка, езжай! Давай встретимся завтра. Или позже, когда скажешь!

— Ты не сердишься на меня? — с детскими интонациями спросила она.

— Ну, что ты, деточка, как можно! Конечно, нет!

Тамары Юрьевны к этому моменту уже не было в холле — она ушла в ванную, — и скандал был погашен. Врач и Павел, поддерживая Наташу с обеих сторон, двинулись к выходу. В дверях Виталий Евгеньевич за локоть задержал доктора и молча сунул ему несколько крупных купюр. Тот так же молча их принял, кивнул и попрощался, сказав, что беспокоиться не о чем.

Когда за нежданными гостями закрылась дверь, Любимов не смог сдержать вздох облегчения. Затем он спохватился и принялся извиняться перед Гуровым, но полковник прервал его и предложил продолжить беседу. Виталий Евгеньевич лишь проведал жену, убедился, что с ней все в порядке, и они с Гуровым вернулись в кабинет на втором этаже.

Выглядел он очень расстроенным. Сразу подошел к столу и, налив себе коньяка, залпом выпил. Потом стал расхаживать по кабинету. Наконец остановился перед окном, опершись руками о подоконник и глядя во двор, который уже погрузился во тьму. Гуров видел, что он находится в растрепанных чувствах, однако у него возник целый ряд вопросов, и тянуть время ему не хотелось. К тому же Льва не покидала мысль об исчезновении Плисецкого, о котором до сих пор ничего не было известно, но он надеялся, что Леонид Максимович еще жив.

К Любимову же у него были вопросы совсем по другому поводу, которые он хотел прояснить поскорее. Однако тот, опередив его и продолжая смотреть в окно, тихо произнес:

— Наташа — моя дочь.

— Вот как? — несколько удивился полковник. — А мне казалось, что Роман ваш единственный сын.

— Это не совсем так, — поправил его Любимов. — Он единственный сын Тамары. Мы поженились, когда Наташе было четыре года. С ее матерью я развелся.

— Понятно, — ответил Гуров, хотя понятна ему была только внешняя сторона вопроса.

Любимов, будучи деловым человеком, кажется, понимал его без слов, потому что не тянул время и не дожидался вопросов, а заговорил сам. Рассказал, как женился на сокурснице сорок лет назад, как через год у них родилась дочь и как сразу же после рождения ей был вынесен страшный диагноз — ДЦП. Врачи уговаривали оставить девочку в доме малютки, прогнозировали умственную отсталость, неподвижность и прочие ужасы. Наслушавшись этих прогнозов, Виталий Евгеньевич крепко призадумался.

— Люда, у нас еще будут дети, — говорил он жене, повторяя этот аргумент врачей.

Но жена была верующим человеком — правда, без фанатизма — и отказ от собственного ребенка воспринимала как страшный грех. Чувство вины, признаться, кололо и абсолютно материалистичного Виталия Евгеньевича, однако разум все же настаивал на том, чтобы оставить ребенка. Подключились и его родители, которые совсем не были рады больной внучке.

— Ведь она даже не будет нас узнавать! — взывали они к невестке. — Вы потратите лучшие годы на служение существу, которое ничего не понимает, не осознает! Ей абсолютно все равно, где находиться, а ваша жизнь будет разрушена! А учеба? А карьера? А перспективы? Об этом придется забыть навсегда!

Все это происходило в тот момент, когда супруги учились на последнем курсе экономического института. Отец Виталия Евгеньевича, служащий в одном из министерств, уже подготовил сыну, сдавшему все сессии без единой четверки, отличное место, обеспечивающее ему солидный доход и командировки за границу. И все теперь бросить в угоду этому скрюченному уродцу, орущему в кроватке?

С одной стороны, Виталия коробил цинизм родителей, но с другой... С другой, он в душе был согласен с ними. Однако мужественно принял самоотверженное решение, и жена вместе с дочерью, к огромному неудовольствию свекров, были привезены в новую квартиру, полученную ими сразу после свадьбы. Родители Виталия так и не смирились с поступком невестки. Внучку они не навестили ни разу и вообще словно договорились не признавать факта ее существования.

Но Людмила осталась верна материнскому долгу и принялась воспитывать дочку так, как обычного здорового ребенка. Девочку назвали Наташей.

Время шло. Людмила бросила институт на последнем курсе, потому что оставлять девочку одну или на попечение няни было невозможно: она нуждалась в постоянном уходе. Бесконечные массажи, растирания, дорогие лекарства, которые доставали через знакомых свекра — только на это он и соглашался в помощи внучке, — походы по врачам, поездки к морю... Вот чем была наполнена жизнь молодых родителей. Надо отдать должное — поначалу Виталий стойко делил с женой выпавшие на их долю трудности. Однако, в отличие от нее, учебу не бросил, и, в общем, правильно, потому что семья с больным ребенком требовала денег, а их он стал зарабатывать сразу же после окончания вуза. Получив красный диплом, устроился в приготовленное отцом место на крупном заводе, бывшем в те годы очень значительным.

Работа ему нравилась: во-первых, она была ему интересна, во-вторых, приносила достаточный доход, а в-третьих... В-третьих, Виталий, хоть и не признавался себе самому в этом, но на работе чувствовал себя гораздо лучше, чем дома.

Людмила, измученная за день, издерганная бессонными ночами, старалась не нагружать приходившего поздно с работы мужа заботами о ребенке. Она взяла их все на себя. Это, конечно же, не могло не сказаться на ней: она как-то быстро, буквально за год, подурнела, постарела, забросила себя, никуда не ходила: все ее пункты выхода из дома составляли продуктовые магазины, детская поликлиника и аптеки. Пойти куда-нибудь развлечься вместе было нереально: Наташу не с кем было оставить, а няням Людмила не доверяла. О том же, чтобы пойти куда-то одной, оставив ребенка на попечение мужа, и речи не было: Людмила на это не соглашалась.

И как-то постепенно Виталий Евгеньевич обнаружил, что его жене вообще перестало быть интересно все, кроме ребенка. Растворившись в заботах о нем, одержимая мыслью поставить Наташу на ноги, вылечить во что бы то ни стало, она, некогда умница, красавица, звезда факультета, подающая большие надежды, перестала быть личностью. Виталий ловил себя на мысли, что ему с супругой элементарно не о чем поговорить. Если даже он приходил пораньше, чтобы побыть с ней вдвоем, и начинал расспрашивать о чем-нибудь, Людмила все сводила к тому, как Наташа спала, что кушала и сколько ползунков испачкала за день. Виталий внутренне кривился, ему хотелось сбежать от этого ужасавшего его быта, ему казалось, что он попал в заточение, где правил бал этот маленький по возрасту, но огромный по значимости ребенок.

Сам же он как муж отступил для Людмилы на задний план. Ему уже не доставалось ни заботы, ни ласки, ни элементарного внимания. Секс из их отношений исчез напрочь, когда не прошло еще и двух лет после свадьбы. Людмила слишком уставала, а Виталий довольно скоро потерял к ней влечение как к женщине.

Все реже и реже он появлялся дома, с удовольствием ездил в командировки и, если поначалу мучился чувством вины перед Людмилой, то вскоре оно исчезло. Человек неосознанно стремится избавиться сначала от объекта, который вызывает в нем это чувство, а потом и от него самого — с помощью оправданий. Виталий оправдывал себя тем, что много работает ради обеспечения семьи, что Людмила сама выбрала такую жизнь и что он, в конце концов, сохраняет ей верность.

Только вот последний пункт этих оправданий очень скоро исчез — у него появилась секретарь-референт Тамара, сопровождавшая его в командировках. Выпускница иняза, она в поездках за границу была очень кстати для молодого руководителя финансового отдела.

Словом, спустя полгода Виталий собрал вещи и сообщил Людмиле, что уходит. Ждал грандиозного скандала, однако его, как ни странно, не последовало. Людмила лишь спросила, станет ли он помогать им с Наташей материально, и, услышав, что, разумеется, да, облегченно вздохнула. Виталию показалось, что она даже рада остаться без него — не нужно тратить время на «лишнего» человека в доме, хотя оно, это самое время на мужа, и так было сведено Людмилой к минимуму.

Квартиру Виталий оставил жене и дочери, сам же с Тамарой перебрался в новую кооперативную квартиру, на которую мгновенно раскошелился отец. Вот уж кто был счастлив от развода сына! Развели их быстро, и этому тоже поспособствовал Евгений Михайлович. И зажили Виталий с Тамарой совсем по-другому, уже через пару месяцев Виталию прежняя жизнь стала казаться дурным сном.

Деньги он перечислял исправно, даже сверх того, что было положено по закону. Тамара не возражала: им вполне хватало, а за то, что Людмила не навязывала им общение с девочкой, она готова была платить и больше. Покой дороже. Тем более что вскоре у них самих родился сын — красивый и, главное, абсолютно здоровый мальчик. Правда, впоследствии выяснилось, что него слабое сердце, но разве такую мелочь можно сравнить с церебральным параличом?

Виталий полностью окунулся в воспитание сына, и на этот раз делал это с искренним удовольствием. Бывшую семью он совершенно перестал навещать, но содержание не урезал.

Впервые после ухода из семьи он увидел Наташу в день ее шестнадцатилетия: Людмила сама позвонила и сказала, что было бы хорошо, если бы он поздравил дочь лично. Виталий согласился, хотя в душе сильно переживал: как встретят его там, откуда он, если уж быть откровенным с самим собой, сбежал, не выдержав трудностей? А если Наташа его даже не узнает? Не потому, что не помнит, а по причине слабоумия? Он не знал, в каком она сейчас находится состоянии, Людмила на редкие вопросы по телефону о здоровье дочери отвечала кратко и неизменно: «Динамика положительная», но насколько она положительная, эта динамика?

Воображение рисовало ужасные картины: уродливая девочка с большой головой и ярко выраженными чертами дебильности, с текущей слюной... Пытался унять отвращение, но тщетно. Ехал и трясся.

По дороге заехал в магазин, купил шикарный букет роз и набор: колье и серьги в изящной коробочке, красиво мерцавшие на черном бархате. Подарок насколько дорогой и солидный, настолько и бесполезный, потому что вряд ли то существо, которое представлялось Виталию Евгеньевичу, могло его оценить. Руки тряслись, когда давил на кнопку звонка покинутой им больше десяти лет назад квартиры...

Наташа оказалась совсем не такой, какой он ее представлял. Да, не красавица, скорее наоборот, но никакой большой головы, слабоумия в глазах и уж тем более слюны не было. Ходила плохо: ножки кривые, тощенькие, на костыликах, но ведь ходила! И все понимала как абсолютно нормальный человек! Речь немного невнятная, но в целом вполне адекватная девушка. Она встретила его в прихожей, посмотрела пытливо темными глазами, но на шею не кинулась, не смеялась от радости, не обнимала. Его неловкий поцелуй в щеку приняла не слишком охотно. Мельком взглянув на подарок, довольно равнодушно отложила его в сторону, а вот цветам искренне обрадовалась.

Людмила пригласила их за стол. Больше никого в гостях не было. Разговаривая с дочерью, Виталий мучительно искал темы, смеялся невпопад и вообще держался ненатурально. Наташа, оказавшаяся отнюдь не глупой, сразу это почувствовала и где-то через полчаса проговорила:

— Не парься, папа, ты все равно не угадаешь, что я люблю.

— А ты расскажи, я буду знать, — осторожно попросил он.

И девушка стала рассказывать: о своих успехах в домашнем обучении, о стихах, которые сочиняет, о мечте поступить в литературный институт... Любимов слушал с интересом

107

и с удивлением ощущал, что не замечает физического уродства дочери. Его мучила вина за то, что столько лет не видел ее, не наблюдал за развитием и сейчас вынужден по крупицам восполнять о ней то, что знал бы естественным путем. Одно его радовало — Наташа делилась с ним охотно и увлеченно. И он спрашивал — и слушал, слушал...

Внезапно возникшая идиллия оборвалась так же внезапно: со звонком Виталию из дома. Звонила Тамара, она была в сильной тревоге, оказывается, Рома во дворе упал с велосипеда и распорол ногу. Кровь сильно хлещет, и она не знает, как ее остановить. Мальчика надо вести в больницу, поэтому Виталию срочно нужно быть дома. Зная, что жена не отличается практичностью, Виталий пообещал скоро приехать.

Положив трубку, он торопливо поднялся, приготовившись извиняться, но тут же натолкнулся на взгляд Наташи: тяжелый, мрачный и абсолютно чужой. Она вдруг с силой захлопнула альбом со стихами, который они минуту назад читали вместе, сказала:

— Не надо ничего. Уходи! И не приходи больше! — И, опершись на костыль, сильно хромая, поковыляла в свою комнату. Он хотел догнать, но Людмила удержала его за плечо:

— Не надо, будет только хуже. Потом попросишь прощения. Она девочка очень отходчивая.

И уже в дверях, когда он обулся и стоял на пороге, произнесла в спину:

— А сегодня мог бы и остаться с дочерью.

Это был первый упрек с ее стороны за все годы.

Он потом приходил туда, и не раз. Наташа, как оказалось, действительно обладала крайне неровным характером: вспыхивала за секунду, говорила жуткие вещи, кричала, но потом столь же быстро успокаивалась, просила прощения и даже подлизывалась. Как выяснилось, были проблемы с нервной системой, и он нашел хорошего врача. Тот прописал нужное лекарство, и перепады настроения стали не столь частыми.

Так и шли отношения отца с дочерью, по синусоиде: от проявлений самой бурной любви со стороны Наташи до ссор, угроз и проклятий с ее стороны. Но он к этому привык, к тому же виделись они все же редко.

Что же касается Романа, то Наташа познакомилась с ним, но ни особой сестринской любви, ни ненависти к нему не испытывала. А вот Тамару Юрьевну возненавидела с первой встречи и никогда этого не скрывала. Считала ее виноватой в уходе отца. Устраивала сцены, оскорбляла в ее же доме, хотя та старалась быть гостеприимной.

Со временем Наташа ударилась в религию. Свою роль тут сыграла и мать, с раннего детства водившая ее в церковь, и ее брат — священник в одном из подмосковных храмов, ставший для Наташи личным духовником. Но если Людмила вела себя адекватно, то у Наташи вера приобрела какую-то извращенную форму. Особенно в последнее время. Часто твердила о том, что «наступили последние времена», что «каждому зачтется». А иногда произносила эти фразы при Тамаре Юрьевне и грозила ей пальцем. Та ежилась от таких слов и спешила укрыться в своей комнате: Наташу она явно побаивалась и неоднократно просила мужа встречаться с ней где-нибудь в другом месте. Но девушка приходила в дом отца всегда, когда ей было нужно. В последнее время она стала конфликтовать даже со сводным братом, хотя тот относился к ней мягко и с состраданием...

— А сегодняшний эпизод чем вызван? — спросил Гуров, когда Любимов закончил свой невеселый рассказ.

Тот тяжело вздохнул и нехотя признался:

— Видимо, смертью Ромы. Наташа узнала об этом, и что-то у нее переклинило, что называется.

— А откуда, кстати, она узнала? Вы ей сообщили?

— Нет, — с удивлением ответил Виталий Евгеньевич. — Ну, мало ли откуда! От родни, к примеру... Такие вести быстро распространяются. Вы только не подумайте, что она это всерьез! — спохватился он. — У нее просто эмоции взыграли! Она нисколько не злорадствует, она хорошо относилась к Роме! Одно время они даже дружили, он ее в свой центр возил на процедуры. Но ее нельзя одну отпускать.

— А кто это с ней был? — поинтересовался полковник.

— А, Анатолий Степанович, врач. Психотерапевт. Очень хороший, его, кстати, тоже Рома нашел.

— Да я не о нем! Тот мужчина, что с ней приехал?

— А-а-а, Павел... — не в силах скрыть недовольства, буркнул Любимов. — Это ее... ухажер, с позволения сказать. Познакомились с полгода назад, теперь он к ней прямо прилип. Замуж зовет.

— Вижу, он вам не нравится? — прямо спросил Гуров. — А почему? Хорошо ведь, если дочь замуж выйдет. Глядишь, и приступы агрессии пройдут.

Любимов смерил его красноречивым взглядом и воскликнул:

— Ну скажите, пожалуйста, на кой ляд здоровому мужику жена-инвалид! А ведь у Наташи первая группа, она никогда не родит детей, да и жить с ней, мягко говоря, трудно. Это Людмила взвалила на себя крест, потому что мать, а этому на что такая обуза? Молчите? Да потому, и ежу понятно, что он на деньги ее нацелился. Точнее, на мои. Наташу я обеспечивал все эти годы, и сколько бы Людмила ни тратила на ее лечение, должна была скопиться приличная сумма. К тому же я выделил ей отдельный счет. Там лежат деньги, которые она получит после моей смерти. Суммы этой вполне хватит ей до конца дней, чтобы не жить на нищенскую пенсию по инвалидности. И она об этом знает. И уж поверьте мне, я позабочусь о том, чтобы ни гроша не досталось этому хмырю! — закончил он таким тоном, что у Гурова не осталось и тени сомнений, что Любимов сдержит свое слово.

Он спросил о другом:

— Виталий Евгеньевич, ваша дочь вчера встречалась с Плисецким. Что их может связывать?

— С Лешей? — удивился Любимов. — Понятия не имею! Ну... Может быть, они встретились случайно?

— Может быть. Но я почему-то так не думаю. Она довольно долго сидела в его машине, потом он отвез ее домой.

— Об этом, полагаю, вам лучше спросить самого Лешу. Надеюсь, у вас не возникло мысли, что между ними существует любовная связь? — нахмурившись, произнес Любимов.

— Нет, это было бы слишком смелым предположением, — ответил Гуров и перевел разговор на другую тему: — Виталий Евгеньевич, раз уж мы коснулись этого щепетильного вопроса... Ведь у вашего сына тоже осталось немаленькое состояние?

— Размеры состояния моего сына мне неизвестны, — отрезал Виталий Евгеньевич. — Роман взрослый человек, и сам вел свои дела. Я мог лишь посоветовать ему что-то в бизнесе, но и только.

— Я сейчас говорю о том, кому его состояние достанется, — выразительно проговорил Лев.

Любимов растерянно посмотрел на него. Было ясно, что он, бизнесмен, отлично управлявший делами, в трагический момент не подумал об этом.

— Знаете... — медленно произнес он. — Если Роман не оставил завещания, то наследниками, по всей видимости, становимся мы с матерью, насколько я разбираюсь в юридических вопросах. А вот если оставил... Не знаю.

— Но у него был свой нотариус? Вы знаете его фамилию?

— Знаю, — помолчав, ответил Любимов. — Перфилов Николай Анатольевич.

— В связи с криминальной смертью вашего сына мы вынуждены требовать досрочного оглашения завещания вашего сына, если таковое, конечно, имеется. И я настаиваю на том, чтобы присутствовать при этом. Поверьте, Виталий Евгеньевич, я это делаю не из праздного любопытства. Просто по собственному опыту знаю: большинство убийств совершается либо на бытовой почве, чаще всего по пьяной лавочке, либо из-за денег. Первый вариант в отношении вашего сына отпадает, остается второй...

— Кто? — побледнев, оборвал его Любимов. — Кто, по-вашему, мог убить его из-за денег? Я? Мать? Абсурд!

— Успокойтесь, пожалуйста. Я не склонен к абсурдным версиям. Но с содержанием завещания ознакомиться обязан. Вы не могли бы прямо сейчас позвонить Перфилову и назначить встречу? Максимально скорую! Вы же формально должны вступить в права наследства? Даже если вы не собираетесь по каким-то причинам этого делать, завещание

111

должно быть оглашено. Ну, либо я должен убедиться, что его не существует.

— Хорошо, — сухо сказал Любимов, беря со стола сотовый телефон.

Он набрал номер и некоторое время коротко поговорил с нотариусом, упомянув о смерти сына, а затем, разъединив связь, обратился к Гурову:

— Встреча назначена на завтра. На девять утра.

— Отлично, я подъеду, — кивнул Лев. — Говорите адрес.

— Ленинский проспект, четыре.

В этот момент у Гурова зазвонил телефон. Достав его, полковник увидел, что звонит Плисецкий, и тут же ответил:

— Да, слушаю!

— Лев Иванович... — голос Леонида Максимовича дрожал и звучал тихо. — Мне нужна ваша помощь.

— Вы где? — коротко спросил Гуров, не называя никаких имен.

— Я в Черемушках. Вы не могли бы приехать туда немедленно? Это очень важно и срочно!

— Хорошо. Как вас найти?

Плисецкий назвал улицу, номер дома и добавил:

— Там есть такой проезд между домами, дальше мусорные баки. Я стою за одним из них.

«Хорошенькое же место вы выбрали!» — подумал Лев, но вслух вставлять комментарии не стал, лишь сказал:

— Буду через полчаса.

— Слава богу! — с облегчением выдохнул Плисецкий. — Лев Иванович, приезжайте скорее, я очень боюсь! — Последнюю фразу он мог и не произносить, это и так было понятно по его голосу.

Распрощавшись с Любимовым раньше, чем планировал, Гуров еще раз напомнил, что будет завтра в девять утра на Ленинском проспекте, и поспешил вниз по лестнице. Сев в свой автомобиль, завел мотор и быстро поехал в Черемушки.

Подъезжая к нужному месту, он сбросил скорость и стал вглядываться в номера тянувшихся вдоль улицы одинаковых пятиэтажек. Увидев, наконец, нужный ему дом, за которым действительно был асфальтированный проезд, повернул туда.

Миновав арку, Лев увидел слева еще один дом — старое трехэтажное здание, затерявшееся во дворе между более высокими соседями. Там же стояли и массивные мусорные контейнеры. Проезд становился все уже, и вскоре стало ясно, что машине дальше не проехать.

Гуров стал искать, где бы припарковаться. Для этого ему пришлось свернуть во двор одной из пятиэтажек. Заглушив мотор возле второго подъезда, он вышел из машины и направился в сторону контейнеров. Здесь уже не было никакого асфальта, к тому же после недавно прошедшего дождя сильно развезло. Грязь налипала на модные ботинки полковника, отяжеляя их.

Жильцы близлежащих домов явно не отличались аккуратностью и не утруждали себя точным попаданием в контейнеры: вокруг валялись разорванные пакеты, мешки и прочие отходы. Местные коммунальные службы, кажется, тоже не отличались прилежным выполнением своих обязанностей, во всяком случае, вывозить мусор вовремя они не спешили. Многие контейнеры были переполнены, на них высились горы хлама.

Приближаясь, Гуров увидел свору собак, орудующих у контейнеров. Они зубами стаскивали пакеты и зубами же разгрызали их, вороша содержимое. Вдруг одна из собак — крупный черный кобель дворовой породы — оставила свое занятие по разгрызанию пакета и повернула в сторону полковника лохматую черную морду.

Лев спокойно продолжал двигаться вперед — он никогда не боялся собак, и в большинстве случаев отлично находил с ними общий язык. Но то были служебные собаки — умные и вышколенные служаки, а этот беспородный кобель явно не обладал ни одним из их достоинств. По мере приближения Гурова он глухо зарычал. Остальная свора мгновенно отреагировала на голос своего вожака: все повернулись в его сторону и стали сбиваться в кучу. Шерсть животных вздыбилась, зубы оскалились.

Гуров невольно остановился. Идти вперед с голыми руками было довольно опрометчиво, к тому же он подумал о Плисецком — неужели тот прячется в таком опасном для него месте?

Стоя на месте, он достал телефон и набрал номер Леонида Максимовича. Телефон молчал, но и отключен не был. Лев встревожился. В голове его мелькнула мысль, что Плисецкий, возможно, стал жертвой этой своры. Но он тут же отогнал ее: на земле не было никаких следов расправы. Но что-то нужно было делать!

Вожак собачьей своры не сводил с него глаз. Гуров отчетливо видел два черных горящих уголька, сверливших его, а присмотревшись, заметил, что с обнажившихся клыков кобеля капает слюна, и это ему совсем не понравилось. Полковник был знаком с бешеными собаками не понаслышке и знал, чем это чревато. Однажды на его глазах такая вот свора набросилась на молоденького лейтенанта, с которым они вместе патрулировали район еще в пору молодости. Тогда Гурову едва удалось его отбить, применив табельное оружие. Казалось, взбесившихся тварей ничто не могло остановить.

Впоследствии лейтенанту наложили двенадцать швов, а также сделали сорок уколов от бешенства, и, как выяснилось, не зря. И вот сейчас Гуров вновь оказался в похожей ситуации, с той лишь разницей, что на этот раз был один на один с псами. Но теперь он полковник, а не зеленый лейтенант, и имеет неплохой жизненный опыт.

То, что отсюда нужно поскорее убираться, было очевидно. Плисецкий, видимо, заметил собак и поспешил покинуть свое укрытие.

«Нашел, где прятаться, идиот!» — мысленно послал ему привет Лев.

Он медленно сделал шаг назад. Пес мгновенно зарычал и вздыбился. В унисон ему заворчали другие собаки. Лев замер, затем снова стал отступать. Правая рука его скользнула к кобуре и нащупала пистолет. Одновременно сзади послышался какой-то шорох, он резко обернулся, и это стало его главной ошибкой: оскаленный пес совершил гигантский прыжок и, бросившись к нему, повалил на землю. В нескольких сантиметрах от своего лица Лев увидел длинные мокрые клыки и успел вцепиться в могучую собачью шею.

Пес, казалось, обладал силой быка: шея его была практически негнущейся. Гуров изо всех сил давил на нее, пытаясь сжать обе руки на горле пса и задушить. Он не мог достать пистолет: для этого нужно было освободить одну руку, а удержать пса таким образом было нереально. Действуя на одних рефлексах, Лев лишь сильнее и сильнее сжимал руки, давя на кадык собаки. Ситуация осложнялась тем, что лежал он в мокрой, вязкой грязи, скользя по ней спиной.

Грянул выстрел. За ним еще один и еще. Боковым зрением Гуров заметил, как три темные тени упали на землю. Остальные псы бросились врассыпную, скуля и визжа на ходу. Затем чьи-то сильные руки подхватили его сзади и подняли с земли. Он тяжело задышал, пытаясь выровнять дыхание. Черный кобель валялся на земле обездвиженным, рядом лежало еще несколько собачьих трупов.

Где-то хлопнула балконная дверь, и вновь стало тихо, а Лев все не мог отдышаться и удержать равновесие: ноги разъезжались в грязи, и если бы его не поддерживали сзади, он бы снова свалился на землю.

Наконец Гуров более-менее пришел в себя и хотел обернуться, чтобы поблагодарить своего нечаянного спасителя, а заодно посмотреть, кто это, как вдруг почувствовал, что в бок ему уперся ствол пистолета, а затем незнакомый мужской голос негромко, но твердо произнес:

— Не надо пугаться и оборачиваться. Шагайте вперед.

Глава 6

Медленно развернув корпус в сторону дорожки, полковник выполнил требование. Он двинулся от вонючих контейнеров вперед, постоянно ощущая прикосновение пистолета. Его спутник не отставал ни на шаг, следуя за ним словно приклеенный.

Они прошли мимо домов и вышли в тот самый проем между пятиэтажек, куда Гуров въехал несколько минут назад на свою голову. У обочины был припаркован темно-синий автомобиль марки «Ниссан», и сопровождавший Гурова мужчина направился к нему. Профессиональным взглядом Гуров скользнул по номерам.

— Не стоит запоминать номера, — тут же произнес его спутник. — Это ни к чему. Вам же сказали — не надо пугаться.

— Кто вы? — не оборачиваясь, спросил Лев.

— Мое имя вам ничего не скажет. Вы, пожалуйста, выполняйте мои требования, и все будет хорошо. Для начала вам нужно просто сесть в этот автомобиль.

Гуров бросил взгляд на переднее сиденье. За рулем сидел какой-то человек: весь в темном, с надвинутой на глаза кепкой. Мужчина подвел его к заднему сиденью и открыл дверцу. Лев нагнулся, чтобы сесть, и в этот момент ему на глаза легло что-то плотное. Он невольно поднял руки, но снова получил властное предупреждение:

— Не нужно пытаться мне мешать! Это делается в ваших же интересах.

Гуров понял, что ему завязали глаза, а затем усадили на заднее сиденье. Справа и слева сели два человека, плотно зажав его между собой.

— Поехали! — бросил один из них, и «Ниссан» плавно тронулся с места.

Сидевший справа мужчина сунул руку в карман пальто Гурова и достал оттуда его пистолет. Лев промолчал, пытаться вырвать оружие с завязанными глазами было бы крайне глупо.

Ехали они долго. Лев пытался сначала следить за направлением, но быстро понял, что это бесполезно: с завязанными глазами ничего не определишь, а салон автомобиля очень хорошо скрывал посторонние звуки.

Их никто не останавливал, машина шла ровно, явно управляемая профессионалом. Гуров лишь мысленно отсчитывал время, хотя прекрасно понимал, что его намеренно могли кружить по одному и тому же месту. Кто были эти люди и что им нужно — он не имел ни малейшего представления. Успокаивало одно: раз завязали глаза, значит, убивать не собираются. Да и вообще, если б хотели убить, то не стали бы отбивать у собак. В тот момент он находился на волосок от смерти, и не было нужды тратить пули и брать грех на душу.

По дороге Лев думал о Плисецком: куда тот мог деться? Неужели его похитили те самые люди, от которых прятался владелец «Гармонии»? Но где, в таком случае, он сам? Убит? За что, почему? И что нужно от Гурова?

Ответов не было, да и не привык полковник гадать на пустом месте. Нужно было дождаться приезда в пункт Х — ясно, что именно там должна состояться главная беседа. Он надеялся, что осталось недолго, потому что ехали они, по его подсчетам, уже больше часа.

Машина сбавила скорость и поехала совсем медленно — так, словно въезжала в достаточно узкий проход. Проехав метров двести, она наконец остановилась, и водитель посигналил. Послышался звук отпираемых ворот, и машина въехала во двор.

Открылась дверца, и сидевший справа от Гурова человек произнес:

— Выходите.

Второй легонько подтолкнул Гурова в спину. Лев повернулся и опустил ноги на землю. Куда его повели, он, естественно, не видел, повязка по-прежнему была на глазах, и завязана была весьма туго. Да он и не пытался ее снять: безоружный, слепой, на глазах у неизвестно какого количества вооруженных бандитов, он был крайне уязвим.

Все поднялись на высокое крыльцо и вошли в дом. Гурова провели по длинному коридору, затем постучали в дверь, и в ответ послышался чей-то голос:

— Да!

Льва втолкнули в комнату.

— Снимите с него повязку! — скомандовал тот же голос, и чьи-то руки принялись развязывать узел.

Наконец повязка упала на пол, и в глаза Гурова сразу же брызнул яркий свет, заставивший его невольно зажмуриться. Когда же он открыл глаза, то первым делом увидел огромный стол, стоявший в просторной комнате, уставленный всевозможными блюдами. За столом сидел не менее огромный человек, не узнать которого было невозможно: это был Буров.

Рядом с ним, демонстрируя колоссальный контраст, сидел бледный и субтильный Леонид Максимович Плисецкий, казавшийся на фоне Бурова мелким воробышком. Он старательно прятал от Гурова взгляд, но полковник и не смотрел на него. Его глаза сосредоточились на хозяине этого дома.

Тот грузно восседал в кресле, изготовленном, по всей видимости, на заказ, поскольку оно скорее напоминало то ли высокий диван, то ли трон. При этом Буров в правой руке держал свиную ногу, уже наполовину объеденную. Он положил ее на тарелку, вытер салфеткой жирный рот и произнес:

— Добрый вечер, Лев Иванович!

— Здравствуйте, Всеволод Степанович, — в тон ему ответил полковник, не отводя взгляда.

— Вижу, вы меня знаете, — не без удовлетворения в голосе констатировал Буров. — Это еще раз подтверждает, что я имею дело с профессионалом.

— Зачем вы хотели меня видеть? — не вступая в витиеватые дебаты, спросил Гуров.

— Вы ведете дело Любимова?

— Вы же наверняка это знаете, зачем спрашивать?

— Хорошо, — мотнул головой Буров, отчего сразу обозначились несколько его подбородков. — Перейдем к делу. Саша! — обратился он к одному из своих помощников, бросив взгляд на Плисецкого.

Тот кивнул и сказал:

— Пойдем!

Леонид Максимович стал совсем белым. Поднявшись на негнущихся ногах, он прошествовал к двери, бросив по дороге на Гурова умоляющий взгляд, и вышел из комнаты.

— Прошу к столу, Лев Иванович! — подмигивая ему, предложил Буров, протягивая руку к огромному бочонку вина, стоявшему на столе. — Давайте за знакомство!

— Да мы, как выяснилось, уже знаем друг друга, — заметил Гуров.

— Ну, тогда пришла пора узнать поближе! К тому же смотрите, как интересно получается: вы Гуров, а я Буров! Прямо знак судьбы, а? Встретились Буров и Гуров! Буров-Гуров! Ха-ха-ха! — И он захохотал, колыхая складками, спадавшими по всему его внушительному телу. — Садитесь! Выпьем за встречу!

— Спасибо, — Гуров не сдвинулся с места. — Мне бы не хотелось задерживать нашу встречу.

— А что так? — продолжал улыбаться Буров.

«Прямо Весельчак У!» — усмехнулся про себя Лев, который отлично понимал, что за показной веселостью стоит беспощадный человек, настроение которого может перемениться в любой момент. Это подтвердилось практически мгновенно: Буров резко прервал смех, лицо его стало каменным. Он щедро наполнил бокалы, подвинул один из них Гурову и произнес:

— Когда я предлагаю что-либо, отказываться не принято.

Лев вынужден был присесть за стол. Количества блюд, заполнявших его, хватило бы человек на двадцать голодных борцов сумо. На двоих этого явно было в избытке, но Буров, кажется, так не считал. Практически все время, что длилась их беседа, он не переставал есть.

— Вы вообще, видимо, привыкли, что люди исполняют ваши приказы, — заметил Гуров. — Заставили несчастного Плисецкого позвонить мне, назначить встречу... Теперь держите его в заложниках, а заодно и меня. Неужели, Всеволод Степанович, вы настолько уверены в собственной вседозволенности? Похищать полковника МВД — не детская шалость.

— Помилуйте, Лев Иванович! — растянув блестевший жиром рот в улыбке, протянул Буров. — Какое похищение? Считайте, что вы просто у меня в гостях!

— Да уж, пригласили вы меня весьма оригинальным способом. Неужели нельзя было просто назначить встречу на нейтральной территории?

— А вы бы на нее пришли?

— А почему нет? Пришел бы, — утвердительно кивнул Лев.

119

Буров бросил на него удивленный взгляд:

— Ну, во-первых, я должен был быть в этом уверен. Во-вторых, у меня было мало времени — я только сегодня узнал о смерти Романа Любимова — собственно, как и вы.

— Оперативно работает ваша разведка, — заметил Гуров. — Если учесть, что я-то узнал об этом по долгу службы. Ну а дальше? Мне почему-то кажется, что есть и третья причина?

Буров прожевал большой кусок свинины и сыто икнул.

— Есть, — подтвердил он. — Вы тут заговорили о несчастном Плисецком. Так вот, могу вам сказать, что дальнейшая его участь зависит от вас, Лев Иванович!

Лицо полковника стало каменным.

— Уж не пытаетесь ли вы меня шантажировать? — спросил он. — Я не зря упомянул о присущей вам привычке повелевать. Так вот знайте: Плисецкого запугать вам, конечно, несложно. Управлять своими отморозками-охранниками, заставляя их совершать убийства, — тоже. Но заставить меня плясать под вашу дудку — это чрезмерная самоуверенность.

— Лев Иванович, не нужно бросаться словами! — погрозил ему пальцем Буров. — За них ведь приходится отвечать! Это я к вопросу об убийствах. Вы сейчас клевещете на меня и моих людей.

— Помилуйте, Всеволод Степанович! — расплылся в улыбке Лев. — Какая клевета? Мы же просто беседуем. И я, как ваш добровольный гость, просто высказываю собственное мнение.

Буров несколько секунд пристально смотрел в лицо Гурову. Для этого он даже оторвался от тарелки с едой, которую непрерывно поглощал.

— Ей-богу, вы мне нравитесь, Лев Иванович! — громко рассмеявшись, воскликнул он. — Человек вы умный, а я за ум могу многое простить. Эх, жаль, что вы работаете на МВД, я с удовольствием взял бы вас к себе.

— В охрану? — усмехнулся Гуров.

— Зачем же в охрану! Подставлять под пули не жалко отчаянные, но тупые головы, но никак не вашу!

— Может быть, хватит мне дифирамбы петь? Давайте уже к делу. Что вам от меня нужно? Сразу скажу — работать на вас я не стану ни в каком качестве! Так что не тратьте время.

— А вы разве торопитесь? — удивился Буров, вытирая салфеткой запачканные пальцы.

— Вы заговорили о Плисецком, — напомнил Лев, которому совершенно не хотелось задерживаться у Бурова. К тому же он думал о назначенной встрече с Крячко. Сотовый телефон у него отобрали по дороге, он остался у одного из охранников Бурова, и полковник думал, что Крячко наверняка уже не раз ему звонил.

— Да, Плисецкий... Лев Иванович, как бы странно для вас ни прозвучали мои слова, но у нас с вами общие интересы. Вы ищете убийцу Любимова. Я бы тоже хотел знать его имя. Скажу больше, полагаю, что узнаю его раньше вас! Но мне нужна кое-какая ваша помошь.

Гуров удивленно поднял брови.

— Не волнуйтесь, разглашать какие-либо секретные сведения мне не надо. Но вы же наверняка уже располагаете кое-чем? Так вот, на данном этапе меня всего лишь интересует, причастен ли к смерти Любимова Леонид Плисецкий.

— Если вас интересует просто мое мнение как гостя, то отвечу однозначно — нет.

— Вы, конечно, производите впечатление человека, которому можно верить на слово. Однако я все же попросил бы вас аргументировать свой ответ.

— Пожалуйста, — кивнул Лев. — Прежде всего у него нет мотива.

— Ну, если покопаться, мотив всегда можно найти! — перебил его Буров. — Мы же только со слов Лени знаем о том, что Роман держал деньги на своем счете. А если это не так? Если он сам их давно благополучно снял? А чтобы прибрать их к рукам, убил своего компаньона! И придумал для меня отмазку — дескать, я тут ни при чем! Если это так, то я ему не завидую! Кидать меня никому еще с рук не сходило. — Лицо Бурова вновь приобрело безжалостно-свире-пое выражение.

«Хорохорится, — подумал Лев. — Пытается взять на испуг».

Он уже сделал вывод, что Буров, несмотря на то что явно не дурак, не обладает тонким и изысканным умом. Его сила опережает ум и состоит прежде всего в его габаритах, наглости и отморозках-«быках», которые ему прислуживают. Преувеличивает он степень собственной безнаказанности и не знает, что спецслужбы давно держат его на крючке и рано или поздно все равно возьмут.

Но пока это еще было в перспективе, а сейчас ситуация складывалась так, что Гуров был в руках этого человека. Он понимал, что Буров, конечно, не настолько безбашенный, чтобы убивать полковника МВД, да к тому же не имея для этого достаточных причин. Смерть Гурова ему вообще не нужна и даже невыгодна. Ему полезнее заключить с ним негласный договор о взаимопомощи. Но вот помогать этому человеку Лев не испытывал ни малейшего желания. Ему нужно было вырвать из его лап Плисецкого, а уж с Леонидом Максимовичем он разберется сам. Поэтому он ответил правду:

— Плисецкий слишком боится вас, чтобы затевать такие игры. Он умирал от страха, когда ехал с вами на встречу в ресторан у Яузских Ворот. Нет, он не делал этого. Да и способ убийства — не его почерк.

— А что со способом? — тут же заинтересовался Буров.

— А вот это, Всеволод Степанович, тайна следствия. Вы же сами говорили, что не будете выпытывать у меня секретных сведений. Одним словом, я бы вам советовал Плисецкого отпустить. Он постоянно будет находиться под нашим наблюдением. Кстати, будучи на свободе, он может быстрее привести нас к убийце.

— Почему? — Буров заинтересовался еще больше.

— Потому что я не исключаю того, что тот, кто убил Любимова, захочет убрать и Плисецкого, — пояснил полковник. — Мы же еще не знаем мотива. С большой долей вероятности можно считать, что это связано с их бизнесом.

— Мгм, — нахмурился Буров. — Конкуренты? С ума, что ли, сошли? Не знают, с кем связываются? Их бизнес — наполовину мой бизнес!

— Может быть, и не знают, — пожал плечами Лев. — Может, кто-то из новичков.

— Что-то слишком борзые новички, — заметил Буров.

— А вот вы и проверьте, Всеволод Степанович! У вас в этом смысле даже больше возможностей, чем у нас! Вы располагаете сведениями о крупных бизнесменах, способных держать подобное дело! Может быть, кому-то из них нужно само здание, а может быть, и сам центр. Нам же для этого понадобится куда больше времени. Вот и займитесь этим делом, а мы займемся своим. Плисецкий, так или иначе, никуда не денется, находясь под нашим присмотром! Он все время будет на виду, к нему будет приставлена наружка. А случись что... — Лев, не закончив фразу, выразительно посмотрел на Бурова. И так было понятно, что он имел в виду,— «он в ваших руках».

Буров сосредоточенно сдвинул брови, затем резко придвинул к себе блюдо со студнем и принялся усердно его поглощать. Его челюсти двигались механически, словно перерабатывающая машина, в жерле которой исчезает продукт. Присмотревшись к глазам Бурова, Гуров с изумлением обнаружил, что они выражают мыслительный процесс! Он не раз отмечал, что люди, напряженно о чем-то думая, сопровождают этот процесс каким-то действием: кто-то ходит взад-вперед, кто-то курит, а генерал-лейтенант Орлов, например, барабанит пальцами по столу. Буров же ел во время своих дум! С таким полковник еще не сталкивался.

Покончив со студнем, Буров принялся за бутерброды с семгой. Довольно внушительные ломти белого хлеба с красно-розовой нарезкой исчезали у него во рту один за другим. Уничтожив их все до единого, он перешел к фаршированному гусю...

Процесс закончился одновременно с салатом. Буров резко оттолкнул от себя пустой салатник, откинулся на спинку своего трона, глубоко вдохнул и, вытянув губы трубочкой, проговорил:

— Что ж, вы меня убедили. Можете забирать Леню. Кстати, по дороге проведите с ним профилактическую беседу: объясните, что, если он все-таки причастен к смерти Ромы, пусть лучше сам мне в этом признается. Ей-богу, для него это будет крупным смягчающим обстоятельством.

— Я так понимаю, оно позволит ему умереть без мучений, — криво усмехнулся Лев.

— У вас отличное чувство юмора! — загрохотал своим смехом Буров.

— На этом разрешите считать нашу беседу законченной, — поднявшись, произнес Лев. — На ваш вопрос я ответил.

— Ладно, будем считать, что ответили, — утвердительно качнул головой Буров. — Но если у меня снова появятся вопросы...

— ...то вы мне позвоните вот по этому номеру телефона, — закончил за него Гуров, доставая из кармана визитку. — И я вам очень настоятельно рекомендую так поступить, прежде чем вы решите вновь... пригласить меня в гости. Потому что с этого момента я тоже буду начеку. Всеволод Степанович, контора, где я работаю, не принадлежит человеку по фамилии Шарашкин. Надеюсь, вы тоже это понимаете?

С полминуты они смотрели в упор друг другу в глаза, после чего Буров сказал:

— Вашу машину подогнали. Можете ехать на ней. Может быть, примете сначала душ? У меня тут прекрасная сауна...

— Дома приму, — коротко ответил Лев, кивнул и пошел к выходу. Дверь тут же широко распахнулась, и он увидел стоявшего подле нее человека лет сорока пяти. Правую щеку его пересекал длинный шрам. Гуров вспомнил, что видел это лицо на фото в материалах, переданных ему утром. Это был Виктор Заманихин, начальник охраны Бурова.

Тот молча кивнул ему, пропуская в коридор, а сам пошел следом и сопроводил до самых ворот, где был припаркован автомобиль Гурова, возле которого стоял съежившийся Леонид Максимович Плисецкий. Рядом стояла еще одна машина.

Заманихин подозвал охранника и, подойдя к Гурову, проговорил:

— Не надо пугаться и сопротивляться.

— Вы о чем? — резко обернулся к нему Лев.

124

— Мы вас немного проводим. И лишим ненадолго зрения.

В тот же миг он завязал Гурову глаза. Точно такая же повязка легла и на лицо Плисецкого.

— Садитесь в машину, — сказал Заманихин, подталкивая Гурова с Плисецким.

И снова Гуров сидел на заднем сиденье, только на сей раз в компании Плисецкого и второго охранника. Ни пистолета, ни сотового ему не вернули.

Ехали они примерно полчаса, после чего машина остановилась, и Заманихин убрал повязки с их лиц. Гуров посмотрел назад и увидел, как из-за руля его автомобиля выбирается один из охранников Бурова. Он подошел к машине, где сидел Заманихин, и уселся на переднее сиденье.

Начальник охраны молча протянул Гурову пистолет и сотовый телефон, после чего сел за руль, и машина стала быстро удаляться. Гуров с Плисецким остались вдвоем на дороге.

— Садитесь в машину, — коротко бросил Лев Плисецкому.

Он тоже не стал задерживаться в этом «гостеприимном» месте и быстро поехал вперед, постоянно осматриваясь по сторонам. Местность была ему незнакома, к тому же было уже темно.

— Вам приходилось бывать здесь раньше? — повернулся он к Леониду Максимовичу.

— Нет, — разлепил губы молчавший всю дорогу Плисецкий.

Гуров видел, что их вывезли на какую-то поселковую дорогу. По логике, нужно было просто ехать вперед, что он и делал, пока они не выехали на трассу, где увидели указатель «МКАД 5 км». Только сейчас Лев достал свой сотовый, в котором значились восемь пропущенных вызовов от Крячко. Понимая, что Станислав совсем извелся, он набрал его номер.

— Лева, твою мать! — раздался возмущенный баритон. — Что за дела, где тебя носит?

— Не спрашивай, — отозвался Гуров. — Новости есть?

— Ха! Еще какие! Между прочим, насчет Плисецкого! Не зря он с нами темнил!

— Что, есть что скрывать? — покосившись на Леонида Максимовича, уточнил Лев.

— А то как же! Вот собираюсь завтра тряхануть его на эту тему!

— Зачем же завтра? Тем более что он рядом со мной. Давай-ка подъезжай к Академической, я буду там через двадцать минут.

— Лева, ты в уме? — возмутился Крячко. — Я уже дома! К тому же принял вишневой наливки — мне тесть подогнал на двадцать третье февраля.

— Вызови такси. Я оплачу.

— Заметано! — обрадовался Крячко.

Плисецкий встревоженно посмотрел на Гурова и спросил:

— Вы разве не отвезете меня домой?

— Я вообще-то не в такси работаю, — сухо ответил Лев. — Кроме того, у меня к вам есть разговор.

— Лев Иванович! — Долго молчавшего Плисецкого теперь прорвало. — Я вам клянусь, что я ни при чем! Меня заставили, понимаете? Меня похитили, привезли к Бурову и сказали, что убьют, если я вам не позвоню и не назначу встречу у мусорных баков! Вы понимаете? Что мне оставалось делать?

— Думаю, вы все же преувеличиваете, — заметил Гуров. — Вы боитесь, и боитесь явно, а Буров этим пользуется. Впрочем, я собираюсь говорить с вами не об этом эпизоде.

— А о чем? — с беспокойством спросил Плисецкий.

— Скоро узнаете, — успокоил его Лев.

Крячко стоял на обочине, засунув руки в карманы.

— С тебя пять сотен, — сообщил он, усаживаясь в машину. Но тут же воскликнул: — Фу, чем так воняет? Труп, что ли, разложившийся перевозите? — Он покосился на Плисецкого и добавил: — Давай выйдем, я тут не могу находиться.

Они вышли из машины и отошли на несколько метров.

— Ну что, Стас? Ты был у жены Плисецкого? Она что-то сказала? — сразу спросил Гуров.

— Видишь ли, Лева, какое дело... — размеренно проговорил Крячко. — У жены я был. Только она ему как бы не совсем жена...

126

— Гражданский брак, что ли? Ну и что?

— Да нет, Лева... Гражданский брак, — язвительно проговорил Крячко, — был у Плисецкого совсем с другим человеком!

— Только не говори мне, что его любовница — все-таки та несчастная женщина-инвалид, что была с ним в машине! Кстати, знаешь, кто она? Дочь Виталия Любимова и сводная сестра Романа!

— Лева, я не собираюсь говорить, что она любовница Плисецкого, — глубоко вздохнул Стас. — У него вообще... нет любовницы! И быть не может!

Гуров нахмурился.

— Да, Лева, да! — кивнул Крячко. — У него нет любовницы, потому что есть любовник! Точнее, теперь нет!

— То есть они с Любимовым...

— Правильно понимаешь. Я еще сразу подумал, что он на педика похож! Только вот наличие жены меня смутило. Но как раз она-то мне глаза и раскрыла! И вообще кое-что интересное рассказала.

— Ну, так выкладывай, не томи!

Светлана Плисецкая открыла дверь и смерила Крячко холодным взглядом голубых глаз. Она явно была не слишком довольна его визитом, хотя сразу узнала.

— Добрый вечер! — расплылся в улыбке Стас.

— Как вы вошли? — резко спросила она вместе приветствия. — Почему вас пропустила консьержка?

Крячко спокойно показал ей свое удостоверение и сказал:

— Вы даже не представляете себе, какие двери способна открыть вот эта скромная книжица. Может быть, позволите войти и в вашу, Светлана Владимировна?

Плисецкая чуть подумала и посторонилась, пропуская его в прихожую.

— Только уж извините — не могу уделить вам много времени. Мне через полчаса забирать дочь из музыкальной школы, — предупредила она.

— Этого нам вполне хватит. Если, конечно, вы будете со мной откровенны, Светлана Владимировна.

— Смотря о чем вы собираетесь спрашивать, — фыркнула та. — К примеру, есть вещи, о которых я не откровенничаю ни с кем!

— Вы невероятно любезны, Светлана Владимировна! — с чувством произнес Крячко, пряча улыбку. — Ей-богу, вы одна из самых обаятельных женщин, с которыми я встречался! С вами удивительно приятно общаться!

Плисецкая поджала губы, уловив явную иронию в его словах.

— А мне незачем вас обаять! — огрызнулась она. — Я так понимаю, вы пришли сюда в связи со смертью Романа? Сразу скажу: все вопросы — к моему мужу, я тут ни при чем.

— С мужем вашим мы непременно побеседуем отдельно. А сейчас я пришел именно к вам!

— Но что вам нужно от меня? — недоуменно спросила она. — Я-то вам зачем?

— Ну как же! Вы жена человека, у которого убили компаньона. Самый близкий, можно сказать, человек. Значит, можете обладать ценной информацией.

Брови Плисецкой удивленно поднялись, а затем она рассмеялась, но не беззаботным смехом, а, скорее, саркастическим.

— Самый близкий человек, говорите? Ну-ну, — покачала она головой, отсмеявшись. — Вы лучше прямо задавайте свои вопросы, а я конкретно буду отвечать.

— В случае смерти Романа кто становится хозяином центра?

— Не знаю, наверное, муж, — пожала плечами Светлана.

Крячко продолжал смотреть на нее так выразительно, что она вспыхнула и медленно проговорила:

— Вы что... Полагаете, что смерть Романа могла быть выгодна... мне?

— А почему нет? Выгода налицо, — не стал ходить вокруг да около Крячко, понимая, что в этом случае зря потратит время.

Женщина пару секунд постояла в задумчивости, потом резко бросила:

— Проходите!

Крячко прошел в зал, где стояли диван и два кресла. Светлана заняла одно из них и закурила. Заговорила она первой:

— Я бы не стала об этом говорить — ни вам, ни кому бы то ни было еще, — потому что соблюдаю свою часть договора. Но, поскольку смерть Романа все перевернула с ног на голову, к тому же вы все равно в связи с этим все узнаете, расскажу. Так вот, никакой выгоды от смерти Романа я не имею. У нас с мужем заключен договор, по которому я получаю ежемесячное содержание в фиксированной сумме, и никакой дополнительный доход моего мужа на нее не влияет. Более того, я живу в квартире, которая оформлена на моего мужа. Я лишь имею право здесь проживать вместе с дочерью, пока я его жена. Он живет в соседней — в этом же отсеке, за стеной. Но у меня нет ключей от его квартиры, более того, я ни разу там не была!

— Ничего себе! — удивленно покачал головой Крячко. — Почему же такие странные отношения?

Светлана небрежно затушила сигарету в пепельнице, приблизилась к Крячко и, глядя ему в лицо, проговорила:

— А вы еще не поняли? Мой муж — гомосексуалист. И никакая женщина, даже жена, ему не нужна!

Крячко присвистнул, услышав подобное откровение, а Светлана тем временем продолжала:

— Роман Любимов — его постоянный партнер. Об этом знает очень ограниченный круг людей. Леонид до смерти боится, что кто-нибудь узнает о его... сущности, — усмехнулась она. — Мы с ним заключили договор: я создаю ему репутацию нормального человека — он содержит меня и дочь. То есть я для него ширма. Когда, к примеру, происходит мероприятие с его деловыми партнерами, на котором нужно быть с женами, он берет меня с собой. На людях мы создаем видимость счастливой гетеросексуальной семьи, а на деле — мы даже никогда не спали вместе. Наша дочь была зачата искусственным путем: мне просто ввели семя моего мужа, вследствие чего наступила беременность.

Крячко медленно переваривал услышанное. В принципе, какие-то смутные подозрения насчет ориентации Плисецкого мелькали у него в голове. Но, стараясь быть справедливым, он отметил, что вообще склонен относить «к педикам» всех мужчин, которые, по его мнению, выглядят недостаточно мужественно. В Плисецком его смущало наличие жены и дочери. А тут, оказывается, вон оно что...

— Теперь понятно, почему у них на работе все бабы такие страшные, — не слишком уместно вставил он.

— Естественно! Леонид специально таких отбирал. Он же ревновал Романа ужасно! Боялся, как бы тот к женщине не переметнулся.

— Но как же вы согласились на это? — продолжая удивляться, спросил Крячко.

— А что, лучше было на панель идти? — горько усмехнулась Светлана. — Я приехала в Москву из Сызрани. Хотела поступать в институт и, конечно, не поступила. Устроилась на работу в магазин, денег не хватало, в общежитие не пустили, домой возвращаться не хотелось... В общем, банальная история. В принципе, наверное, я так и вернулась бы домой, поджав хвост: стоять на Тверской или Ленинградке мне совсем не улыбалось. Но тут судьба свела меня с Плисецким. У них с Романом тогда был магазин, я в нем работала. Он стал ко мне присматриваться. Поначалу я думала, что понравилась шефу, а потом... Честно скажу, когда он попросил меня пройти обследование в одной клинике, я очень удивилась. Не могла понять, для чего это нужно. Но он заплатил, и я согласилась. Плисецкий был полностью удовлетворен, увидев мои анализы и побеседовав с врачом.

Он искал себе здоровую женщину, которая могла гарантированно выносить здорового ребенка. Я для него была инкубатором. И он прямо предложил мне пойти на сделку. Поначалу я была шокирована, но он дал мне время подумать... И вот пока я неделю сидела на китайской лапше, в убогой комнатке в Бирюлево, которую мы с такими же бедолагами снимали на троих, предложение Плисецкого стало нравиться мне все больше и больше. Не стану утомлять вас долгим рассказом... — Светлана взглянула на часы. — Я согласилась. Через год родила дочь. Сейчас нашему браку двенадцать лет. Все идет своим чередом. Я соблюдаю свою часть договора, Леонид — свою. Я прекрасно знаю о Романе, и мне это не мешает. У меня своя жизнь, деньги, полученные от мужа, я трачу по своему усмотрению — за них он отчета не требует. Согласитесь, что жить в центре Москвы в хорошей квартире, не работать и получать содержание, а взамен лишь помалкивать и не заводить откровенных романов — небольшая плата, верно? Так что смерть Романа мне ничем не выгодна!

— Ой ли? — прищурился Крячко. — А вы не рассчитывали, что в результате ваш муж станет жить с вами нормальной семьей? Как женщины устраняют соперницу, вы устраняете соперника.

— Мой муж никогда не будет жить так, что вы называете нормальной семьей! — заявила Светлана, чуть ли не возмущенно глянув на него. — Надеяться на это просто глупо. И потом, извините, зачем он мне нужен в квартире? Я привыкла жить одна и привыкла делать что хочу. Брак с Леонидом стал бы для меня обузой. Мое существование мне даже нравится. Не надо думать, что я несчастная женщина! По-настоящему несчастные терпят мужа-алкаша, гробятся на рынке за гроши и живут в «однушке» на окраине! А теперь, после смерти Романа, я вообще не знаю, что будет! Я пыталась обсудить с мужем дальнейшие перспективы, но он сейчас в таком шоке, что ничего вразумительного не мог мне сказать.

— За этим вы встречались с ним вчера в спортбаре? — спросил Крячко.

— Вы что, следите за мной? — Плисецкая была неприятно удивлена.

— Нет, так получилось.

— Да, за этим. Я, конечно, надеюсь, что Леонид не даст мне отворот-поворот, хотя с отсутствием отношений с мужчиной ему вроде как и ширма больше не нужна... А может, и нужна. К тому же нас связывает дочь, которую он очень любит. Даже хотел второго ребенка. В общем, не знаю я, что будет дальше, но то, что раньше все устраивало всех — это факт, — заключила она. — А теперь, извините, мне пора.

— Любопытная ситуация, — задумчиво произнес Гуров, когда Крячко закончил свой рассказ. — То есть, по словам Светланы, у нее не было никакого мотива избавляться от Романа Любимова?

— По ее словам — да. И вообще-то я склонен ей верить. Кстати, можно проверить, действительно ли она проводила искусственное оплодотворение в клинике.

— Если документы сохранились, — заметил Гуров. — Все-таки двенадцать лет прошло. Но вообще, это новый виток в деле. Так, ладно, пойдем-ка послушаем, что скажет нам сам Плисецкий по этому поводу. — Гуров направился было в сторону машины.

— Постой! Ты мне лучше объясни, почему все-таки от тебя так воняет? — набычился Крячко. — И что с твоим пижонским пальто? Тебя что, в дерьме изваляли?

— Практически да. — И Лев рассказал ему о визите к Бурову.

— Совсем оборзел! — возмущенно воскликнул Крячко. — Надо бы направить туда ОМОН — неизвестно, кто там у него томится! Может, вообще заложников держат!

— Он не стал «светить» это место. Нас туда и обратно везли с завязанными глазами. Скорее всего, это его логово.

— Слу-у-ушай! — протянул Крячко. — Так, может, там Любимова и держали, а? Там и пытали? Идеальное место, никто не найдет!

— Зачем тогда Бурову вообще затевать весь этот цирк и выдергивать меня? Он же не в курсе, что я о нем знаю! Зачем так себя «светить»?

— Тоже верно, — кивнул Стас.

— Ладно, тут за две минуты не решишь. Завтра нужно будет все проанализировать. А пока давай с Плисецким выруливать.

— Лева, пожалей меня! — взмолился Крячко. — Я ж задохнусь там! Не знаю, как твой педик это выдерживает! Ты что, в таком виде собираешься домой ехать?

— Зачем? — искренне удивился Гуров. — Я у тебя помоюсь!

132

— Даже не думай! Меня Наташка из дома выгонит! А точнее, я сам сбегу. Лева, мой тебе совет — иди в баню! А вещи сожги, Лева! Все равно твое пижонское пальтишко уже не спасти — его ни одна химчистка не примет!

— Где я тебе найду баню в час ночи? — начал злиться Гуров.

— В сауну иди! — посоветовал Крячко.

— Тогда уж сразу в бордель! Ладно, хватит! Пойдем! Тоже мне, неженка! — И Гуров зашагал к машине.

— Лева, Лева, — быстро заговорил Крячко. — Давай вытаскивай Плисецкого сюда. Побеседуем на свежем воздухе!

Гуров подавил вздох и постучал по стеклу:

— Леонид Максимович, выходите!

Плисецкий поставил ноги на тротуар и трусливо посмотрел в сторону Крячко. Станислав смерил его нарочито презрительным взглядом и набычился, демонстрируя презрение. Гуров толкнул его в бок и сказал:

— Леонид Максимович, я так понимаю, вы кривили душой, когда говорили, что вас с Романом связывают чисто деловые отношения. Они были не просто деловыми и даже больше чем дружескими...

Плисецкий бросил на него обреченный взгляд:

— Мне конец!

— Ну что вы! С какой стати? Это ваша частная жизнь, которая никого не касается. Или вы снова от нас что-то скрываете?

— Нет-нет! Просто вы не знаете Бурова...

— Сегодня как раз имел честь познакомиться, — усмехнулся Лев. — А при чем тут вообще Буров?

— Понимаете, он на дух не выносит... таких, как я. Таких, как мы с Романом. Ну, у него там свои понятия и все такое. Он даже с родным братом прекратил все отношения, когда узнал, что у того есть близкий друг.

— Надо же, сколько педиков развелось! — произнес Крячко вроде бы в сторону, но в то же время так, чтобы Плисецкий его услышал.

Леонид Максимович, разумеется, услышал, но комментировать не стал.

— Если Буров узнает об этом, моему бизнесу конец, — убежденно проговорил он. — А может быть, и моей жизни!

— Да ему-то что за дело? — не понимал Гуров.

— У Бурова и некоторых людей, с которыми он ведет дела, есть как бы условный кодекс. Они вышли из девяностых, а там были свои понятия. То есть им иметь дело с такими, как я, что называется, западло. Примитивная, грубая позиция! Диктаторская позиция! А в свободном демократическом обществе...

— Ладно, ладно, ты демократию оставь в покое, — остановил его Крячко. — Она вам и так свободы много дала!

— А вы, я вижу, тоже диктатор, к тому же еще и агрессивный! — запальчиво выкрикнул Плисецкий.

— Понятно, вы скрывали ваши отношения, боясь Бурова, — вмешался Гуров. — Что, они начались, когда вы были с ним уже знакомы?

— Нет, — нехотя ответил Плисецкий. — Они начались гораздо раньше.

— Так воссоздайте хронологию! Я так полагаю, теперь это важно.

— Это длинная история, — замялся Плисецкий.

— Ничего, мы не торопимся, — кивнул Лев.

— Ну, кому как, — встрял Крячко. — Я лично так уже замерзать начинаю на свежем воздухе! А если еще здесь проторчим — и вовсе с простудой слягу! Не май месяц, знаете ли!

— Ну, давайте проедем в какое-нибудь кафе, — предложил Гуров.

— Лева, какое кафе? — выразительно окинул его взглядом Крячко. — Тебя ни в одно приличное место не пустят в таком виде!

— Мы можем побеседовать у меня, — робко предложил Плисецкий. — Если вы, конечно, не против. Там, кстати, и душ можно принять.

— Во, точно, Лева, соглашайся! И душ можно принять, а там и ночевать остаться! — развеселился Крячко.

Гуров подумал пару секунд и бросил:

— Поехали!

Глава 7

Роман Витальевич Любимов к своим сорока годам имел многое. По меркам многих, главное: деньги. Что и говорить, Роман Любимов был отлично обеспечен: квартира в центре Москвы — четырехкомнатная, в новостройке, новенькая опять же иномарка, загородный дом — ну, это необходимый набор, так сказать, прожиточный минимум современного успешного человека.

Будучи совладельцем спортивно-развлекательного центра красоты и здоровья, Роман Витальевич совершенно забыл о том, что такое нужда. Моложавый, подтянутый, выглядевший лет на десять моложе своего возраста, он казался воплощением успеха, героем своего времени и современным принцем. Можно было подумать, что таким он был всегда, и не просто был, а родился счастливчиком. Но на самом деле все было не так.

Только сам Рома знал об этом периоде своей жизни, и то старался не вспоминать, а засунуть воспоминания о нем подальше. И причина тому была самая что ни на есть земная и реальная. И звалась она очень красиво — Виолетта. Но обо всем по порядку.

Рома рос в интеллигентной и полноценной семье. Отец его, Виталий Евгеньевич, был начальником в строительной фирме, а потом основал собственный бизнес. Мать в связи с достатком денег в семье уделяла все свободное время воспитанию маленького Ромы и хранению семейного очага. Он был единственным сыном у родителей, и те не скупились на ласку, заботу, внимание и, конечно же, материальное обеспечение.

Нет, он не был особо капризным и не требовал, чтобы все его прихоти исполнялись мгновенно — родители сами рады были осчастливить мальчика то новой игрушкой, то изысканным лакомством.

С детства у Ромы наблюдались способности к математике и физике, но мальчик также любил и другие предметы. Учился в школе он на одни пятерки, был прилежным учеником и окончил школу с золотой медалью. Все науки давались ему легко. Роме не приходилось корпеть над уроками до поздней ночи, а уж тем более списывать что-то у одноклассников или ловить их подсказки, когда вызывали отвечать к доске. Это у него пытались списать, от него ждали подсказок. Но Рома не спешил делиться своими знаниями с одноклассниками, и не потому, что был таким вредным. Просто он всегда боялся: боялся, что учителя заметят, что его поругают и даже накажут или — о ужас! — вызовут родителей в школу. Возможный гнев со стороны администрации или отца с матерью приводил его в состояние, близкое к панике.

Рома сам не мог понять причину этого страха. У него не хватало мужества и здравого смысла продумать дальше и рассудить: ну и что будет в итоге такого страшного, даже если родителей действительно вызовут в школу? Он почему-то не замечал, что и учителя, и завуч, и сама директриса относятся к его отцу с пиететом, а иногда откровенно лебезят перед ним, поскольку Виталий Евгеньевич не раз и не два снабжал школу и стройматериалами, и поставлял ремонтную бригаду за свой счет, и вообще щедро подбрасывал деньжат в школьную казну, которая, как известно, постоянно нуждается в пополнении.

Одним словом, сыну такого человека в реальности не грозило никаких штрафных санкций со стороны учителей. И даже если бы он совершил что-то действительно серьезное, не сравнимое с такой малостью, как дать списать домашнее задание, администрация сама сделала бы все возможное, чтобы замять неприятную ситуацию. Она была заинтересована в таком ученике: круглом отличнике, имеющем обеспеченного отца. Но Рома этого не осознавал.

Его вообще отличала с детства некая робость. Он робел на занятиях, у доски, хотя прекрасно знал предмет. Робел и в отношениях с одноклассниками, многие из которых стремились с ним сойтись ближе, подружиться, а некоторые откровенно навязывались. Но его поведение — зажатое, закрытое — их останавливало, и постепенно попытки даже самых настойчивых сошли на нет. Романа считали чудаковатым и трусливым, а почувствовав его робость и слабость, стали даже над ним посмеиваться.

Так и получилось, что он до окончания школы остался без друзей. Друзей у него никогда не было, лишь знакомые и приятели в классе. Он никогда не оставался после уроков у одноклассников, не ходил на пикники, не ездил на школьные мероприятия. Он читал книги, смотрел разного вида передачи по телевизору и готовился к олимпиадам. Для него учеба стояла на первом месте, ему нравилось учиться. Бывало, придет из школы, закроется в своей комнате и до самой ночи листает методички по математике.

В седьмом классе мальчик занял призовое место на всероссийской олимпиаде по физике, а в восьмом — выиграл ее. Но успеха у одноклассников ему это не прибавило.

Во дворе ситуация была в этом плане не лучше: ни с кем из тех, кто жил поблизости, Рома не завел дружеских отношений. Да и неоткуда было им возникнуть: гулять во дворе он не любил, спортом не увлекался, и такие мальчишеские развлечения, как катание на роликах или занятия на спортивной площадке во дворе, не вызывали у него восторга. Да и выходил он во двор редко: основную долю времени отнимали занятия. Но Рома, будучи все время один либо с родителями, казалось, совершенно не тяготился таким положением вещей.

Дома мальчика очень любили, но и держали в строгости. Родители, с одной стороны, не понимали, почему у него нет друзей, но с другой — радовались, что ничего не мешает ему заниматься учебой. Сам Рома не знал, нужно ли ему общение со сверстниками или нет. Его и так, в принципе, все устраивало. Как он говорил сам, «чем меньше друзей — тем меньше потенциальных предателей». Но спустя год родители заметили, что парень стал слишком замкнутым и спокойным. Порой он не разговаривал даже с матерью, просто игнорируя ее слова.

Тогда было решено повести его к доктору. Но тот ничего нового не сказал — парню банально не хватало общения со сверстниками. И не потому, что он не умел вести себя в обществе или был изгоем, нет — просто не заладилось.

Годы шли, а друзей у мальчика не появлялось. И никто не понимал, почему так складывалось. Скучным собеседником его точно назвать было нельзя. Из школьного коллектива он сильно не выделялся, интересы совпадали с большинством одноклассников. Внешность у него была тоже вполне симпатичная, и многие девочки из класса были тайком в него влюблены, но то ли боязнь быть осмеянными одноклассниками, то ли какие-то иные внутренние препятствия мешали им открыто выразить свою симпатию. Сам Рома даже и не догадывался, что длинноногая Маринка, уверенная в себе хохотушка и первая красавица класса, всегда наделенная кучей поклонников, по вечерам плачет в подушку оттого, что Рома Любимов не обращает на нее внимания.

Даже в музыкальной школе, в которую он пошел в шестом классе, у него была всего одна подруга, но и с той он виделся исключительно раз в неделю на общих занятиях в хоре.

Хотя с возрастом Рома заметил, что отношения с девочками складываются у него лучше, чем с мальчиками. Не в эротическом плане, а просто в дружеском, приятельском. Он всегда мог внимательно выслушать, если девочка хотела поделиться с ним чем-то, никогда не смеялся над откровениями, и уж тем более можно было не опасаться, что он сделает эти секреты достоянием всего класса. Девочки стали ему доверять, однако сам Рома в ответ не слишком спешил раскрыться, ему казалось, что нет ничего такого, что хотелось бы рассказать кому-то еще.

Но вот школьная жизнь подошла к концу. Последние два года Роман усердно готовился к сдаче экзаменов, что не могло не принести своих плодов. Хотя всем вокруг и так было ясно, что он непременно поступит — с таким-то папой! Но Рома привык рассчитывать на собственные знания. Более того, пользоваться возможностями отца ему было даже как-то стыдно. Так или иначе, а летом он поступил в экономический институт.

Родители несколько тревожились за сына, ведь ему предстояло влиться в новый коллектив в институте, а он все никак не мог научиться налаживать контакт с людьми, несмотря на то что всегда был вежливым и доброжелательным по натуре.

Наступила осень, началась учебная пора. К радости родителей, группа Роману попалась очень даже хорошая.

И — о чудо! — сын практически сразу же нашел себе несколько приятелей и приятельниц, веселых и жизнерадостных людей, с которыми начал активно общаться. Правда, скорее не он, а они его нашли, проявив инициативу при знакомстве, но это было неважно. Главное — свершилось! Роман ответил взаимной симпатией, расшевелился, оживился и стал проводить свободное время в компании институтских товарищей.

К его удивлению, с ними, еще недавно бывшими ему абсолютно чужими людьми, оказалось легко и весело. Интересов общих нашлось уйма — начиная с музыки и книг и заканчивая прогулками по паркам и посещением заброшенных зданий.

Быстро пролетел первый курс, обе сессии Роман сдал на «отлично» и даже получал повышенную стипендию, чем очень гордился. Хотя стипендии этой, вздумай он на нее прожить, хватило бы ему не больше чем на пару-тройку дней.

Спустя полтора года у Ромы сформировалась крепкая компания, в которую входили два его хороших друга — Женя Логинов и Леша Плисецкий, а также две девушки: Маша Юрченко, староста группы, заводила, оторва и душа компании, являвшаяся по совместительству девушкой Жени, а также Настя Ямщикова — закадычная подруга Маши, с которой они дружили еще со школьной поры. Но если Маша имела четкий статус подруги Жени (слово «невеста» в их среде не употреблялось и вызывало лишь смех), то Настя была «ничьей». И логично было предположить, что со временем она станет девушкой либо Ромы, либо Леонида. Причем самой Насте, кажется, было не слишком важно, чьей именно — оба парня ей нравились примерно одинаково, хоть и были внешне абсолютно разными.

Но время шло, никто из ребят инициативу не проявлял и словно бы не чувствовал неловкости, когда на какой-нибудь вечеринке Маша и Женя принимались страстно обниматься, а потом уединялись в соседней комнате, а они оставались втроем, продолжали пить вино и разговаривать. При этом воспринимали Настю даже не как своего парня, а как исключительно бесполое существо. Надо ли говорить, как обидно было девушке, хотя она изо всех сил, пряча слезы и сцепив зубы, улыбалась и вела себя как ни в чем не бывало.

Ребята постоянно держались вместе, почти всегда и везде. Вместе ходили на концерты, в кино, в клубы и в бары, вместе отмечали праздники и дни рождения, вместе готовились к сессии, зависали на чьей-нибудь даче летом и отправлялись на лыжные вылазки зимой и вместе впутывались в мелкие авантюры, из которых, правда, всегда благополучно выбирались — ничего криминального в этих забавах не было.

Все они были из разных семей: Рома, Леша и Настя — из очень обеспеченных, Женя — поскромнее, а Маша так и вовсе из совсем простой, дочь медсестры и рабочего-строителя, но при этом она обладала таким обаянием, уверенностью в себе и адекватной самооценкой, что никому и в голову не приходило сравнивать ее социальный статус с остальными.

В этой компании все было очень легко: легко учились, легко прогуливали, легко проводили досуг, легко дружили. Интересно, но никто из них по прошествии многих лет не мог вспомнить ни одной более-менее серьезной ссоры или размолвки. Единственный момент, который напрягал — да и то, кажется, только девушек, — было отсутствие четкого деления на пары. При этом никого не смущало, что девушек двое, а парней, как ни крути, трое...

Однажды Маша, следившая за ситуацией с самым пристальным вниманием, решила расставить все точки над «i». А поскольку была человеком активным, то и к своей задаче приступила так же: напористо и даже агрессивно. Зажав однажды Рому на кухне в углу, она прямо спросила:

— Тебя что, Настька совсем не впирает?

— Что? — не понял Роман.

— То! У девки скоро бешенство матки начнется, а ты как будто не замечаешь!

— Ну а я-то тут при чем? — растерялся Роман.

— Как это при чем? — округлила глаза Маша. — Ты что, не мужик, что ли?

Почему-то именно эта расхожая в современном мире фраза «а ты что, не мужик, что ли?» потом долго в мыслях преследовала Романа... Потом, произнесенная впоследствии совсем другим человеком и при других обстоятельствах, она, пожалуй, и сыграла в его судьбе роковую роль.

Сейчас же он, изумленный, кое-как отделался от Маши, промямлив в ответ что-то невразумительное, и ушел с вечеринки домой пораньше. А дома принялся размышлять над ее словами.

Нельзя сказать, чтобы девушки совсем не интересовали Романа, но он, проведший весь пубертатный период в чтении книг и сидении в своей комнате, сублимировав гормональную энергию в энергию приобретения знаний, как-то не задумывался над тем, чтобы воплотить ее в реальности. Точнее, задумывался, но больше теоретически.

Роман любил мечтать, и мечты его были идеализированы. Он представлял себе необыкновенную девушку, самую лучшую на свете, которую он сначала полюбит горячо и искренне, потом она ответит ему симпатией, а потом... Потом наступит тот самый момент, когда он...

На этом мечты, как правило, обрывались. Роман настолько концентрировался на платонических чувствах, на возвышении своего идеала, что совершенно не представлял, что конкретно будет делать, когда дело дойдет до физической близости. Эти мысли пугали его, и он, надеясь, что все произойдет само собой, легко и, разумеется, прекрасно, снова быстренько переключался на придумывание образа совершенной девушки, существовавшей только в его мечтах.

В этот раз он впервые задумался над вполне земным, реальным образом Насти. Честно говоря, она как-то мало походила на предмет его грез. Никогда он не воспринимал ее в качестве объекта своих чувств, а уж тем более сексуального. Даже найдя друзей, обретя некую уверенность и раскрепостившись, Роман продолжал оставаться все тем же одиноким в душе, ранимым мальчиком, боявшимся сделать что-то неправильно и оказаться виноватым непонятно в чем...

Но с этого дня он начал усиленно думать о Насте, буквально заставляя себя это делать. Он внушал себе, что Настя очень хорошая, красивая и что отношения с ней могут стать замечательными. Но мысль о том, что ему нужно будет вступить с ней в близость, приводила его в ступор. Ему было откровенно страшно, уже заранее начинали дрожать руки, появлялась слабость в ногах. Вконец измучив себя, Роман решился, наконец, сказать Маше, что пока не готов к этим отношениям.

Неизвестно, как бы все пошло дальше, но тут настал час «икс»: Роман познакомился с Виолеттой. Высокая, яркая, сексуальная, она поразила его мгновенно, едва только он увидел ее на площадке для танцев в ночном клубе, куда по стечению обстоятельств зашел вдвоем с Лешкой, без остальных участников компании. Роман словно ослеп, он не видел ничего, кроме огненно-рыжих волос, золотым каскадом спадающих по спине девушки. Извиваясь всей точеной фигуркой, гибкая и изящная, словно змейка, Виолетта явно была в центре внимания.

Вокруг танцевала и просто наблюдала за ее движениями не совсем трезвая компания, слышались одобрительные возгласы мужчин, которых Роман в один миг вдруг возненавидел. Глядя на то, какие похотливые взгляды они бросают на девушку, имени которой он еще не знал, ему хотелось только одного: раскидать всю толпу этих примитивных самцов, взять Виолетту за руку и увести отсюда. И при этом он отчетливо понимал, что не сможет даже просто подойти к Виолетте и заговорить с ней. Незнакомая девушка моментально обрела форму того самого идеала, который он безуспешно искал уже несколько лет и о котором мечтал перед сном еженощно.

Он бы, наверное, так и стоял, не решаясь подойти к ней, но это поистине был роковой вечер — тот, когда сбываются мечты и совершаются чудеса: Виолетта сама подошла к Роману. Подошла, когда закончился ее танец, и, отрицательно качая головой на звучавшие с разных сторон комплименты и предложения, колыхая пламенем волос и улыбаясь, двинулась по залу. Роман следил за ней завороженным взглядом, но ничего не произносил. У него язык не поворачивался даже сделать незнакомке комплимент.

— Привет! — прозвучало у него над ухом, и Роме показалось, что у него начались галлюцинации и что зря он в свое время игнорировал советы психолога и психиатра, к которым его водили обеспокоенные родители...

Но это оказалось явью: незнакомка стояла рядом, улыбалась и небрежно накручивала на палец рыжий локон. А вот психическое состояние Романа, возможно, несколько отклонилось от нормы, а может, наоборот, к ней приблизилось. Потому что, с одной стороны, он наконец почувствовал, как и положено в его возрасте, влечение к девушке, а с другой — переживал все это слишком бурно, слишком остро и как бы на грани.

Но разобраться в этих тонкостях под силу было лишь специалистам, к которым на сей раз обращаться никто не стал. Родители, встревожившись поначалу, а затем узнав, что сын просто-напросто влюбился и встречается с девушкой, с облегчением вздохнули и мысленно благословили отпрыска на «любовное плавание».

Отношения с Виолеттой начались практически сразу, в первую очередь благодаря ей самой. Это она была инициатором, и, наверное, и к лучшему, потому что Рома, по словам узнавшей об этом событии Маши, «еще полгода бы сопли жевал».

Так или иначе, но Рома с Виолеттой стали встречаться, и он вскоре познакомил ее со своими друзьями. Виолетту встретили сдержанно, но никаких комментариев в отношении нее не последовало, только иногда Роман ловил на себе какой-то непонятный взгляд Насти: то ли укоризненный, то ли злорадный, то ли просто печальный...

Но ему в тот момент было совершенно не до чужих переживаний — он был переполнен собственными. От чувств у него в буквальном смысле слова кружилась голова. Казалось бы, первым делом он должен был стремиться реализовать сексуальное желание, однако в Романе это желание боролось с идеализацией отношений, и крен постоянно был в сторону идеализма. Ему почему-то казалось, что, вступив с девушкой в близость, он нарушит всю чистоту чувств, котора между ними присутствовала.

С друзьями-приятелями Роман старался не обсуждать этот вопрос. А им, у которых сексуальная жизнь шла полным ходом, и в голову бы не пришло, что этот красивый, обеспеченный и умный парень до сих пор сохраняет со своей девушкой чисто платонические отношения...

К тому же с друзьями он стал видеться гораздо реже: Виолетта не слишком стремилась в эту компанию, да и ее там, откровенно говоря, не жаловали — слишком непохожа она была на бесшабашную и даже порой безалаберную, беспечную студенческую молодежь. Она была другой ментально и казалась старше, хотя была их ровесницей. Что касается образования, то получать его Виоллетта совершенно не стремилась, решив, что одиннадцати классов школы в совокупности со школой танцев, которую она окончила блестяще, вполне достаточно.

Единственным человеком, с которым Роман поделился своими тайными переживаниями, был Лешка Плисецкий, и он, как показалось Роману, отнесся к нему с пониманием. Но делиться с другими этой интимной тайной Роман не спешил. К своим двадцати годам, получив большое количество знаний, побывав вместе с родителями в разных уголках земного шара, он, образованный и начитанный, в половых вопросах сохранял поразительную наивность.

И тем большей неожиданностью для него было, когда девушка вдруг проявила инициативу. Впрочем, в их отношениях так повелось с самого первого дня, с того момента, когда она подошла к нему в ночном клубе, заметив смазливого парня. Как потом признавалась Виолетта, «ты единственный, кто смотрел на меня не так, как эти похотливые самцы». И эта фраза подсознательно тоже была воспринята Романом как запрет на притязания, хотя Виолетта вовсе не это имела в виду.

Но однажды она все же недвусмысленно намекнула Роману о своих желаниях. Произошло это, когда они были у него дома вдвоем, причем родители уехали куда-то отдыхать, и девушка вполне могла остаться у него на ночь. Собственно, Роман, располагавший более чем достаточными средствами, выдаваемыми отцом, мог снять для подобных встреч любое помещение: от квартиры до гостиничного номера, но, учитывая его вышеупомянутое отношение к этому вопросу, ничего подобного не делал.

И когда Виолетта сама проявила инициативу, он очень смутился и не то что не довел дело до конца, но даже толком не начал.

— Ладно, обойдемся без этого, — бросила она и как-то странно усмехнулась.

Роман мысленно перекрестился: все это так повлияло на него и понизило уверенность в себе, что он зарекся снова приступать к «процессу», отодвинув его на неопределенный момент.

А тем временем студенческая жизнь подходила к концу. Женя с Машей уехали из страны через два месяца после выпускного — они давно мечтали устроиться в Европе, а молодость, полученные дипломы и деньги на первое время, выданные родителями Жени, этому очень способствовали. Настя куда-то затерялась, и теперь у Ромы остался лишь один друг — Леша. Ну и Виолетта, разумеется.

На тот момент у парня начались первые серьезные в жизни трудности. Виолетта вдруг стала изводить Романа бесконечным нытьем и разговорами про то, что все у них плохо, и от этого у парня кипела голова. Он не понимал, что конкретно между ними плохо. К слову, интимный барьер был-таки преодолен, хоть и не без сложностей, но Роману, как ни странно, сексуальная близость не казалась очень важной. Темперамент его в этом плане оказался невысок, и он вполне довольствовался редкими физическими контактами с Виолеттой, которую такое положение вещей не устраивало.

К тому же после института пришлось работать. Но устраиваться в фирму к отцу Роман не хотел, работать за копеечную зарплату тоже, так как привык совсем к другому уровню жизни, к тому же Виолетта все-таки настояла на том, чтобы они сняли квартиру. Оплачивать ее, конечно, должен был Роман. Отец предлагал купить сыну квартиру, но оговаривал, что сделает это только после его женитьбы — подарком на свадьбу. А жениться Роман не спешил. Ему хотелось сначала добиться финансовой независимости.

145

Как раз тогда его спасением и стал Леша Плисецкий, который предложил открыть совместный малый бизнес. Рома загорелся идеей. Дело оставалось за малым — найти стартовый капитал, но тут на выручку пришел отец, который выделил необходимую сумму, причем Роман сам оговорил, что берет деньги в долг. После обсуждения всех деталей с родителями было принято совместное решение об открытии небольшого магазина спортивных товаров.

Поначалу у ребят многое не ладилось. Отсутствие опыта сказывалось катастрофически: первый год они работали едва ли не себе в убыток, едва сводя концы с концами. В офисе проводили время с раннего утра до поздней ночи, и Роману стало совершенно не до секса. Приходя домой за полночь, он порой даже не ужинал, а просто кулем валился в постель и мгновенно засыпал.

Когда Виолетта подступила к нему «с ножом к горлу», Роман пожаловался ей на трудности, и с этого момента его спокойствию пришел конец. Она принялась изводить его, твердя о том, какой он беспомощный, бесполезный и даже убогий, ничего не может добиться или придумать и отказывается даже от готового решения проблемы со стороны Леши.

Роман, увидев «изнаночную сторону» своей невесты, был в шоке — он и представить себе не мог, что можно так разговаривать. В их семье никто никогда не унижал другого, в ней царили взаимоуважение и любовь. Но смертельная усталость и напряжение, в котором он пребывал все это время, притупляли все чувства, и Роман просто молча терпел, даже не оправдываясь, отодвигая решение проблемы на потом.

Спустя примерно год титанического труда деньги все же пошли к парням. Роман и Леша начали получать достаточное количество доходов, чтобы жить и заниматься только своим делом. Виолетта настаивала на свадьбе, но Роме было явно не до нее — дела шли в гору, жизнь начинала налаживаться, а тут вечно достающая Виолетта вновь чем-то недовольна. К тому же после ее саркастических высказываний в его адрес романтический ореол как-то опал с нее в глазах Романа, и он в душе осознал, что его возлюбленная не слишком похожа на взращенный в юности идеал.

146

Однако он все-таки очень любил Виолетту и трепетно к ней относился. Просто так разорвать эти отношения он не осмеливался, поэтому оставалось лишь мириться с ее капризами и истериками и пытаться как-то изменить ее в лучшую сторону. Рома старался не придавать значения закидонам Виолетты, а просто принимал их как должное. Но все же ему не давал покоя тот факт, что у них далеко не все в порядке и нужно что-то менять, но все попытки были тщетными. А стервозный характер Виолетты с каждым разом проявлялся все больше и больше. Она уже не стеснялась унижать его прилюдно, как при знакомых, так и при совершенно посторонних людях, и от этого Роману становилось совсем тошно.

Неизвестно, сколько бы это продолжалось, если бы не один случай, поставивший все на свои места.

Однажды, придя домой поздно вечером подвыпившим после одной из посиделок с Лешей в баре, он наткнулся на злющую Виолетту, стоящую у входа квартиры с собранными вещами. Она заявила, что больше не может терпеть парня, и уходит от него жить на квартиру, которую будет снимать сама. И действительно ушла.

Несколько дней Рома не мог найти себе места. Все мысли были забиты только расставанием с Виолеттой. Разлука оказалась болезненнее, чем он ожидал. Не хотелось ни есть, ни пить, на работе он тоже чувствовал себя вялым и апатичным и в конечном итоге понял, что Виолетту нужно вернуть. На звонки она не отвечала, поэтому пришлось ехать к ней домой. Но впускать она его не собиралась, лишь договорилась встретиться в другом месте и в другое время.

Рома долго готовился к встрече. Подбирал слова, которые скажет ей, был готов идти на уступки. И вот этот день настал. Разговаривали они долго. Точнее, говорила в основном Виолетта: о том, какой он козел, как ей недостает внимания, перечисляла все недостатки Романа, причем сильно преувеличенные. А он просто слушал и извинялся. Однако цель была достигнута: Виолетта вернулась.

Правда, удовлетворения Роман от этого не испытал. Он почувствовал, что между ними словно пролегла какая-то трещина. Они отдалились, и он уже не воспринимал Виолетту близким человеком. Напротив, она стала совершенно чужой, хотя он прилагал огромные усилия, чтобы все наладить, даже договорился с Лешкой, что будет уходить с работы пораньше. Да и в интимном плане решил наверстать упущенное и был с Виолеттой особенно нежен. Но странно — теперь она уклонялась от близости, более того, демонстрировала, что ей это неприятно. У Романа голова шла кругом.

Прошла ровно неделя их совместной жизни, как Виолетта начала пропадать. Дома почти не появлялась, иногда даже ночевать не приходила, ничего не объясняла. Как выяснилось позже, она нашла себе другого парня. Причем выяснилось очень просто: когда Роман позвонил ей и спросил, где она находится, Виолетта беспечным голосом ответила:

— У одного близкого друга. И не надоедай мне, пожалуйста, своими дурацкими звонками!

Это было огромным ударом для Ромы. Он не находил себе места, метался по квартире, то порываясь позвонить Виолетте и сказать, чтобы никогда больше не появлялась, то собираясь ехать разыскивать ее и набить морду этому неведомому «близкому другу».

Правда, к счастью, разум все же пересилил эмоции, и Роман просто собрал вещи Виолетты и выставил за дверь. Сам же просто ушел из дома, чтобы Виолетта забрала их в его отсутствие.

Потом он пожалел об этом и даже хотел извиниться перед ней и все простить, но добрый друг Леша не дал совершить такой ошибки. Однако Рома все же решил поговорить с Виолеттой в последний раз. Встреча была назначена в кафе. Он пришел туда и по одному лишь взгляду Виолетты понял, что это конец.

Виолетта сидела напротив него и с едва заметной улыбкой пила сок.

— И что ты скажешь мне на все это? — прервал молчание Рома.

— А что тут скажешь? Вполне ожидаемый и грустный для тебя конец.

— Ожидаемый? Ты правда думаешь, что я этого заслужил?

— Ты заслужил еще худшего отношения к себе! Скажи спасибо, что я терпела тебя столько времени! Мне не нужен такой тряпка, как ты. Никчемный, не способный принимать серьезных решений, мягкотелая тряпка! Я устала это терпеть! Ты что думаешь, я все это время хранила тебе верность, что ли? Ха! Наивный мальчик! — Она расхохоталась злым, жестоким смехом. — Ты же импотент! А я — здоровая молодая женщина, и мне совсем неинтересно видеть рядом с собой беспомощное тело. Разумеется, у меня были мужчины! Настоящие мужчины, — подчеркнула она. — Правда, у них не было твоих денег, поэтому и приходилось тебя терпеть. Да мне противно было с тобой в одной постели спать! Просто уйти некуда было. А вот теперь появился, наконец, человек, у которого есть все — и деньги, и здоровье, и голова на месте! Он настоящий мужик, понял? — И она с вызовом посмотрела Роману в глаза, гордо вскинув красивую голову.

Тот сидел в оцепенении. Никогда в своей жизни ему не приходилось слышать в свой адрес более унизительных слов.

— Да ты просто... ты... Дрянь! Моральная уродка! Шлюха! — Рома сам похолодел, когда вдруг выпалил это. Он даже не подозревал, что у него язык повернется так высказаться о Виолетте. Но терпение лопнуло. Ее же, кажется, это нисколько не смутило, и она не осталась в долгу:

— Сам ты козел! Ни одна нормальная баба с тобой жить не станет, с таким нюней! Все, гуд-бай! — После чего сделала неприличный жест пальцами, встала и ушла, оставив парня одного.

Это был еще один роковой вечер в жизни Романа.

Прошло два месяца после расставания с Виолеттой. Он постепенно начал отходить от полученного шока. Друзья хором советовали ему найти себе новую девушку, но от таких мыслей ему становилось физически плохо. Он просто не мог смотреть на противоположный пол, он ненавидел их всех. Родители потихоньку заговаривали о женитьбе, намекали на внуков, открыто обещали помочь, а Роман уже не знал, куда бежать от этих проблем. Он стал больше времени проводить с Лешей, который был его поддержкой и опорой. Ему казалось, что Леша — единственный человек, который его понимает. Однажды, выпивая в баре, он сказал Леше:

— С тобой так легко. Не то что с Виолеттой. Да и вообще с самками. — С момента расставания с Виолеттой он именовал женщин и девушек исключительно этим словом. — С друзьями вообще проще. Мозг никто не выносит, не требует нереального, то «много тебя», то «мало тебя», то тут не так, то это не то.

— Да. Нам с тобой хорошо вдвоем. Мы прямо родственные души.

— Ага, и поддерживаем друг друга, и помогаем. И ссор у нас почти не бывает. Вот почему с женщинами такого не бывает?

— Может, нам просто не везет?

— А почему нам не везет?

— Может, мы созданы вовсе не для этого?

Вечер завершился, как в тумане. Море алкоголя, такси до дома. Проснулись друзья в одной постели. Первым открыл глаза Рома и посмотрел на Лешу. В его голове в один миг пронеслось столько мыслей, что она чуть не взорвалась. Он не знал, что делать, что думать.

«Это неправильно! Так нельзя! Это просто ошибка, случайность! Ужасная, нелепая случайность, которую нужно немедленно забыть и никогда больше не повторять!»

Голоса в его голове стучали очень долго. Ровно до тех пор, пока не проснулся Леша. Осмотрев все вокруг, он уставился на Рому и хрипло проговорил:

— Это... перепили мы вчера.

— Перепили? Ты хотел сказать, переспали? — Роман с трудом выговорил это слово и покраснел

— А что не так?

— Ты понимаешь, что это неправильно?

Роман был уверен, что Леша тоже к утру будет мучиться стыдом, а потом они договорятся вести себя так, словно ничего не было, и продолжать дружить дальше. Но оказалось, что Леонид считает совсем по-другому.

150

В глубине души Роман был даже рад, хотя не признался бы в этом даже себе самому. Это означало, что он действительно дорог Леше. Правда, в некоторой извращенной форме, но все же... Взращенный в атмосфере любви и заботы, взлелеянный своими родителями, он, оказывается, все равно ждал любви где-то еще... Ему мало было быть любимым родителями, ему нужно было нечто большее.

А Леша тем временем говорил:

— Для кого неправильно? Для меня все нормально. Или с Виолеттой было «нормально»?

— С Виолеттой было традиционно, — в сторону ответил Рома.

— Да к черту традиции! — Леша встал и пошел в душ.

Голова Ромы просто разрывалась от мыслей. К женщинам он подходить не мог, не мог их видеть, слышать, разговаривать с ними. А с Лешей все просто и спокойно. Но ведь так нельзя! Родители его надеются на женитьбу, на внуков... А какую репутацию даст этот союз его бизнесу и бизнесу его отца? А сам отец? Как он отреагирует, когда узнает? Да это же... Лучше умереть! Мысль о родителях, о том, что они могут все узнать, обожгла Романа. Он решил твердо поставить точку на этом эпизоде и сказать об этом Леше.

Но жизнь шла дальше, а он ничего так и не сделал. Была еще одна ночь, и еще, и еще, и Роман все мысленно утешал себя тем, что это временно, что ему нужно лишь восстановиться после разрыва с Виолеттой, а дальше у него будет все, как у всех. И у Леши тоже.

Однако чем дальше, тем меньше он понимал, что делать. Периодически в нем вспыхивала решимость все изменить, и он намеренно знакомился с девушкой в надежде завести прочные отношения. Тем более что ему не нужно было даже особенно стараться — девушки сами липли к нему.

Но все его попытки не заканчивались ничем хорошим. Точнее сказать, они вообще не развивались. Либо девушка была неинтересна Роме, либо он просто боялся продвигать отношения дальше. Едва дело доходило до близости, как у Ромы напрочь исчезало и желание, и возможности. Травма от расставания с Виолеттой давала о себе знать, и он это прекрасно понимал. Но и жить с Лешей он не мог. Как сказать об этом родителям? Как дать им понять, что все их мечты насчет семейной жизни сына обречены?

Леша, видя, как мучается его друг, неоднократно говорил ему:

— Ну, чего ты себя изводишь? Прямо как я в подростковом возрасте! Мне тогда тоже казалось ужасным, что я не такой, как все! А потом я просто забил на это. Ну, не такой и не такой! Может быть, это они не такие?

Одним словом, так получилось, что парни продолжали жить вместе, но никому объявлять об этом даже и не думали. Ребята из их компании считали, что они просто дружат, к тому же после неудачи на любовном фронте Рома залечивает раны, не спеша вступать в новые отношения. С расспросами никто не приставал, и это их устраивало. Да и компания вскоре распалась сама собой по объективным причинам: Женя с Машей уехали на ПМЖ в Израиль, а Настя, явно не вписывавшаяся в тандем между Романом и Леонидом, просто самоустранилась.

С развитием бизнеса оба стали понимать, что их отношения — во многом обуза для них самих. В их среде подобное если и не осуждалось открыто, то и не одобрялось. Многие партнеры просто отказались бы иметь с ними дело, зная истину. И они благоразумно помалкивали. Леонид даже женился, дабы отмести все подозрения, и таскал жену на всяческие приемы и торжества, посвященные, к примеру, успешному подписанию договора, стоически терпя ее присутствие.

Роман официально так и не женился. За время их отношений он не раз пытался доказать самому себе и окружающим, что он «нормальный», периодически даже заводил романы с девушками. Леонид каждый раз тяжело это переживал, жутко ревновал, приезжал по ночам, устраивал истерики... Но всякий раз очередное увлечение девушкой заканчивалось для Романа ничем, и он возвращался к Леониду, к нескрываемой радости последнего. Со временем Леонид окончательно успокоился, зная, что Рома перебесится и все вернется на круги своя. Учитывая специфику, найти постоянного партнера в данной среде не так-то просто, так что он очень берег эти отношения. К тому же Роман был близок ему по духу и за годы стал практически родным человеком. А его гибель стала для Леонида самой тяжелой утратой в жизни.

Они сидели в квартире Плисецкого, на огромном угловом диване и пили поданный хозяином коньяк. Плисецкий любезно предоставил Гурову рубашку и брюки, а свои вонючие пожитки, включая и безнадежно испорченное пальто, полковник сложил в огромный полиэтиленовый мешок. Правда, принимать душ в гостях он все же не стал, тем не менее даже Крячко отметил, что «вонища вроде поменьше стала».

Выслушав монолог Плисецкого, сыщики долго молчали. Первым нарушил молчание сам Плисецкий.

— Ну вот, я рассказал все, — тихо произнес он. — Вот такие отношения нас связывали. Вы, конечно, можете осуждать...

— Мы не из отдела по защите нравственности, — перебил его Гуров. — И нас, в принципе, все это не интересовало бы, не совершись убийство. А когда совершается убийство, значимыми становятся вещи, которые в обычной жизни являются глубоко личными. И вот именно в связи с этим у меня возникает вопрос: кто еще из посторонних знал о вашей связи и кому она могла мешать?

— Никто, — быстро ответил Плисецкий, нервно приглаживая и без того гладкие, коротко подстриженные виски.

— Так уж и никто, — возразил Гуров. — Во-первых, знала ваша жена...

— Она не в счет, — твердо проговорил Леонид Максимович. — У нас с ней договор, условия которого обе стороны четко соблюдают. Если она его нарушит, сразу же лишится всего, что имеет сейчас.

— А что, если предположить следующее... — вздохнув, медленно произнес Лев. — Допустим, у вашей жены появился любовник...

— Ну и пусть, — тут же прервал его Плисецкий. — Это не запрещается. Только при соблюдении внешних приличий и конспирации.

— Вот-вот, — подхватил Гуров. — А если отношения зашли настолько далеко, что она решила жить с ним вместе? Вы же не отпустите ее?

— Нет, — не задумываясь, ответил Леонид Максимович. — У нас дочь. Я хочу, чтобы она воспитывалась со мной, а не с чужим дядей.

— Вот видите! Возможно, ваша жена надеялась, что, убрав из вашей жизни Романа, сделает вас более сговорчивым?

— Ерунда! — заявил Плисецкий. — Это ни при чем! Дочь-то никуда не денется!

— Я тоже так думаю, — поддержал его Крячко. — Тогда бы уж Светлана решила убрать самого супруга.

— И все-таки, что насчет мужчин в ее жизни? Вы в курсе этого?

Плисецкий молчал, и Гуров понял, что он не интересовался этой стороной жизни супруги. За него ответил Крячко:

— Светлана говорила, что в настоящее время ее не связывают ни с кем серьезные отношения.

— И ночует она всегда дома! — тут же вставил Леонид Максимович.

— Кстати, а в случае вашей смерти кому достается ваше состояние? — как бы между прочим спросил Лев.

Цвет лица Плисецкого сразу стал меняться. Было очевидно, что тема эта ему крайне неприятна, он страшно не хочет и боится смерти.

— Большая часть имущества достается моей дочери, — нехотя ответил он. — Но получит она его по достижении двадцати одного года. До этого времени моя жена будет являться ее опекуном. Лев Иванович! Зачем вы это спрашиваете! Я не собираюсь умирать!

— Наверное, ваш друг Роман тоже не собрался, — философски заметил Гуров. — Ладно, не буду вас пугать. Скажите мне вот еще что. Насколько я понял, вы стали для Романа первым любовником. У него был кто-то еще, кроме вас? Я имею в виду мужчин.

Плисецкий вспыхнул. Лицо его, только что бледное, моментально стало наливаться кровью.

— Нет! — категорически заявил он. — Это исключено! Мы практически все время были вместе!

— Однако для романов с девушками он находил время, — заметил Лев. — Вы же сами признавались.

— Это совсем другое дело! Просто попытка Романа убедиться, что он якобы «нормальный»! Понимаете, мужчине завести отношения с девушкой гораздо проще, чем с мужчиной. Роман, несмотря на свою привлекательную внешность и материальное благополучие, в душе оставался таким же застенчивым. Он бы просто не решился на подобный шаг. К тому же, не забывайте, мы не просто не афишировали свои отношения, мы старались их скрывать! Наш союз — закрытый, мы не впускали в него посторонних! Пойти на отношения с кем-то еще — это у нас было равносильно инцесту! И абсолютной глупости, потому что от этого зависел успех в бизнесе, а для Романа это было важно. Он обладал здравым смыслом, который перевешивал в нем чувства.

— Хорошо, будем считать, что вы меня убедили, — кивнул Гуров. — А вы-то сами?

— Что я? — начал злиться Плисецкий. — Разумеется, я тоже!

— Но ведь Роман не был для вас первым, как я понял? До него у вас были отношения с человеком вашего пола?

— Ну и что? Это-то здесь при чем? — закатил глаза Плисецкий. — Того человека уже нет в живых. Давайте оставим в покое хотя бы его память.

— Ну, хорошо, — согласился Лев. — Теперь, когда достоверно известно, что Роман Витальевич погиб, какие вы можете высказать предположения по этому поводу?

Он смотрел на Плисецкого в упор, а тот все отводил глаза в сторону.

— Ну же, Леонид Максимович! — поторопил его Гуров. — Вы сами пришли в Главное управление МВД, когда ваш компаньон и близкий друг пропал. Это говорит о том, что вы беспокоились о нем, следовательно, у вас были для этого основания!

155

— А у вас разве не было бы таких оснований? — наконец посмотрел на него Плисецкий. — Он не вернулся вовремя! У меня начались проблемы с Буровым! Этого недостаточно?

— Хорошо, хорошо! — махнул рукой Лев. — Достаточно. И все же главный вопрос я задаю вам: кто мог убить Романа Любимова? Кому он мешал? Кто выигрывал от его смерти?

— Не знаю, — проговорил Плисецкий с искренними интонациями. — Правда, не знаю! Я ведь, если честно, и сам, грешным делом, подумывал о том, что Роман сбежал, бросив меня! Когда вы упомянули, что он мог сбежать с девушкой, я, признаться, засомневался. Конечно, это не похоже на него, но все же, все же... Червь сомнения глодал мою душу! — патетически выразился он.

— Давайте обратим внимание вот на какой момент, — остановил его Гуров. — Ведь Романа не просто убили. Я имею в виду, не застрелили, не зарезали, не задушили, в конце концов... Его долго и изощренно пытали перед смертью. Можно сказать, что из-за этого он и умер. А пытки означают, что кто-то хотел от него что-то получить. Что? Информацию? Деньги? Я обращаюсь к вам, потому что вы знали его лучше других. Вас связывала общая тайна. Кому что-то нужно было от Романа? Может быть, этому человеку то же самое нужно и от вас?

Лицо Плисецкого дрогнуло. Гуров понял, что тот явственно представил все зверства, которые могли коснуться его самого.

— Это может быть только один человек, — тихо произнес Леонид Максимович. — Буров... Он зверь. Вы же видели его? В нем нет ничего человеческого! Это огромная бездушная скотина, которой руководят лишь физиологические инстинкты! Вкусно и сытно есть, сладко спать... И иметь деньги, чтобы тратить их на свои примитивные потребности! Только он мог пойти на подобные изуверства!

— Но для этого у него должны быть железные мотивы, — задумчиво покачал головой Лев. — Мучить человека просто так, ради садистского удовольствия? Вам фигура Бурова представляется какой-то демонической. Он, конечно, бандит. И обладает своими человеческими особенностями. Но садизм ради садизма... Это, скорее, свойственно человеку, у которого особым образом устроена психика. А вы сами признаете, что с психикой у Бурова все в порядке — над ним властвует физика. Тогда почему он не тронул вас, да еще и меня пригласил, пусть и весьма оригинальным способом, чтобы проверить вас на виновность-невиновность?

— Я не знаю! — твердо заявил Плисецкий.

— Хорошо, с кем он общался в последнее время? — зашел Гуров с другого конца.

— Роман практически все время проводил в центре. Общался со мной и посещал свои тренажеры. В последнее время у него усилился интерес к собственному здоровью, он много консультировался с Молодцовым — это наш штатный врач, и он был личным врачом Романа.

— Да, я знаю его, — подал голос Крячко. — Мы с ним уже общались.

— Ну, пообщайтесь снова, — пожал плечами Плисецкий. — Хотя я не понимаю, что он может знать о Романе такого, чего не знаю я!

Гуров с Крячко переглянулись.

— Ладно, Лева, — проговорил Крячко, взглянув на часы. — Времени уже много, утром на службу. Давай-ка расходиться.

Гуров поднялся. Прощаясь с Плисецким, он обратил внимание на то, что тот по-прежнему напуган. Похоже, теперь он боялся таинственного злодея, изуродовавшего его друга, переживая, что тот может охотиться и за ним. Но что ему было нужно от бизнесменов и почему он действовал столь зверски жестоко, оставалось неясным. Гуров возлагал надежды на осмотр квартиры, который должен был состояться завтра утром, и обратился к Плисецкому:

— Леонид Максимович, мне бы хотелось получить ключи от квартиры Романа Любимова. Она завтра будет осмотрена, а затем опечатана. Не хотелось бы ее взламывать. Я спрашивал у его отца, но тот сказал, что ключей у него нет. В свете последних событий мне почему-то кажется, что у вас они есть.

157

Плисецкий никак не прокомментировал это, просто молча достал связку ключей, отцепил от них два и протянул Гурову со словами:

— Большой от верхнего, маленький от нижнего.

Гуров взял ключи и вместе с Крячко покинул квартиру Плисецкого.

Глава 8

Когда сыщики вышли на улицу, Лев задумчиво проговорил:

— Слушай, Стас, я тут вот о чем подумал... К чему нам ждать до утра?

— Ты о чем? — не понял Крячко.

— Я о том, что нам мешает проехать домой к Любимову и осмотреть его квартиру прямо сейчас? Постановление у меня есть, так что никаких нарушений, все по закону.

— Лева, к чему такая спешка? — запротестовал Крячко. — С квартирой Любимова ничего не случится до завтра — она останется в таком виде, в каком и была! К чему спешить?

— Спешить? — повысил голос Гуров. — Мы два дня потратили на это дело, а сдвигов пока никаких! Что мы выяснили?

— Многое, — тут же ответил Крячко.

— Многое-то многое, только пока не ясно не только то, кто убил Любимова, но даже почему! У нас нет ни кандидата на роль убийцы, ни мотива! Никому не выгодна его смерть!

— Такого не может быть, — тут же отреагировал Крячко. — Любая смерть всегда кому-то выгодна.

— И твоя? — съязвил Гуров.

— Моя особенно, Лева! — важно подчеркнул Стас. — Потому что я — один из лучших сотрудников Министерства внутренних дел! Знаешь, сколько представителей преступного мира мечтали бы видеть меня мертвым, дабы не мешать им вершить их кровавые злодеяния?

— Хватит паясничать, — поморщился Лев. — Ты едешь со мной или как?

— Я так понимаю, что, если выберу «или как», домой мне придется добираться своим ходом, — проворчал Крячко.

— Правильно понимаешь, — улыбнулся Лев. — Садись давай.

Крячко со вздохом влез в машину, приговаривая: «Не бережешь ты пожилого человека, Лева! Не думаешь о его здоровье!»

— Кстати, о здоровье, — заводя машину, сказал Гуров. — Я тут подумал: может быть, дело как раз в здоровье Любимова? Что он так о нем забеспокоился в последнее время, к врачу зачастил? Ты когда общался с ним, не спрашивал об этом?

— Лева, как я мог спрашивать об этом в лоб, если общался с ним не как полковник полиции, а как клиент спортивно-развлекательного центра?

— Так, у тебя какие планы на завтрашнее утро? — сдвинув брови, спросил Гуров, мысленно что-то прикидывая.

— Да никаких, кроме работы! — хохотнул Крячко.

— Вот и давай поработай. Меня с утра в Главке не будет — я с нотариусом Любимова встречаюсь в девять часов. И тебе нечего на планерку время тратить, езжай сразу в центр — он как раз тоже в девять открывается — и снова пообщайся с доктором. Только на этот раз не как клиент, а уже как оперуполномоченный по особо важным делам. Пусть сразу дисциплинируется и рассказывает все четко, а то они любят ссылаться на профессиональную этику и все такое.

— Не бойся, Лева! — успокоил его Крячко. — Я имею подход к людям!

Ночные улицы были практически свободны, и они довольно быстро доехали до высотки на Пресне, где жил Роман Любимов.

Поднявшись на четырнадцатый этаж, Гуров и Крячко подошли к нужной квартире. Имея ключи, дверь они открыли быстро и бесшумно и оказались в большой прихожей, больше напоминающей холл.

Квартира была очень просторной, и на первый взгляд могло показаться, что ее осмотр займет очень много времени. Но Гуров и Крячко были профессионалами и знали, что их интересует в первую очередь. К тому же, невзирая на масштабы, обстановки в квартире было не так уж много. В гостиной, к примеру, мебели не было вообще. На полу лежал громадный ковер с пушистым белым ворсом, напоминающий гигантскую медвежью шкуру — примерно такой же лежал в кабинетах Плисецкого и Любимова в спортивно-развлекательном центре. На стене висел огромный плазменный телевизор, в углу комнаты росло какое-то экзотическое деревце в кадке, и все. Только дверь, ведущая на лоджию.

Спальню же занимала впечатляющих размеров белоснежная кровать с изящным витым изголовьем шириной не менее двух метров, накрытая нежно-розовым покрывалом с висюльками.

Крячко повернулся к Гурову и, усмехнувшись, прокомментировал:

— Уютная спаленка голубков. Полагаю, здесь нам осматривать нечего. Как и в гостиной.

— Правильно полагаешь, — кивнул тот. — Нас интересует в первую очередь кабинет. Ну, или нечто подобное — со столом и компьютером.

Так называемый кабинет Роман Любимов обосновал в самой дальней комнате с балконом. Там стояли небольшой кожаный диванчик, угловой стол с ящиками и компьютером и крутящийся стул. Противоположную стену занимали длинные стеллажи с книгами. Книг было много, даже на столе лежало несколько. Крячко подошел к столу и стал просматривать их.

— Книга по психологии, психологический тренинг, — бормотал он.— «Как любить себя», «Как сделать свою жизнь интересной», «Современные развлечения»... Понятно, обычная дребедень для человека, которому дома больше заняться нечем!

— А это что такое? — кивнул Лев на диван.

На нем из-под подушки виднелся какой-то цветной уголок. Крячко приподнял подушку и увидел толстую книгу в твердом глянцевом переплете. Она была раскрыта примерно на середине и пестрела какими-то красочными картинками. Стас перелистнул пару страниц и удивленно посмотрел на Гурова.

160

— Что там? — спросил Лев.

Крячко захлопнул книгу и посмотрел название — после чего молча протянул ее Гурову. Тот взял в руки увесистое издание и прочитал:

— «История средневековых пыток, или Святая инквизиция». Что это такое?

— Видимо, то, что Роман Витальевич почитывал перед сном, — усмехнулся Стас.

— Да уж, приятное чтиво на сон грядущий, — в тон ему отозвался Лев.

Приятели переглянулись, каждый подумав об одном и том же.

— Пытки... — повторил Гуров. — Любимова пытали перед смертью. А здесь — книга о пытках. Любопытное совпадение, не правда ли?

— Еще какое, — согласился Крячко. — Но я пока не вижу связи.

Гуров постоял некоторое время в задумчивости, потом сказал:

— Давай-ка заглянем в компьютер.

— Тебе не кажется, что это лучше доверить специалистам? — нахмурился Крячко.

— Конечно, доверим, — кивнул Лев, — но меня интересует пока предварительный просмотр: фото, недавние документы, а также ссылки в Интернете. То есть все, чем интересовался Роман Витальевич в последнее время.

— А как ты узнаешь, на какие сайты он заходил?

— Темнота ты, Стас! — снисходительно бросил Гуров. — Даже не знаешь о такой опции, как «История вкладок и посещений!»

— А я не в компьютерном отделе работаю! — огрызнулся Крячко. — Надо будет — компьютерщикам прикажу, они откроют!

— А у самого еще сын на программиста учится, — продолжал издеваться Лев, беря в руки мышку.

— Вот сейчас выяснится, что там пароль стоит, посмотрим, как заговоришь! — злорадно произнес Крячко.

Но пароль на компьютере отсутствовал, и Гуров спокойно вошел в систему.

Никаких фотографий здесь не было. Вообще. Полазив по рабочему столу, заглянув в папки с документами, он переключился на Интернет и, открыв первую же вкладку, углубился в чтение. Крячко стоял сзади и заглядывал ему через плечо. Гуров открывал одну вкладку за другой, и сайты выдавали ему очень похожую информацию...

— Стас... — наконец проговорил Лев. — Взгляни-ка на это сам.

Крячко опустился на стул и углубился в экран.

— Вот тут поисковые запросы, которые он вводил, — щелкнул Гуров мышью.

— «Экстремальные удовольствия», «Боль и удовольствие», «БДСМ», «Мазохизм, садизм», «Современные пытки», «Подпольные заведения эсктрим пытки», «Досуг для богатых людей пытки концлагерь тюрьма»... — прочитал Крячко растерянно. — Что все это значит?

Гуров потер лоб и прошелся по кабинету.

— Стас, тебе, должно быть, знакомо, что в наше время появился вид сервиса, именуемый «Экстремальный отдых»? Причем речь идет не о прыжках с парашютом! Понимаешь, многие современные толстосумы уже все перепробовали, им неинтересно просто нежиться на Багамах и прочих мировых курортах, им подавай развлечения «с перчинкой». Кто-то отправляется на Северный полюс и проводит там несколько дней в полном отсутствии цивилизации, кто-то едет охотиться на слонов в Африку, ну а кого-то интересуют более... как бы это выразиться... изощренные развлечения. Например, некоторые просят, чтобы их посадили на время в тюрьму. Причем не щадили, а дали почувствовать «всю прелесть» от сидения в камере. Кто-то идет еще дальше — просит организовать что-то типа концлагеря, причем со всеми вытекающими: голод, побои, издевательства.

— Кошмар какой! — передернулся Крячко. — Ну да, я слышал что-то подобное, но сталкиваться не приходилось.

— Бог миловал, — кивнул Гуров. — Я как-то читал статью, что появился целый бизнес, который предлагает подобные услуги. Правда, в той статье речь шла не о России. У нас встречались единичные случаи...

— Да-да, я помню, чудик один попросил в тюрьму его посадить, хотел на своей шкуре почувствовать, что это такое! Так в тот же день к вечеру взмолился, чтобы его выпустили, обещал еще и приплатить! Потом еще скандал поднялся грандиозный.

— Я так понимаю, что Роман Любимов, маявшийся от скуки, искал нечто подобное. Но это явно не тюрьма, Стас! А если помножить это на чтиво, которым он увлекался... — Гуров бросил красноречивый взгляд на книгу о средневековых пытках.

— Ты хочешь сказать, кто-то организовал подобный бизнес в Москве?

— А почему нет? Скорее, все же в Подмосковье. Да где угодно! И Любимов отправился туда. А вот что произошло там... Не выдержало сердце или его убили умышленно?

— Погоди, погоди... — Крячко взъерошил волосы, что всегда помогало ему думать. — Он что, не понимал, что может погибнуть от этого? У него же слабое сердце, его врач должен был предупредить!

— А ты полагаешь, он консультировался с врачом по такому щепетильному вопросу? Этот бизнес, мягко говоря, не афишируется. То есть о нем узнают по своим каналам! Посмотри, что он тут нашел, в Интернете, по своим запросам? Вот, гляди! Просто общие статьи, и все! Просто рассуждения о том, что все больше и больше людей ищут экстремальных развлечений. Да мы можем сами с тобой набрать!

Гуров быстро напечатал несколько строк в поисковике и стал открывать вкладки одну за другой.

— Ну и что это? Что это? — говорил он, щелкая мышью. — Просто обзор ситуации! Никаких конкретных предложений, никаких адресов и телефонов подобных заведений! Или же что-то абсолютно легальное: ныряние на глубину, горные лыжи, тарзанка, прыжки с парашютом, официальный сайт бэйсеров...

— А это кто? — не понял Крячко.

— Это такие смельчаки-смертники, которые с крыш прыгают, — пояснил Лев.

— Блин! — почесал Крячко затылок. — Какой только дурью люди не маются!

— Более того, Стас! Если бы ты знал, какие деньги они за это платят!

— Блин, лучше бы мне отдали, если не знают, куда девать! — в сердцах проговорил Крячко. — Я бы их на дачу к тестю отправил на недельку, огород копать! Или лучше зимой в домик в деревне, где ни воды, ни газа, печку дровами надо топить, а туалет на улице, куда приходится бежать метров двадцать и сидеть с голой жопой в тридцатиградусный мороз! Да у нас пол-России живет в таком экстриме, причем совершенно бесплатно!

— Ну, у Романа Витальевича были несколько иные предпочтения, — вздохнул Гуров. — Все это очень смахивает на мазохизм.

— Черт, куда же он все-таки направился, а? Где искать это подпольное заведение? Может быть, в компьютере все-таки есть информация об этом, просто мы не нашли?

— Если это так, то просто отлично! Но искать ее теперь должны специалисты. Мы с тобой как дилетанты только кучу времени потратим. К тому же здесь может быть удаленная информация, которую нам самим не восстановить. Вот что, — принял решение Гуров. — Давай, демонтируем «комп» и берем с собой системник.

— Лева, такую махину? Может, просто винчестер достанем? — предложил Крячко.

— Стас, я восхищен твоими продвижениями в освоении оргтехники, — улыбнулся Лев. — Но на этот раз винчестером нам не ограничиться, потому что нам нужна информация из Интернета, а она на нем не хранится! Так что берем все, Станислав, и пусть наш доблестный компьютерный отдел разбирается.

— Да, кстати, надо им еще сказать, чтобы проверили сим-карту Любимова, — заметил Крячко.

— Об этом я еще сегодня утром распорядился, завтра уже должны дать распечатку, — успокоил его Гуров, отсоединяя провода.

Потом Крячко, пыхтя и ворча, оттащил системный блок в машину Гурова. Сам Лев шел позади, листая на ходу книгу о средневековых пытках. Крячко погрузил системник в багажник и спросил:

— Ты что, сейчас его в Главк поволочешь?

— Конечно! Кто же мне его завтра тащить будет? — невозмутимо отозвался Гуров.

— Ты садист, Лева! — заявил Крячко. — Тебе можно самому пыточную камеру содержать, у тебя хорошо получится!

— А то! — засмеялся Лев, но в смехе его чувствовалась озабоченность, и Крячко разделял его настроение. Неожиданный вывод, к которому они пришли, просмотрев информацию в компьютере Любимова, произвел сильное впечатление. Станислав Крячко, человек с вполне крепкой нервной системой, никак не мог уяснить, как, зачем, почему люди добровольно подвергают себя подобным извращенным удовольствиям...

Когда они отъехали от дома, он сказал:

— Я все-таки не понимаю одного. Ладно, допустим, что человеку стало настолько скучно, что он начал сходить с ума, но не стал делиться с врачом. Он же знал о своем больном сердце, неужели желание получить долю адреналина оказалось сильнее инстинкта самосохранения? Или все-таки врач был в курсе?

— А вот это ты и попытаешься выяснить завтра, — задумчиво ответил Гуров. — Значит, как и договаривались, дуй завтра с утра в центр к своему врачу. Не надо пока представляться сотрудником полиции. Приди как клиент, заведи разговор, попробуй признаться, что ищешь экстремальных ощущений. Нам необходимо выяснить всю схему: кто и как осуществлял поиск и поставку клиентов. Мы этого не знаем. Не знаем, кто стоит за этим бизнесом и как на этих людей вышел Любимов. Пока что единственная ниточка, которая у нас есть, это доктор Молодцов из спортивно-развлекательного центра. Он может быть в курсе, а может, и нет. Понял, Стас? Ты просто закинешь удочку! Если он не клюнет, значит, нужно искать в другом месте.

— Где? — тут же спросил Кряччко.

— Пока не знаю, Стас, — со вздохом признался Гуров. — Завтра посмотрим, может быть, распечатка с телефона Любимова что-то прояснит. Он же должен был связываться с этими людьми! Контакты могли сохраниться.

— А могли и не сохраниться! Если эти люди не раздают флаеры с приглашением посетить их «дом отдыха», то уж, наверное, шифруются и не «светят» свои номера!

— Может, и не «светят», — согласился Лев. — Однако связь держать как-то надо. Если мы выйдем на посредника, раскрутить тех, кто за этим стоит, уже дело техники. И времени.

Они подъехали к Главному управлению МВД, выгрузили системник, оставили его у дежурного и велели с утра передать в технический отдел. Затем Гуров завез Крячко домой и отправился к себе.

— А-а-а, здравствуйте, здравствуйте! — радостно приветствовал Крячко Антон Семенович Молодцов. — Ну как, соблюдаете мои рекомендации? Увы, объективно пока не вижу изменений в вашей фигуре! Сачкуете, небось? — хитро подмигнул он.

— Сачкую, — вздохнув, признался Крячко, усаживаясь на стул. — Не могу я диету эту соблюдать, силы воли не хватает. С утра держусь, весь день на работе тоже не до еды, а уж как вечером домой прихожу — все! Беда! Накрывает меня такой голод, прямо волчий! Все сметаю! Все, что в холодильнике есть. Главное, все понимаю, а остановиться не могу! — жаловался он.

— Понимаю, — сочувственно кивнул Молодцов. — Вы не один такой. Многие срываются. Вот тот же Василий Порфирьевич уже полгода мучается. Раз десять заново начинал. Но там, боюсь, совсем безнадежный случай! Главное ведь не наличие силы воли, а мотивации! А у него она напрочь отсутствует. То есть сознательно он вроде бы хочет похудеть, а подсознание, которое нам неподвластно, его в то же время убеждает, что ему это похудение на фиг не надо, что вкусно поесть гораздо важнее.

— Но у меня другая ситуация! — воскликнул Крячко. — И мотивация есть. Железная!

— И какая же, позвольте узнать? — Молодцов с любопытством посмотрел на Стаса.

Тот сделал вид, что смутился.

— Да я тут познакомился с одной... барышней. Молодая, красивая, фигура — высший класс! Словом, я рядом с ней тюфяк тюфяком! Не ведется, и все тут! Бабок уже просадил немерено, и все впустую! Главное, бабки берет, зараза, и подарки, и в ресторан с удовольствием, а в койку ни в какую!

Молодцов снова с пониманием кивнул, пряча ухмылку.

— А вы оплатили квитанцию, которую я вам выписал в прошлый раз? — поинтересовался он.

— Оплачу! Только... Мне бы побыстрее надо, — попросил Крячко. — Что ж я бабки-то впустую трачу? Я бы лучше вам приплатил, только бы толк был!

— Ну, могу ужесточить вам режим, — предложил доктор. — Усилить физические нагрузки...

— Нет, не пойдет, — покачал головой Стас. — Сам не потяну, толку не будет, нужно, чтобы кто-то меня контролировал.

— Ну, вы можете лечь в клинику, — пожав плечами, посоветовал Молодцов. — Благо сейчас таких полно. Могу даже рекомендовать лучшие.

Крячко поерзал на стуле и придвинулся ближе к Молодцову.

— Понимаешь, — зашептал он, переходя на доверительное «ты». — Мне нужен жесткий контроль! Вот чтобы меня кто-нибудь за жабры во как взял — и не выпускал! Чтоб гонял до седьмого пота и жрать не давал! И не выпускал никуда!

— Ну, тогда вам лучше завести себе домашнего Цербера, — засмеялся Молодцов. — Кто-нибудь из родных, может быть, согласится. Вы женаты?

— В разводе, — буркнул Стас. — А если бы и был женат, как объяснил бы жене, что мне для молодой телочки форму нужно приобрести?

— Ну, зачем же ее так шокировать! Можно было сказать, что это ради нее самой. Но раз жены нет, то и говорить не о чем. Друзья, может быть, согласятся?

167

— Да кто будет со мной возиться? У всех свои дела! Да и у меня тоже. А тут впору работу бросать и на заботу о фигуре переключаться! Знаешь... — Крячко снова перешел на шепот: — Я бы даже согласился, чтобы мне наказание придумывали, если я увиливать начну. Даже прям согласен, чтоб по роже. Но только не сильно, а то потом буду худой, зато со сломанным носом — кому надо?

— Ну, некоторым как раз нравится подобная мужественность, — заметил Молодцов, поглядывая на Крячко как-то оценивающе. А тот продолжал:

— Я б заплатил дополнительно за такой сервис, бабки есть, на благое дело не жалко! Только чтобы заперли меня и не выпускали никуда. И чуть что не так — сразу в бубен!

— В бубен? — думая о чем-то своем, переспросил Молодцов. — А вы долго выдержите, если вас ежедневно «в бубен» лупить?

— Выдержу! — твердо заявил Крячко. — За бабки — выдержу! Что ж я их, зря потрачу, что ли? Только чтоб гарантированный результат был! — грохнул он кулаком по столу.

— Ясно, ясно... — задумчиво кивал Молодцов. — А вы кем работаете?

— Да у меня бизнес свой, строительный. Да ты не переживай, бабки есть!

— Это хорошо, хорошо, — все так же продолжал кивать Молодцов. — Можно придумать кое-что. Согласно вашим пожеланиям. Я подумаю.

— Слушай, — просительно заговорил Крячко. — Мне бы побыстрее, а? Прямо завтра бы и приступить!

— Ну, батенька, это вы уж слишком. Мне еще договориться надо, сами понимаете, услуга довольно щепетильная. Потом узнать, есть ли места, договор заключить... Анализы ваши мы в прошлый раз взяли, но нужно полное обследование. Вы же понимаете, подобный экстрим может быть чреват!

— Да я понимаю, понимаю! Я все пройду!

— И кровь сдадите? — лукаво улыбнулся Молодцов. — Вы, помнится, жаловались, что не переносите этой процедуры?

— Сдам! — твердо заверил Крячко и дернул ногтем за верхний зуб. — Зуб даю!

— Ну, зубы ваши мне не нужны, а вот кардиограмму снимем прямо сейчас. Ну и кое-что еще сделаем. На всякий случай. Вы сильно не обольщайтесь, быстро устроить вас туда может и не получиться! — предупредил доктор.

— Ну, я все-таки надеюсь на твое понимание, — хлопнул его по плечу Стас. — Уведут же красотку!

— Хорошо, я позвоню прямо сегодня, — засмеялся Молодцов. — А пока давайте займемся анализами...

Когда все предварительные процедуры были проделаны, он еще раз пообещал уже сегодня узнать результат и позвонить Крячко. На этом врач и «пациент» распрощались. Из центра «Гармония» Крячко вышел очень довольный собой и, насвистывая, направился к метро. По дороге он позвонил Гурову, но тот не отвечал — видимо, был занят разговором с нотариусом. Крячко решил поделиться с ним своими успехами при встрече в Главке.

Однако не успел он доехать до Управления, как зазвонил его телефон. Это был Молодцов.

— Ну что ж, мне удалось договориться. Место вам выделят в самое ближайшее время. Если хотите все максимально ускорить, подъезжайте ко мне, будем заключать договор. Или вы уже передумали?

— Кто, я? — возмутился Крячко. — Нет-нет, сейчас буду!

Он быстро убрал телефон в карман и победно щелкнул пальцами. После этого снова набрал номер Гурова.

— Порядок, Лева! — проговорил он в трубку. — Рыба клюнула! Сейчас еду туда составлять договор. А уж потом вытрясу из этого Молодцова всю душу — где они держат людей и почему они у них умирают!

— Так, Стас, давай без самодеятельности и спешки! — предупредил его Гуров. — Ты спокойно едешь и заключаешь договор. Договариваешься о следующей встрече — скажем, завтра. Остальное обсудим в Главке. Не вздумай брать его «на пушку» и себя не выдавай!

— Ладно, понял, — с легким сожалением произнес Крячко. — Хотя можно было бы уже сегодня все решить!

169

— Спешка хороша, сам знаешь где, — ответил Лев. — Ладно, давай, удачи, я занят сейчас. Тут интересная деталь всплыла...

— Ладно, при встрече поделишься! — Крячко убрал телефон и снова направился в сторону метро.

Его настроение в предвкушении скорой победы было просто отличным, и он даже не расстраивался, что приходится мотаться на метро туда-сюда. Войдя в здание «Гармонии», он поднялся в кабинет Молодцова. Доктор встретил его с улыбкой.

— Вы молодец! — с чувством пожал он Крячко руку. — Настоящий мужик! Я предлагаю вам десятидневную программу. Устраивает?

— Пойдет, — кивнул Стас. — А результат точно будет?

— Не сомневайтесь, — усмехнулся Молодцов. — За качество отвечаю. Вот, ознакомьтесь с условиями договора и, если все устраивает, подпишите. Вы паспорт принесли?

— Да, вот он. — Крячко протянул свой паспорт.

— Я пока пойду сделаю ксерокопию, — сказал Молодцов, — а вы читайте.

Крячко стал пролистывать бумаги, не особенно вчитываясь в подробности. Они его сейчас не волновали. Он искал адрес, по которому располагается место, в которое он должен был отправиться в качестве клиента и куда отправляться в таком качестве совершенно не собирался.

Вскоре вернулся Молодцов с ксерокопиями.

— Ознакомились? Все понятно? — спросил он.

— Да, только один момент: а где эта клиника находится? Как я ее найду?

— Не беспокойтесь, вам ее искать не нужно, — ответил Молодцов. — Вас туда отвезут.

«Молчит, собака!» — с досадой подумал Стас, но настаивать не стал, дабы не вызвать преждевременных подозрений.

— Тогда подпишите вот здесь добровольное согласие на все процедуры. — Молодцов ткнул в листок, и Крячко небрежно поставил свою закорючку. — Отлично, теперь еще здесь и здесь.

170

Крячко послушно расписался где требовалось, и Молодцов убрал бумаги в свой стол.

— Ну, на сегодня почти все. Осталось лишь сдать кровь, и я вас отпущу. В клинику вы отправитесь завтра.

— А это что за хрень такая? — поинтересовался Стас.

— Неважно, — улыбнулся Молодцов. — Это для тамошних медиков. Кстати, там они возьмут этот анализ еще раз, чтобы контролировать уровень вашего адреналина. Так надо.

— Ну, надо так надо, — согласился Крячко, закатывая рукав рубашки.

Молодцов подошел к нему со шприцем и ловко вонзил его в вену. Крячко отвернулся. Он не видел, что шприц наполовину заполнен какой-то жидкостью, только ощутил вдруг, как тяжелеет его голова, а в теле, наоборот, возникает слабость, и стал сползать со стула, пытаясь сказать Молодцову, что ему плохо, однако у него ничего не вышло: язык был словно каменный, глаза закрывались.

— Держи его! — услышал он в последний момент, перед тем как сознание его отключилось, а затем почувствовал, как его подхватили и куда-то понесли...

В девять часов утра полковник Гуров прибыл к условленному месту в начале Ленинского проспекта, где находилась нотариальная контора, в которой хранилось завещание Романа Любимова. Он заметил, что у дома был припаркован черный внедорожник с тонированными стеклами. И, словно отвечая на его мысленное предположение, дверь машины открылась, и из нее вышел Любимов-старший. Гуров подошел и поздоровался. Виталий Евгеньевич бросил взгляд на часы и кивнул в сторону двери нотариальной конторы.

— Да, конечно, пойдемте.

Они прошли по коридору и оказались в приемной. Ждать им не пришлось: нотариус был уже на месте, и молоденькая секретарша сразу пригласила их в кабинет. Там за большим столом восседал солидный мужчина средних лет, перед ним лежал запечатанный конверт. Гуров предъявил свое удостоверение сотрудника МВД, а Любимов подал нотариусу свой паспорт. Тот кивнул, поднял конверт и произнес, видимо, заученную формальную фразу:

— В связи с криминальным характером смерти гражданина Российской Федерации Любимова Романа Витальевича я, в присутствии представителей власти и родственников покойного, предаю гласности завещание, сделанное в нотариальной конторе Перфилова Николая Анатольевича 18 марта 2013 года.

Он вскрыл конверт и стал зачитывать текст завещания:

«Согласно настоящему завещанию, 70% принадлежащего мне имущества на момент моей смерти прошу определить в пользу несовершеннолетнего Антона Романовича Любимова, приходящегося мне сыном, и его матери Анастасии Сергеевны Ямщиковой...»

В этот момент даже у привыкшего ко многому Гурова непроизвольно открылся рот. А Любимов-старший просто вскричал:

— Что?!

Нотариус оторвался от текста, обвел глазами обоих мужчин и произнес:

— Давайте я все-таки дочитаю, а эмоции — потом...

И, не дождавшись ответа от обескураженного Виталия Евгеньевича, продолжил зачитывать текст документа. Остальная часть имущества, как и предполагалось, должна была отойти к родителям Романа. Когда нотариус закончил, Любимов-старший повернулся к Гурову и, качая головой, сказал:

— Я ничего не понимаю... — Потом повернулся к нотариусу и спросил с некоторым нажимом: — Может быть, вы нам объясните?

Нотариус пожал плечами и развел руками.

— Я лично составлял это завещание два года назад. Нельзя сказать, что я хорошо помню обстоятельства встречи с вашим, если я не ошибаюсь, сыном. Но он предоставил документы, по которым у него имеется сын, мальчик.

В этот момент дверь открылась, и на пороге появились две женщины: одна — молоденькая девушка, которая при-

172

глашала пройти Гурова и Любимова, а другая — постарше, за тридцать.

— Я — Анастасия Ямщикова.

— Проходите, пожалуйста, — жестом указал ей на свободный стул нотариус. — Я только что зачитал текст завещания, можете ознакомиться с ним лично. — И он протянул лист бумаги вошедшей женщине.

Ямщикова начала читать, а Любимов-старший во все глаза наблюдал за ней. Во взгляде его не было неприязни, скорее, пристальный интерес.

— Я все поняла, — со вздохом произнесла Анастасия, вернув бумагу нотариусу.

Он обвел взглядом всех присутствующих и спросил:

— Все понятно?

— Да, — машинально отозвался Любимов. — Вернее, конечно, совсем не понятно. Но это, наверное, не здесь... — И он, поднявшись со стула, направился к выходу.

Гуров последовал за ним. Следом вышла и Анастасия. На улице она обратилась к Любимову:

— Виталий Евгеньевич, вы, конечно, можете относиться ко мне с неприязнью. Это ваше право. Но так получилось. Роман, видимо, ничего вам обо мне не рассказывал...

— Нет, — решительно сказал Любимов. — В смысле, я, наоборот, шокирован в положительном смысле. В том, что у меня, как оказалось, есть внук. — И он улыбнулся. — А Роман... Роман нам действительно не говорил об этом. Вот только почему? Может быть, вы расскажете мне?

— Давайте сначала я проясню все вопросы, — решительно встрял Гуров. — У вас потом будет достаточно времени, чтобы обсудить свои интересы.

Любимов согласно кивнул и сел в свою машину. А полковник пригласил Анастасию в свой автомобиль. В течение следующих десяти минут он узнал, что это та самая Настя, сокурсница Романа Любимова, о которой мимоходом ему поведал прошлой ночью Плисецкий. И так получилось, что у Насти, когда их дружная компания распалась, личная жизнь не сложилась, а с Романом она встретилась уже после того, как он прошел через неудачный роман с Виолеттой. Роман всегда нравился Насте, и она была рада их встрече. Однако от Романа поступило предложение весьма неожиданное — он заявил, что не хочет жениться и даже жить так называемым гражданским браком, а вот заиметь законного наследника совсем не прочь. Иначе говоря, случился кратковременный роман на деловой основе и с четко обозначенной перспективой. Когда Настя забеременела, Роман отношения прервал. Но с его стороны последовало клятвенное обещание принимать материальное участие в жизни ребенка, и свое обещание он четко выполнял все пять лет — именно столько недавно исполнилось их с Настей сыну Антону.

— Я вообще-то надеялась, что Рома передумает и все же будет с нами жить, — с некоторой горечью сказала Ямщикова. — Он ведь нас регулярно навещал, и я видела, что ему с нами хорошо. Все ждала, что когда-нибудь он останется, но...

— Но получилось так, как получилось, — кивнул Гуров. — Кстати, вы знали, что Роман был гомосексуалистом?

— Значит, это правда?.. Неужели его друг — это Леня Плисецкий?

— Во всяком случае, Плисецкий это подтвердил.

— Я догадывалась, но никогда с Ромой это не обсуждала. Знаете, вы все-таки не правы, — вздохнула Анастасия.

— В чем? — не понял Гуров.

— Роман не был гомосексуалистом. В том смысле, что изначально не был! Он же встречался с девушкой, и со мной у него все было... как положено. Ну, вы понимаете, о чем я говорю. Он стал таким вынужденно, под влиянием обстоятельств. Сложись они по-другому — ничего такого не произошло бы, и был бы нормальным мужчиной. Я же видела, что он стремился к этому. Хотел иметь семью, хотел быть, как все, — нормальным. Но чего-то все-таки не хватило ему, чтобы порвать с этим, какого-то усилия...

— А когда вы видели его в последний раз?

— Месяц назад, — поморщив лоб, ответила Ямщикова. — Он периодически приезжал, привозил деньги, общался с Антоном.

— А как вы узнали о том, что он умер?

— Мне позвонил нотариус. Вчера вечером. Это было так ужасно, я была на работе, расплакалась...

Они еще некоторое время разговаривали, Анастасия рассказывала подробности их отношений... Примерно через час она вышла из машины и направилась в сторону двери нотариальной конторы, где по-прежнему стоял внедорожник Любимова.

А Гуров, оставшись один, подумал, что в деле наконец-то появился человек, который реально был заинтересован в смерти Романа Любимова...

И это обязательно надо было обсудить с Крячко. Хотя он сейчас и занимался отработкой другой линии, сбрасывать со счетов версию убийства из корыстных побуждений нельзя. Лев посмотрел на часы — они показывали половину двенадцатого. Он завел машину и сразу же направился в Главк, по дороге набрав номер Крячко. Телефон того почему-то был отключен.

«Опять не зарядил!» — с досадой подумал Лев: Крячко частенько грешил тем, что тянул со своевременной зарядкой телефона, и тот порой отключался в самый неподходящий момент.

Решив поговорить с ним прямо в кабинете, Гуров прибавил скорость. Пробки были в самом разгаре, и до Главка он добирался больше часа, в душе даже подумывая, что Крячко в чем-то прав, отказываясь пользоваться своей машиной и предпочитая метро — так и впрямь получалось быстрее.

Добравшись наконец до родных стен, Лев сразу поднялся в свой кабинет, но он оказался заперт. Отперев дверь, Лев прошел внутрь. Никого, естественно, не было. Более того, все оставалось таким, как и вчера после его ухода. А это означало, что Крячко сегодня не появлялся на работе.

Решив, что, может, Стаса вызвал Орлов, Гуров отправился к генералу.

— Лева, где вас черти носят? — начал раздраженно Орлов, из чего следовало, что Крячко не появлялся пред его очи.

— С нотариусом встречался, — сказал Гуров, садясь на стул. — А Крячко не было?

— Представь, нет! — язвительно ответил Орлов. — Он, видимо, не считает нужным отчитываться перед начальством за свои действия! Вот появится — я ему устрою! Без премии в этом месяце! Надоели мне его выходки!

— Погоди, Петр, — остановил его Гуров. — Он на задании.

— Это отлично, конечно! А меня поставить в известность — как, слабо?

— Ладно, не бушуй, — махнул рукой Лев. — Значит, не может он.

— Не может он! — проворчал Орлов. — Ладно, что там с нотариусом?

— Да нотариус подождет. Слушай лучше, что мы вчера выяснили...

И Гуров рассказал Орлову об информации, содержащейся в компьютере Любимова, а также о книге о средневековых пытках. По мере рассказа лицо генерал-лейтенанта все больше хмурилось.

— То есть за этим стоит целая организация? — спросил он. — Но зачем им убивать Любимова?

— Я думаю, что Любимов умер случайно. Вряд ли его собирались убивать. Но все это нужно проверить, и этим сейчас Крячко как раз и занимается. Есть у нас одна зацепка — врач из спортивно-развлекательного центра. Вроде Крячко удалось войти к нему в доверие. Жду его отчета...

— Я, заметь, тоже жду, — напомнил Орлов.

— Не кипятись, Петр! Крячко там не прохлаждается. Телефон у него, наверное, сел... Я пойду пока к нашим компьютерщикам, узнаю, что им удалось выяснить. Времени уже достаточно прошло, а я распорядился, чтобы они прямо с утра этим занялись.

— Иди, — бросил Орлов. — Крячко объявится — сразу ко мне. Оба.

Гуров кивнул и пошел в технический отдел.

— Ну что, Лев Иванович, компьютер мы осмотрели, ничего особо интересного в нем нет. Документов по работе Любимов в нем не держал, винчестер вообще почти пустой...

176

Домашний компьютер он держал в основном ради выхода в Интернет. Фильмы смотрел, музыку слушал...

— Вы смотрели сайты, на которые он заходил?

— Да, конечно. Ну, там «клубничка» всякая встречается и еще нездоровый интерес к экстрим-развлечениям. Пытками интересовался, садо-мазо...

— Это я уже знаю. Еще что? Адреса какие-нибудь, телефоны?

— Ничего такого, — пожал плечами технический эксперт. — Распечатку с телефона посмотрите?

— Разумеется. — Гуров взял испещренный цифрами и буквами листок.

Много звонков Плисецкому и от него, переписка с ним же, еще какие-то звонки неизвестным людям... На выяснение того, кто они, нужно время. Как и следовало ожидать, были звонки Молодцову. Последний звонок перед отъездом Любимова якобы в Доминикану также был Плисецкому. Перед этим Любимов созванивался с неизвестным контактом...

Гуров снова набрал номер Крячко. Телефон его по-прежнему был отключен, и Лев мысленно выругался. Немного подумав, он набрал номер Молодцова. Но и его телефон был словно мертвый, механический голос сообщил, что в данный момент абонент недоступен.

Взяв распечатку с собой, Гуров вышел из технического отдела и набрал номер Орлова:

— Петр, я еду в «Гармонию», — сказал он. — На месте разберусь, чем там занят Крячко.

Выйдя на улицу, Лев не стал садиться за руль, а направился к метро. Это и впрямь сэкономило ему добрых полчаса времени.

Первым делом он поднялся в кабинет секретарши, на всякий случай не став «светиться» раньше времени перед Молодцовым. Ольга Анатольевна была на месте. Поздоровавшись, Гуров спросил, не видела ли она сегодня Крячко.

— Нет, он не заходил сюда, — сразу ответила та.

— Я вот о чем хотел вас предупредить. Никому не говорите, что этот человек из полиции. Никому, кто бы вас ни спрашивал! Поняли?

— Поняла, но... — замялась девушка.

— Что такое? — нахмурился Лев.

— Меня спрашивал Антон Семенович, — сообщила секретарша. — Он зашел сегодня утром и спросил, давно ли у нас такой клиент. А я сказала, что это вовсе не клиент, а сотрудник МВД... Я же не знала!

— Черт! — выругался Гуров, бросаясь к двери. — Какой кабинет у Молодцова?

— Двадцать четвертый, на втором этаже! — вдогонку крикнула Ольга Анатольевна. — А что случилось?

Не отвечая, Лев устремился к лестнице и, перескакивая через ступеньки, достиг второго этажа, где прямиком направился к кабинету Молодцова. Тот оказался запертым. Наплевав на все, Гуров вскрыл его отмычкой, прошел внутрь и... сразу же замер у входа...

На полу кабинета лежал доктор Молодцов. Лицо его было багрово-красного цвета, как бывает при апоплексическом ударе. С первого взгляда не было сомнений в том, что Антон Семенович мертв...

Гуров все же шагнул вперед, проверил зрачки и пульс. Тело Молодцова было еще теплым, следовательно, убили его совсем недавно. На полу валялся разбитый сотовый телефон. Это не был телефон Крячко.

Лев выглянул в окно. Ничего подозрительного там не происходило: никто спешно не садился в машину, пытаясь удрать. Он достал свой телефон, набрал номер Орлова и произнес в трубку:

— Здесь труп, Петр. Высылай группу... Да, и еще — бегом к нашим технарям, нужно проверить телефон Молодцова, срочно! Кто ему звонил в последние минуты?

— Чей труп? — не понял Орлов. — А Крячко где?

— Труп Молодцова, Крячко исчез. Я скоро буду в Главке, обдумаем, где его искать. Они его раскололи, Петр! Черт! Говорил же, не соваться близко!

— Так, спокойно, Лева! — В голосе Орлова появились металлические нотки. — Опроси охрану на выходе и персонал — может быть, кто-то что-нибудь видел. Группу я высылаю, технарей тоже. На связи!

Гуров вытер вспотевший лоб. Уверенная интонация Орлова помогла ему немного взять себя в руки, однако обеспокоенность судьбой Крячко не давала успокоиться.

Он спустился вниз к охраннику.

— Мне нужно просмотреть камеру видеонаблюдения. И никаких вопросов! — рявкнул Лев, видя, что охранник не торопится выполнять его просьбу, и выхватил из кармана удостоверение. — У вас в помещении труп! И если не хотите, чтобы об этом сейчас узнал весь центр, делайте, что я говорю!

Охранник послушно отмотал запись на час назад. Гуров пристально вглядывался в экран. Он увидел, как вразвалочку прошагал Крячко. Это было в двенадцать сорок. Больше Крячко не появлялся, то есть обратно не выходил. Лев просмотрел запись до конца. Его привлек один кадр: какой-то мужчина тащил тяжелую коробку, двигая ее перед собой. Лица мужчины видно не было.

— Это что такое? — ткнул он в экран.

— А, это... Аппарат один сломался. Мастер приходил, с собой его забрал, — сообщил тот.

— Какой мастер? Ты его видел раньше?

— Нет, — пожал плечами охранник. — Мне доктор позвонил, сказал — аппарат сломался, сейчас мастер придет, заберет в ремонт. Я и пропустил.

— Вы проверяли коробку? — спросил Гуров.

— Нет, — удивленно ответил тот. — Зачем? Меня же доктор предупредил.

— Ясно, — обреченно произнес Лев, прикладывая руку ко лбу. — Вы видели, на какой машине он уехал?

— Да я и не смотрел! Он не просил помочь ему загрузиться.

— Камера снаружи есть?

— Нет. Нам внутренней достаточно.

В дверях центра уже появилась опергруппа. Гуров провел их к кабинету Молодцова и сказал:

— Работайте сами, мне нужно ехать. Срочно. Да, и машину вашу я возьму — потом пригонят обратно.

Он сел за руль полицейской машины и включил мигалку. Дорога была каждая минута. Сердце сыщика тревожно стучало. Он пытался успокаивать себя, анализируя ситуацию. Если Крячко вынесли куда-то в коробке, то это может быть хорошим знаком, есть шанс, что он жив. Иначе его могли просто бросить рядом с Молодцовым, и не нужно было бы никуда его тащить. Куда его увезли? Зачем?

Приехав в Главк, Гуров буквально ворвался в кабинет Орлова и скороговоркой проговорил:

— Петр, Крячко увезли, не знаю, жив он или нет. Я думаю, что его могли повезти в то самое место, где находился Любимов. Это наш единственный шанс — найти это место!

— Да, тогда мы и всю банду накроем, — кивнул Орлов.

— Да плевать мне уже на банду! — неожиданно закричал Лев. — Крячко бы живого найти!

— А почему ты уверен, что его повезли именно туда? — спросил Орлов.

— Я не уверен! Я совсем в этом не уверен! Но других предположений у меня нет!

— Так, погоди, Лева! Во-первых, ты не уверен, там ли Крячко. Во-вторых, мы понятия не имеем, где оно, то самое место... Чего ты хочешь? Ехать туда, не знаю куда?

— Не знаю! — Гуров громыхнул кулаком по столу. — Черт, черт, черт! Не знаю! Но надо что-то делать! Счет может идти не на минуты, а даже на секунды!

— Вот и давай делать! — твердо произнес Орлов. — Только не метаться, как потревоженные тараканы, а действовать разумно. Сядь!

Лев послушно опустился на стул. Он крайне редко бывал в таком взвинченном состоянии, обычно умел держать себя в руках. Но и повод, подобный сегодняшнему, возникал не часто...

— В первую очередь нужно опросить дэпээсников в том районе. Нам известно точное время, когда вынесли коробку. Там рядом пост. Какие машины проезжали мимо? Легковые нас не интересуют — такая большая коробка не поместилась бы в багажник. Значит, уже круг сужается.

— Да уж! — с сарказмом проговорил Гуров. — Сильно сужается! К тому же они могли ее и не тормознуть! А если и тормознули, ничего не обнаружили!

— Во вторую очередь, — спокойно продолжал Орлов. — Я немедленно даю распоряжение техникам на предмет информации по звонкам с телефона Молодцова. Входящим и исходящим, — говоря это, он уже нажимал кнопки на телефонном аппарате, — в самом срочном порядке! — Положив трубку, обратился к Гурову: — Теперь давай думать. У Молодцова в кабинете есть компьютер?

— Есть. Только его проверка займет бог знает сколько времени!

— Неважно! — Орлов строго осадил Гурова и набрал номер старшего группы, посланной на место смерти Молодцова.

Тот сообщил, что на первый взгляд смерть действительно произошла от удара, но случился он самопроизвольно или был чем-то спровоцирован, пока сказать нельзя, утверждал судмедэксперт. Орлов велел технику их группы немедленно заняться компьютером Молодцова, а сам продолжал думать, что еще можно сделать.

Вскоре в кабинет заглянул эксперт из технического отдела.

— Вот этот звонок был последним, Петр Николаевич! — ткнул он пальцем в распечатку.

— Матвеев... — прочитал Орлов и поднял глаза на Гурова: — Кто это такой?

— Не знаю. По этому делу мне такого не встречалось, — ответил тот.

— Но нужно узнать! Спросить, может быть, кто-то из фигурантов дела знаком с такой фамилией?

Гуров думал буквально полсекунды.

— Плисецкий! — щелкнул он пальцами. — Надо спросить у него! А ты, кстати, — обратился он к технику, — попробуй-ка определить местонахождение телефона с этой сим-картой.

— Попробую, но мне аппаратура нужна, — ответил тот.

— Ну, так дуй к своей аппаратуре! И сразу же звони! — поторопил его Гуров, уже набирая номер Плисецкого.

— Лев Иванович, это какой-то кошмар! — заголосил в трубку Леонид Максимович. — У нас умер врач, в центре полиция, все клиенты до смерти перепуганы, сотрудники тоже, все на ушах стоят, сплошной тарарам!

— Так, отставьте свои причитания! — одернул его Гуров. — Лучше скажите мне, кто такой Матвеев?

— Матвеев? — повисла пауза.

— У вас со слухом плохо? — заорал Лев. — Матвеев, простая такая русская фамилия! Или у вас много таких знакомых? Тогда называйте всех!

— Нет, я знаю только одного Матвеева, — ответил Плисецкий дрожащим голосом.

— Ну! — рявкнул Гуров. — Как имя, кто такой?

— Это... — Плисецкий совсем поник и закончил тихо: — Это брат Бурова...

Гуров бросил на Орлова изумленный взгляд и, прикрыв трубку ладонью, тихо шепнул:

— Буров. — Затем снова заговорил с Плисецким: — Вы с ним знакомы лично?

Плисецкий молчал, а в памяти Гурова вдруг всплыла полученная недавно информация и тут же сложилась в пазл:

— Вы говорили, что Буров не поддерживает отношения с родным братом, узнав, что тот гомосексуалист... Вас с братом Бурова связывали близкие отношения? Это через него вы познакомились с Буровым? Это он был вашим любовником до Любимова?

Поскольку Плисецкий продолжал молчать, Лев понял, что угадал. Но сейчас эти детали не слишком его волновали. Он спросил о другом:

— Вы знаете, какая у него машина?

— Да... У него старенький джип серого цвета.

— Номер?

— Да что вы, Лев Иванович! Разве я помню?

— Так, а где он живет? Адрес давайте!

Плисецкий продиктовал адрес Матвеева, робко поинтересовавшись, что происходит.

— Леонид Максимович, теперь слушайте меня внимательно и говорите чистую правду. Вы знаете о местонахождении некой клиники, санатория, пансионата или черт его знает чего — словом, какого-то места, где за деньги клиентам устраивают экстремальный отдых?

— Что? — не понял Плисецкий. — О чем вы говорите?

— Там, где человек находится на положении пленника! — почти выкрикнул Гуров.

— Господи! Нет, мне ничего подобного неизвестно. Разве Буров держит нечто такое? Никогда не слышал! Я правду говорю, поверьте!

— Ладно! Будьте все время на связи, я могу перезвонить вам в любой момент.

Лев отключился и нервно заходил по кабинету Орлова взад-вперед.

— Буров, Буров... — бормотал он.

Потом резко повернулся к Орлову и сказал:

— Срочно нужен номер телефона Бурова. И вообще все его координаты. У него есть дом где-то за МКАДом по Боровскому шоссе. Точного адреса не знаю. Может быть, это зловещее место находится и там, но я так не думаю. А вот сам Буров может там находиться. Нужно брать его и вытрясать душу! Если Крячко увез его брат, то Буров точно должен быть причастен к этому бизнесу!

Орлов, мгновенно все понявший, уже отдавал распоряжения в трубку.

— Сейчас у нас будут все данные на Бурова, — успокоил он Льва, который не находил себе места.

Вскоре перед ними лежал набор телефонных номеров, принадлежащих Бурову, а также список его имущества. Среди прочего, в частности, был адрес дома в коттеджном поселке с телефоном.

Гуров тут же набрал этот номер. Ответил ему, по всей видимости, кто-то из охраны и сообщил, что Всеволод Степанович уехал. Гуров не стал спрашивать, куда именно, понимая, что этим ничего не добьется, лишь вызовет подозрения охраны, которая мгновенно свяжется со своим хозяином и сообщит, что им интересовалась полиция. И самому Бурову Гуров звонить тоже не стал, решив приберечь это вариант на крайний случай.

— Лева, — позвал Орлов, изучавший тем временем список. — Посмотри, какая любопытная информация. ООО «Экстра-класс». Лагерь отдыха «Мечта». Владелец — В.С. Буров. Фактический адрес: Калужская область, Акимовский лес... Как считаешь, похоже выглядит?

Гуров моментально встрепенулся. Перечитав запись, он взглянул на Орлова и кивнул:

— Подходит, Петр! Я поехал!

— Куда? Один? Лева, не глупи!

— Петр, пока один, пока! А ты поднимай ОМОН, пусть едут прямо туда! — уже от двери выкрикнул Лев.

— Черт знает что! — в сердцах бросил Орлов, когда за Гуровым захлопнулась дверь. — Полковник МВД, шестой десяток разменял, а сам, как мальчишка зеленый, себя ведет!

Тряска закончилась. Голова дернулась и замерла. Боли не было, а было ощущение какой-то турбулентности. Собственно, Станислав Крячко доподлинно не знал, что это такое, но почему-то сейчас именно это слово вертелось у него в голове. И еще он думал, что так должен чувствовать себя человек после наркоза.

Голова кружилась и плохо соображала, а тела словно не было вообще. То есть Крячко его не чувствовал. Это слово — турбулентность — на данный момент было единственным понятием, которое он осознавал. Спустя некоторое время, правда, он стал ощущать немного больше. Особенно когда расслышал мужские голоса, донесшиеся до него снаружи:

— Почему без предупреждения?

— Так получилось. Спонтанно. Пожелание клиента.

— Какого клиента? Где он?

— Здесь, — послышался ответ, после чего над головой Крячко что-то хлопнуло, и вместо темноты появился свет, ударивший прямо ему в лицо.

Но Крячко не зажмурился — он почти не отреагировал на него.

— Что за дела? — с подозрением спросил первый голос. — Почему он тут, в коробке?

— Это условие договора. — Второй голос звучал угодливо. — Клиент заказал сюжет «Похищение заложника».

— А что он как овощ?

— Я ввел ему успокоительный препарат. Совершенно безвредный. Он хотел, чтобы его доставили сюда именно в таком виде и сразу поместили в камеру.

— Договор покажи! — потребовал первый голос после паузы.

— Договора пока нет, составим на месте. Я же говорю, все получилось спонтанно.

— Спонтанно! — передразнил его первый голос. — Ты хоть проверил его?

— Да-да, разумеется! Клиент чистый, надежный!

— Всеволод Степанович знает?

— Я... Я не успел его предупредить. Да он и не вмешивается в поставку клиентов!

— Это когда все по накатанной идет, — возразил первый голос. — Ладно, выгружай своего клиента!

— Что, я?

— А кто — я, что ли? У меня тут другие обязанности!

Крячко ощутил, что его тело пытаются двигать. Сам же он не мог пошевелить ни рукой, ни ногой. И говорить, кажется, не мог. У него работали лишь слух и зрение, причем последнее восстановилось еще не до конца. И еще какие-то обрывки памяти — значит, мозг был жив. И это Крячко обрадовало даже в таком состоянии.

Он услышал кряхтенье, затем почувствовал холод на спине и понял: его положили на мерзлую землю. Открыв глаза, Стас посмотрел вверх. Над ним было тусклое серое небо, затянутое тучами. Сквозь тучи он различил чье-то лицо. Над ним склонился человек с автоматом в руках и в черной форме, похожий на часового.

— Очнулся твой клиент, кажись, — произнес он, качнувшись.

Следом Крячко увидел другое лицо, которое было ему незнакомо.

— Помоги, — обратился незнакомец к человеку с автоматом. — До камеры я один его не дотащу.

185

— В машину же затащил, — заметил «часовой». — Или он сам в багажник залез?

— Я в коробке его тащил. Задвинул в багажник, а коробку выкинул.

— Ладно, — услышал Крячко. — Иди Серого позови, пусть поможет. Мне ворота оставлять нельзя.

Послышался звук удаляющихся шагов, затем Крячко услышал негромкий голос часового:

— Всеволод Степанович! Тут дела какие-то странные, я на всякий случай вам звоню... Да братец ваш какого-то чела приволок — говорит, клиент новый. А договора нет, и вообще без предупреждения. Да. Вы в курсе? Что? Понял...

Все стихло. Самое интересное, что Крячко не ощущал страха. Он вообще был лишен в тот момент обычных человеческих чувств, казалось, у него остались одни рефлексы. Он даже не пытался подать голос — им руководило какое-то тупое равнодушие.

Вскоре вернулся незнакомец, а с ним еще один человек. Вдвоем они погрузили Крячко на какие-то носилки и понесли. Затем его наклонили, а свет померк. Носилки подпрыгивали, словно их несли по лестнице вниз. Дальше был какой-то ровный длинный коридор. Затем Крячко сняли с носилок и переложили на что-то твердое.

Лязгнул замок, и снова стало тихо. Крячко некоторое время лежал, не думая ни о чем. Возможно, он даже задремал. Когда же пришел в себя в следующий раз, то соображал уже гораздо лучше. Да и память возвращалась к нему. Он вспомнил кабинет Молодцова, инъекцию в вену, потерю сознания... А дальше полный провал.

Стас опустил глаза и обнаружил, что лежит на узкой деревянной лавке, похожей на тюремные нары. Он попробовал пошевелить руками. Слабо, но получилось. Затем скосил глаза и в темноте различил силуэт комнаты. Она была тесной, кроме лавки, на которой он лежал, и деревянного стола подле нее, в ней больше ничего не было.

Крячко попробовал сесть. Голова кружилась, ноги казались ватными, и он руками ухватился за сиденье лавки и так сидел несколько секунд, покачиваясь в разные стороны.

Вдруг до него донесся звук приближающихся шагов. Стас мысленно оценил свои силы и решил, что лучше не вступать в борьбу. Во-первых, он был очень слаб, во-вторых, здесь наверняка была охрана, к тому же вооруженная, так что убежать все равно бы не удалось. В-третьих, он не имел представления о том, как выглядит то место, куда он попал против воли, и как из него выбираться. Поэтому он просто лег на лавку, поджав под себя ноги.

Открылась дверь, и в проеме появилась темная фигура. Она приблизилась к лавке. Крячко поднял голову. На него смотрела пара глаз.

— Очнулись, — хрипловато произнес человек, приподнимая веки Крячко одно за другим и осматривая его глаза.

В левой руке у человека был фонарь. Он поставил его на стол и склонился над Крячко. Станислав же следил за его правой рукой: в ней человек держал шприц. Это ему совсем не понравилось, и он невольно подвинулся к стене.

— Не надо дергаться, будет больно, — проговорил человек с какими-то уговаривающими интонациями. — Я не причиню вам вреда.

«Да уж конечно!» — подумал Крячко, мысленно оценивая, сможет ли ногой выбить шприц: руки были слишком слабы. Ноги, правда, тоже особой силой не отличались, но выбора у Станислава не было.

Человек склонился ближе и стал ощупывать левую руку Крячко, ища вену. Стас правой ухватил человека за кисть, но тот отбросил его руку и повторил:

— Не надо! Я только испорчу вам вены!

— Какой заботливый, — неожиданно для самого себя выговорил Крячко.

Слова прозвучали так, словно рот его был набит кашей.

— Цените это, — отозвался человек, поднимая шприц и выпуская из него небольшое количество жидкости.

В это время послышался отдаленный шум, который быстро приближался. Крячко различил топот ног и голоса.

— Здесь нет! Здесь тоже нет!

Человек, присевший на лавку рядом с Крячко, вскочил и в растерянности заметался по комнате. Тут дверь с треском распахнулась, и в камеру ворвался боец в форме и с автоматом в руках.

— Стоять, не двигаться! — заорал он.

— Брось шприц! — послышался еще один голос, который был Крячко знаком. Настолько знаком, что он узнал бы его из тысячи других.

— Брось шприц! Брось! — повторил голос, а затем грянул выстрел.

Послышался крик. Человек схватился за плечо, шприц выпал у него из рук, и лакированный ботинок с модным носком отшвырнул его подальше.

— Лева... — По лицу Крячко стала расползаться блаженная улыбка. — Лева, старый пижон, ты даже на операцию ездишь в своих пижонских ботинках!

— Стас! — Гуров бросился к нему и затряс за плечи. — Стас, ну, слава богу! Он тебе что-то вколол?

— Сейчас нет, — ответил Крячко. — Раньше — да.

Гуров резко повернулся к стонущему на полу человеку, который держался за плечо.

— Что ты ему вколол? — спросил он, подскакивая и намереваясь ударить носком ботинка.

— Пожалуйста, не бейте! — съежившись, жалобно пролепетал тот. — Это просто сильный наркотик, он скоро отойдет. И дайте, пожалуйста, обезболивающее...

Машина с омоновцами догнала Гурова на 25-м километре. Лев притормозил и, выйдя из своего автомобиля, переговорил с бойцами. Договорились, что они поедут первыми, а Гуров за ними.

Ворота «лагеря» были скрыты в зарослях, однако зная, что ищешь, их можно было различить. Омоновцы оставили машину в лесу и бесшумно двинулись к воротам. Гуров следовал за ними. Уже на подходе он увидел, что ворота открыты, а перед ними стоит черный «Форд Экскурсион», принадлежавший Бурову.

У ворот размахивал руками охранник, показывая куда-то вперед. Возле него Лев различил колоритную фигуру самого

Бурова и начал осторожно приближаться, прячась за деревьями. Вокруг него равномерной массой растеклись бойцы ОМОНа.

— ...Часа три назад, — услышал Гуров голос охранника. — Сказал, клиент.

— Совсем охренел, гад! — тяжело дыша, сказал Буров. — Куда он его дел?

— В третий отсек поволок, Серый ему помогал.

Буров не ответил. Он крупными шагами зашагал вперед. Охранник начал было закрывать ворота, но тут из леса бесшумно и быстро стали выскакивать омоновцы с автоматами наперевес.

— Всем стоять, руки на голову! — послышались их голоса.

— Оружие на землю! Оружие на землю! — кричал первый, подбегая к охраннику.

Тот растерянно оглянулся на Бурова. Всеволод Степанович, размашисто шагавший по двору в своей роскошной шубе, остановился и повернулся. Лицо его приняло выражение неимоверной досады. Однако он не стал сопротивляться, а быстро взял себя в руки и даже выдавил улыбку.

— Брось автомат, Коля, не спорь! — сказал он охраннику, а затем обратился к омоновцам: — Успокойтесь, мы не собираемся устраивать стрельбу! Это чисто для охраны!

— Руки подними!

— Руки на голову! — кричали бойцы, окружая Бурова.

Тот проглотил досаду и поднял руки. К нему тут же подскочил один из бойцов, прижал лицом к стене и стал ощупывать. Гуров осмотрелся: длинный асфальтированный двор, не засаженный никакими деревьями, не украшенный никакими архитектурными сооружениями, скорее напоминал какой-то плац. С левой стороны тянулось серое двухэтажное здание, похожее на длинный барак. В нем было несколько дверей. Думая, что за одной из них находится Крячко, Гуров рванулся вперед.

Все охранники уже были разоружены и стояли с поднятыми руками у стены барака. Среди них был и Буров. Увидев Гурова, он повернул голову и громко произнес:

189

— Вы напрасно это сделали, Лев Иванович! Здесь совсем не то, что вы думаете!

— Что я делаю, я решаю сам! — на бегу проговорил Гуров. Затем повернулся к местной охране и спросил: — Где полковник Крячко? Ну?

— Новенький, что ли? — ответил один из охранников. — Третий отсек. Третья дверь справа и вниз.

— За мной, нужно проверить каждое помещение на наличие людей! — крикнул Лев омоновцам.

Одна за другой открывались двери, бойцы ныряли внутрь. В третью из них вошел и Гуров и сразу же стал спускаться по ступенькам вниз. Внизу находился длинный подвал, там тоже были сплошные двери. Открывая их по очереди, Лев светил фонариком, выискивая Крячко, однако его нигде не было. Зато то, что было, потрясло Гурова: в некоторых комнатах со стен свисали плетки, на столах лежали металлические инструменты, очень похожие на орудия пыток, в одной из камер в углу, прикованный наручниками, сидел человек, лицо его было настолько измозжденным, что невозможно было определить, сколько ему лет. В другой комнате под потолком была приспособлена дыба. Сейчас она, правда, была пуста, но, судя по следам на теле человека, лежавшего на полу, ему довелось на ней повисеть. Люди, обнаруженные в некоторых других камерах, выглядели не лучше. Тела их были изуродованы ожогами, кровоточащими ранами... Казалось, что здесь собрались живые мертвецы.

Отдельную комнату целиком и полностью заполняли какие-то большие механизмы с крюками, шипами, колесами и жерновами, о предназначении которых Гурову не хотелось даже думать. Единственное, что его даже радовало, — ни в одной из этих камер пыток не было Крячко.

Наконец в одной из них он увидел лежавший на лавке знакомый силуэт и притаившуюся у стены фигуру. Без всякой жалости прострелив незнакомцу плечо, Гуров бросился к Крячко.

Стас был жив и даже в сознании. И только убедившись в этом, Гуров убрал пистолет и опустился рядом на лавку, чувствуя, как от отступившего напряжения у него дрожат ноги, а лакированные ботинки буквально вибрируют...

Посидев так с минуту, он поднялся, подошел к лежавшему на полу человеку и резко произнес:

— Встать!

— Больно, — выдавил тот.

Не обращая внимания на его слова и не пытаясь вызвать в себе милосердие, Гуров сам приподнял его. Человек громко вскрикнул: его рука, прижимаемая к плечу, была вся в крови. Но Гуров не смотрел на плечо, он фонариком осветил его лицо и удивленно воскликнул:

— Доктор! Анатолий Степанович? Врач-психотерапевт? Так вы и есть брат Бурова? А почему Матвеев?

И, не дожидаясь ответа, обратился к омоновцам:

— Перевяжите ему рану, чтоб не умер от кровопотери. Все вопросы потом.

Затем он осторожно помог подняться Крячко. Лев и Стас, опиравшийся на него, пошли к двери и медленно стали подниматься по ступенькам.

Когда они вышли на свет божий, Гуров с удовольствием вдохнул свежий февральский воздух.

— Такое впечатление, будто из помойной ямы выбрался, — проговорил он. — Стас, ты как?

— Да нормально я, — отозвался Крячко.

Из дверей тем временем показался Матвеев, сопровождаемый одним из омоновцев. Увидев его, Буров повернулся и с ненавистью прошипел:

— Послал же Бог братца! И почему мама вовремя аборт не сделала? — Затем он крикнул Гурову: — Это подстава, Лев Иванович! Я не имею никакого отношения к замыслам этого сморчка! У меня честный бизнес!

— Да? А все эти люди? — Гуров показал на выводимых из застенков пленников, напоминавших бледные человеческие тени.

— Они все находились здесь добровольно! Можете спросить их самих. Кстати, документы это полностью подтвердят! Так что посадить меня вам не удастся!

— Да мне этого особо и не надо, — под нос себе проговорил Лев, идя вместе с Крячко к своей машине.

191

— Я так понимаю, Романа Любимова вы намеренно отправили на смерть, — сказал Гуров Матвееву, сидя возле его больничной койки.

Его уже прооперировали, и в связи с тяжестью преступления Гуров не стал откладывать допрос.

— Любимов сам хотел отправиться в такое место, — произнес тот. — Он искал подобные приключения.

— Но вы-то знали, что у него больное сердце. Мне только непонятно, почему Молодцов вас послушался? Ему-то какой резон убивать Любимова?

— Молодцова я держал крепко, — усмехнулся Матвеев. — Когда-то мы работали в одной клинике. По его вине там умерла молодая женщина. Дело замяли с моей помощью — я был заведующим отделением. Но документы у меня сохранились, и я напоминал Антону о них, если он хотел выйти из-под контроля.

— Вы нарочно устроили его в спортивно-развлекательный центр?

— Да. Мой брат помимо прямого назначения центра использовал его еще и как пункт поиска клиентов для своего нового бизнеса. В последнее время подобные развлечения вошли в моду. А центр — идеальное место! Клиенты — люди богатые, часто даже пресыщенные. Работая врачом, то есть беседуя с ними, можно сказать, на интимные темы, легко было выяснить, что на душе у каждого. Молодцов был одним из поставщиков клиентов для лагеря. Я выяснил, что Роман Любимов тоже хочет туда отправиться, и понял, что это мой шанс...

— Вернуть Леонида Плисецкого? — прищурившись, спросил Гуров. — Я догадался, что вас с ним связывали близкие отношения. Он как-то упомянул, что Буров разорвал отношения с родным братом, узнав о том, что тот гомосексуалист. Правда, о своей «первой любви» утверждал, что этот человек умер. Слукавил, выходит дело. Не выдал вас. Так это вы сбили Леонида Максимовича с пути истинного?

— Я относился к Леше с нежностью, — поправил его Матвеев, — а он предал наши отношения. Стал встречаться с Романом и совсем ушел от меня к нему. Я осталась один.

192

Поймите, у меня, кроме него, никого нет. Брат меня презирает, издевается, стесняется меня... даже заставил взять другую фамилию! Практически не помогает деньгами... Спасибо Леше: после того как закрылась клиника, где я работал, он устроил меня личным врачом к Наташе, сестре Романа. Ну и, конечно, я подрабатывал в других больницах, был психотерапевтом. Но вы поймите, я уже не молод! Какое будущее меня ждет? Мне нужна была опора, поддержка, близкий человек — все то, чего хотят обычные нормальные люди! Я хранил о нем память все эти годы... Знаете, память — удивительное свойство! Каждый раз, когда мне казалось, что я изжил из сердца свое чувство, стоило мне встретиться с Лешей — и я сразу вспоминал все! Все самые мельчайшие подробности, которые, казалось, давно похоронены.

— Значит, признаете, что хотели избавиться от Романа Любимова? Или будете отрицать?

— Молодой человек, — с тоской произнес Матвеев. — Я ничего не стану отрицать и подпишу признательные показания без звука!

— Вот как? — Гуров удивился столь легкому согласию. — И даже не попытаетесь оправдаться? Почему?

— Да потому что человеку в моем положении гораздо лучше оказаться за решеткой, чем в руках головорезов своего брата! Вы что думаете, он простит мне, что я спалил его бизнес? Этот лагерь приносил ему отличный доход, а теперь его придется прикрыть. И получается так, что по моей вине, это я привез туда вашего сотрудника...

— Так, давайте-ка об этом поподробнее, — решительно заявил Гуров. — Зачем вы убили Молодцова и почему решились на такой отчаянный шаг? Зачем повезли туда сотрудника полиции, вы что, не понимали, что его станут искать?

— У меня не было выхода. Я... Я спасал ситуацию. Я запаниковал! Молодцов застал меня врасплох. Он позвонил и сказал, что очередной клиент оказался сотрудником полиции, при этом очень нервничал, просил меня приехать. Я посоветовал позвонить ему и назначить встречу у себя в кабинете. Сам я приехал раньше и сказал, что его нужно усыпить, а дальше не его забота. Молодцов приготовил шприц с наркотиком, я его уколол... Но с собой у меня был еще один шприц — с лекарством, которое вызывает удар. Я ввел его Молодцову, потому что боялся, что через него вы выйдете на меня. А так обо мне никто не знал: я не искал никаких клиентов, вообще нигде не был «засвечен». Никто, кроме Молодцова, не знал, что это я велел сказать Роману Любимову, что его сердцу ничего не угрожает. На самом деле я прекрасно знал, что с его больным сердцем здесь его ждет смерть...

— Зачем вы все-таки привезли полковника Крячко сюда? Почему не убили тогда уж и его?

— Два апоплексических удара в одно время в одном месте? — покосился на него Матвеев. — Кто бы поверил в такое совпадение? А так все-таки оставался шанс.

— Не было у вас никакого шанса, — произнес Гуров, захлопывая папку и поднимаясь. — Потому что я вытащил бы вас даже из-под земли!

— Постойте! — Матвеев здоровой рукой ухватил его за рукав. — У меня к вам только одна просьба! Посадите меня в такую камеру, куда не добрался бы братец со своими изуверами!

Гуров посмотрел ему прямо в глаза. В них был дикий страх.

Эпилог

— Посадить Бурова нам вряд ли удастся, — сказал Гуров, сидя в кабинете генерал-лейтенанта Орлова. — Все документы действительно оформлены по закону, люди находились там добровольно. Каждый сам выбирал «сценарий» — кто гестапо, кто концлагерь, кто голодовку...

— Ага, а незаконное ношение оружия? — вставил Крячко.

— Ну, разве что за это. Да и то он может сказать, что не давал такого распоряжения и что это инициатива его персонала, вот с него и спрос! Люди у него там не гибли, никаких жалоб не было. Все истязания мгновенно прекращались, если человек называл оговоренный пароль. Так что смерть Любимова не на его совести. Для сотрудников «лагеря» это явилось полной неожиданностью. Ну и отвезли его в Москву — от греха и своего логова подальше... Кому придет в голову, что убили его в Калужской области?

— В общем, Буровым пусть занимается прокуратура, — подвел итог Орлов. — И с законностью его бизнеса разбирается тоже она — не по нашей это части. Ты лучше скажи, удастся ли посадить этого морального урода?

— Без проблем, — ответил Гуров, выкладывая на стол документы. — Он все подписал. Он и впрямь боится своего брата больше всех остальных людей на свете. И уж куда больше тюрьмы.

— ...Где ему самое место, — закончил за него Крячко.

— Ну, у него есть смягчающие обстоятельства, — улыбнулся Лев. — Человек пошел на убийство ради любви!

— Ага, щас! — с иронией проговорил Крячко. — Я сейчас заплáчу! Какая любовь у педика? Денег ему захотелось, вот и все! Денег Плисецкого! Сам-то он, получается, неудачник. В жизни ничего не добился толком, родной брат его сторонится, юный любовник бросил много лет назад... Вот и решил поживиться таким образом. А то — любовь! Прямо шекспировские страсти! Шекспир, кстати, тоже был педиком, вы не знали? Это я недавно прочитал.

— Поменьше бы всякую чушь читал, — нахмурился Орлов.

— Правду говорю! — обиделся Стас. — Научно доказанный факт!

— Слушай, раз ты у нас такой продвинутый по этой части, может, ты и сообщишь отцу Любимова всю правду о его сыне? — обратился к нему Орлов. — А то мне, честно говоря, неловко.

— А что, обязательно нужно сообщать? — пожал плечами Крячко.

— Знаете, отец Любимова настолько счастлив оттого, что у него, оказывается, есть внук, что даже такое известие вряд ли ему испортит радость, — вставил Гуров. — Но Стас прав: пусть узнает сам. Не от нас.

— Правильно, потому что у нас с вами своих забот хватает, — подхватил Орлов. — Вот, к примеру, ко мне тут женщина одна обратилась... Муж у нее пропал. А так как вы только что дело закончили — вот и займитесь следующим!

Вам поручено умереть

РОМАН

Глава 1

Протиснувшись сквозь ряды зрителей и взбежав по ступеням, ведущим к гримеркам артистов, Гуров нос к носу столкнулся со Станиславом Крячко.

— Опаздываешь? — расплылся в довольной улыбке Станислав, демонстрируя шикарный букет. — Я уж думал, что ты вообще не приедешь.

— Спасибо, Стас. — Гуров стиснул руку друга. — Выручил! Такси отсюда...

— И ты считаешь, что я приехал в Одинцово только из-за того, чтобы отвезти вас с Машей домой? — Крячко мастерски изобразил мавра, нависшего над постелью Дездемоны. — О, несчастный, как ты мог заподозрить старого друга в бездушии, какая утилитарность? Ты считаешь, что ради ее концерта в Одинцове я не мог покинуть Москву и проехать эту сотню километров? Считаешь, что я не в состоянии оценить...

— От МКАД сюда всего пять километров, — раздался за спиной Крячко женский голос. — И почему дама должна ждать цветов от двух полковников так долго?

Станислав резко обернулся, тут же подобрался, одернул костюм, щелкнул каблуками и мастерски боднул головой воздух в полупоклоне. Жена Гурова Мария Строева стояла в дверях гримерки в вечернем платье и укоризненно смотрела на мужчин.

— Машенька, — заверил он, — это было волшебно! Припадаю к твоей руке в экстазе страстного поклонника, ценителя и воздыхателя.

Лев, наблюдавший, как развлекается старый друг, дождался, когда Станислав оторвется от руки Марии, и подошел к ней с цветами.

— Молодец, Машенька, — шепнул он, целуя жену в щеку. — Сегодня ты себя превзошла.

— Хитришь, Гуров, — погрозила пальчиком Мария. — Наверняка приехал к самому окончанию концерта.

— Подтверждаю! — вмешался Крячко. — К окончанию приехал, увы, я. А Лев Иванович, как и положено благоверному, сидел в зале на приставном стульчике и ронял скупую мужскую слезу на не менее скупой букетик. Мой гораздо пышнее, но это исключительно с целью реабилитации за мое опоздание.

— Ох, неугомонный! — засмеялась Мария, прижимая к груди оба букета. — Ладно, полковники, я скоро. Только переоденусь...

Машина неслась по Можайскому шоссе, Крячко, по обыкновению, балагурил, развлекая пассажиров новыми анекдотами и байками из жизни сыщиков. Гуров с Машей сидели на заднем сиденье и вполуха слушали Станислава. Маша даже задремала, устало положив голову на плечо мужа.

Когда они въехали на Кутузовский, скорость движения сразу упала. Машины перестраивались с крайней правой полосы в левый ряд, Крячко ворчал что-то себе под нос про уродов, которые не умеют ездить, и что московские проспекты поздним вечером и ночью превращаются в трассы гонок сопливых «мажоров», на которых нет управы.

Гуров вытянул шею, сразу обратив внимание, что впереди у обочины стоят полицейские машины. Точно, кроме двух машин ДПС там виднелся и микроавтобус оперативно-следственной группы из ГУВД. Нет, решил он, это не ДТП. А когда они проезжали мимо, стало видно, что большую площадь этой части сквера, захватывающую обочину дороги, высокие кусты и аллею, окаймляет цветная лента ограждения. А за кустами, кажется, лежит человеческое тело.

Крячко мельком глянул в зеркало на Гурова и Марию и воздержался от комментариев. Лев прислушался к ровному дыханию жены и порадовался, что она вовремя задремала и не видит всего этого, незачем портить впечатлительной актрисе настроение после такого замечательного концерта. У нее столько положительных эмоций, а тут... Пусть уж это остается «настоящим полковникам». Это они умеют после общения с грязным, мрачным и злобным миром преступников приехать на концерт известной московской театральной актрисы и балагурить, дарить цветы и улыбаться солнечными улыбками.

Крячко снова посмотрел в зеркало, поймал взгляд Гурова и вопросительно вскинул брови. Гуров еле заметно качнул головой и сделал жест рукой вперед — мол, нечего останавливаться, кому положено — работают, а если будет необходимость, завтра они узнают подробности. Сегодня вечер принадлежит только Маше, с ее миром искусства, прекрасных чувств и порывов человеческой души.

Офицеры входили в кабинет генерала Орлова и рассаживались на свои места вдоль длинного стола для совещаний. Сам генерал расхаживал по кабинету с телефонной трубкой возле уха и делал кому-то серьезное внушение по службе. Увидев входящих Гурова и Крячко, он бросил в трубку короткое «подожди» и протянул руку для пожатия.

— Извините, ребята, так я и не вырвался на концерт. Маша не обиделась?

— Да, ладно, — тут же ответил Крячко. — Мы все объяснили и привет с пожеланиями от тебя передали. Она все понимает. К тому же неимоверно рада, что муж у нее всего лишь полковник. Стань он генералом, и все — видеть она его будет раз в неделю, когда он забежит помснять рубашку!

— Хотел бы — давно бы стал, — усмехнулся Орлов, похлопал Гурова по плечу и снова взялся за свой мобильник.

Это была старая история. За последние десять или даже больше лет Гурову несколько раз предлагали повышение, в том числе и на генеральские должности, но он каждый раз отказывался под разными предлогами. Однажды даже совсем ушел из органов и занялся частным сыском. Но потом снова вернулся, категорически отказываясь руководить отделами, управлениями и... другими важными подразделениями.

Понимаете, объяснял он своим старым друзьям Орлову и Крячко, я — сыщик, и я не хочу заниматься ничем другим. А став начальником, перестану быть сыщиком. Стану администратором, чиновником, хозяйственником, погрязну в бумагах, которые к оперативному розыску имеют весьма отдаленное отношение. Не мое это! И я не хочу отвечать за работу большого количества людей, мне интереснее работать самому и отвечать за свою работу.

Планерка в Главке уголовного розыска МВД шла своим чередом. Отчеты, планы работы, личные и отделов. Отчеты по делам, находящимся на контроле в Главке. Планы командировок, методические вопросы, подготовка к коллегии министерства, сводка за последние сутки по особо тяжким по крупным городам и регионам, отдельно по Москве. В Екатеринбурге участились преступления, в которые вовлечена «золотая молодежь». Пьяные, обкуренные, а иногда и обколотые дети «больших родителей» носятся по улицам на дорогих машинах, и снова ДТП, сбитые пешеходы. В Забайкалье ограбление инкассаторов. В Москве найдено тело известного бизнесмена Курвихина со следами насильственной смерти. Предварительная версия — ограбление...

— Где? — перебил генерала Лев. — На Кутузовском?

— Да, — ответил Орлов и внимательно посмотрел на него: — А что, собственно...

— Вчера вечером мы как раз проезжали мимо и видели там группу из ГУВД. А личность-то известная.

— Точно, — вставил Крячко. — Я помню пару скандалов за последние года три, когда фамилия Курвихина мусолилась в связи с подкупом столичных чиновников. Только, кажется, ничего не доказали.

— Дела проходили по линии Следственного управления и прокуратуры, — ответил Орлов. — А еще вы забыли о скандале с распилом федеральных денег, выделенных по программе строительства мусороперерабатывающих заводов вокруг Москвы. Но Курвихин опять каким-то образом увернулся.

Молодцы, ребята, что вспомнили прошлые дела этого деятеля. Думаю, что это преступление потянет за собой много интересных ниточек.

— Берем на контроль? — спросил Гуров.

— Я полагаю, что лучше непосредственно поработать вместе с оперативниками МУРа, — предложил Орлов. — Займитесь вы с Крячко.

— Хорошо, будем представителями Главка, — согласился Лев. — Кураторами.

Крячко с оперативниками МУРа Гуров отправил на место преступления, чтобы они еще раз обследовали часть сквера, где было найдено тело Курвихина, а заодно попытались найти свидетелей. Ведь бывают же люди, которые любят вечерами пробежаться по пустынным аллеям или выгуливают там свою собаку. А могут быть и те, кто в это время суток изо дня в день проходит именно этой дорогой домой, или на работу, или по другим делам. Кропотливое, трудоемкое и неблагодарное занятие. Неблагодарное потому, что часто не дает результата. Но делать эту работу надо, потому что один найденный свидетель может повернуть розыск совершенно в ином направлении. Очень легок соблазн махнуть рукой, полагая, что и так все ясно, что все равно никого и ничего не найдешь. И тут старый друг и неизменный напарник Станислав Крячко просто незаменим. Он умеет делать эту работу, умеет ее грамотно организовать и, главное, не дать оперативникам расслабиться.

— Здесь? — указал Гуров на несколько выстроенных в ряд элитных домов.

— Здесь. Вон в том доме, — кивнул майор Шалов, старший оперуполномоченный МУРа, который занимался делом Курвихина.

— Как они вели себя утром при опознании?

— Хорошо держались. Дочь, чувствуется, деваха с характером. Губы скривит, вся, как камень, а глаза сухие.

— Реакция на стресс бывает без слез даже у плаксивых людей, — возразил Гуров.

— Согласен, — кивнул Шалов, сворачивая к нужному дому. — А вот супруга меня поразила. Сами посмотрите на нее. Понимаете, Лев Иванович, я все время никак не мог избавиться от ощущения, что она смотрит на тело мужа, как на закономерный результат чего-то. Такие у нее усталые глаза, такое смирение с произошедшим, будто она все время чего-то подобного и ждала.

Гуров, прежде чем встречаться с близкими погибшего Курвихина, первым делом ознакомился с протоколами опознания тела родственниками и протоколами допроса следователем. Но такова работа сыщика: все нужно увидеть своими глазами, услышать своими ушами, составить свое собственное впечатление, даже если ты и работаешь по этому делу по заданию следователя. Он главный, он ведет расследование, а оперуполномоченный помогает ему при следственных мероприятиях, используя свои оперативные возможности и инструменты. Гуров был свободен от заданий следователя, что давало ему большие возможности работать самостоятельно, на свое усмотрение.

Шалов протянул руку к звонку возле входной двери, но, увидев, что она приоткрыта, толкнул ее, и они с Гуровым оказались в большой и очень уютной прихожей с полами из темного ламината и несколькими массивными настенными светильниками. Светильники были выполнены в стиле примерно XVIII века и выглядели почти бронзовыми.

— Здравствуйте! — Шалов прошел к арке, ведущей в гостиную, где появилась высокая женщина, зябко кутавшаяся в большую шаль. — Это я звонил вам снизу. А это — полковник Гуров, Лев Иванович. Алла Васильевна, мы хотели с вами поговорить.

— Я понимаю, — бесцветным голосом ответила женщина и посторонилась, приглашая гостей войти.

Жена Курвихина смотрела на полицейских, но, кажется, не видела их. Тем не менее Гуров решил пока не приглядываться к ней пристально, чтобы не напугать, не насторожить или вселить в нее неподходящие мысли. Он по опыту знал, что женщины в таком вот состоянии очень мнительны. И одно неосторожное слово или взгляд могут лишить тебя ее доверия, а то и просто настроить враждебно. Неадекватность поведения и психологии женщины в минуты горя можно сравнить лишь с неадекватностью беременной. И там, и здесь организм и психика находятся в состоянии жесточайшего стресса.

Гостиная была большая. Слева дверь, ведущая в кухню, большой плоский аквариум, потом еще одна дверь, наверное, в спальню. Справа пол поднимался пандусом и уходил к окнам во всю стену, за которыми виднелась огромная лоджия. Темная отделка стен и бесшовный натяжной потолок создавали какое-то давящее ощущение. Или это просто казалось так из-за Курвихиной?

— Проходите. — Женщина показала рукой на большой диван, стоявший у окна, медленно подошла и уселась в кресло напротив.

А ведь она еще молодая, подумал Гуров, лет сорок, наверное. Ноги красивые, фигурка приличная, не располневшая в талии. Шея точеная, и волосы совсем... впрочем, волосы можно и покрасить. А вот лицо у Аллы Васильевны старое. Серое, скорбные морщины вдоль рта и у глаз и взгляд потухший. Вот она повернула голову к окну и уставилась на крыши соседних домов. О чем думает? Если включить воображение, то, скорее всего, о полете. Разбежалась бы и полетела... Да, тут и до суицида недалеко.

— Алла Васильевна, — кашлянув, чтобы привлечь к себе внимание, заговорил Лев, — мы с майором Шаловым будем заниматься делом о гибели вашего мужа. Скажите, он в тот вечер говорил, куда собирается ехать?

— Нас уже спрашивали... Сказал, что ненадолго по делу.

— Он что-то захватил из дома? У него было что-то в руках?

— Ключи от машины... Н-нет, больше ничего не было.

— А часто ваш муж вот так поздним вечером куда-то уезжал из дома?

Курвихина напряглась, стиснула пальцами подол халата, но выражение лица не изменилось. Только голос чуть дрогнул, когда она наконец ответила после небольшой паузы:

— Иногда. Чаще он приезжал домой очень поздно, и я не знаю...

— Алла Васильевна, а вы не догадываетесь, что это за дело, из-за которого ему пришлось уехать, и с кем он собирался встречаться?..

— На что это вы намекаете? — вдруг выпалила Курвихина, и из ее глаз хлынули слезы. Дрожащими руками она принялась запахивать халат на коленях, как будто рядом было что-то брезгливо-неопрятное. — Я не знаю... Не знаю!

Ну, ясно, с жалостью глядя на женщину, подумал Гуров. Она бы раньше расплакалась или все время вела бы себя ровно, будь все просто в их семье. А тут явно далеко не просто. Он ведь ей изменял, и она об этом знала или догадывалась. Женщину обмануть сложно, особенно если она сидит целыми днями дома одна.

Хлопнула входная дверь, в прихожей громко застучали по полу каблучки, и в гостиной появилась девушка лет двадцати пяти или чуть старше. Гуров сразу отметил, что в ее одежде слишком многовато подростковых элементов или, по крайней мере, такого, что носят девушки в шестнадцать-восемнадцать лет. И эти волосенки торчком, и пирсинг в ноздре, глаза накрашены слишком сильно, как-то нарочито. А ведь и фигурка, и черты лица, все в ней было симпатично и без этих нелепых ухищрений.

А ведь это какая-то инфантильная форма протеста, или же она просто отстает в развитии, засиделась в подростковом возрасте по причине достатка в семье и возможности ничем не заниматься, кроме получения удовольствий. С такой категорией молодежи Гуров был хорошо знаком по специфике своей работы.

— Эй, что здесь? — решительно подойдя к Курвихиной, спросила девушка. — Вы кто такие? Опять следователи?

— Мы из уголовного розыска, — ответил Гуров. — А вы, видимо, дочь...

— Нет, я сын! — язвительно выпалила она. — А то по мне не видно!

— Видно, — вмешался Шалов. — Видно, что вы агрессивно настроены и пытаетесь грубить. А мы, между прочим, занимаемся розыском преступников, которые...

206

Гуров незаметно толкнул майора рукой в бок, но было поздно. Девушка разошлась, почувствовав давление и нравоучительный тон. Точно, инфантильность!

— А вы их здесь ищете? — выпустила все шипы девушка. — В нашем доме, да? Или вам надо по улицам бегать.

— Полина! — Гуров вспомнил имя дочери Курвихина, фигурировавшей в списке членов семьи. — Беготней по улицам делу не поможешь. Розыск ведется совсем не так, как вам в кино показывают...

Говорить Лев старался спокойным тоном, даже немного меланхолично. Он по опыту знал, что только упорное спокойствие часто нормализует обстановку во время острых бесед. Правда, есть такие категории людей, которые воспринимают спокойствие собеседника как его слабость и от этого только активнее кидаются в перепалки и оскорбления. Что-то ему подсказывало, что Полина была внутри не совсем такой, как старалась выглядеть.

— Делу поможет только информация, Полина, — продолжал Гуров, — а мы ведь о вашей семье и о вашем отце ничего не знаем. Вот и приходится сначала собрать информацию о вас, а потом о тех людях, которые вас окружают, с кем вы общаетесь, с кем работал ваш отец. Мы должны понять, кто и почему его убил. Почему это вообще произошло именно в том месте и в то время. А причин, если подумать, может быть очень много. Увы, не беготней раскрываются преступления, а головой. Мы вот с майором были бы только рады, если дело раскрыть можно было только ногами. Занимайся по утрам физкультурой, вот и вся профессиональная подготовка.

Было видно, что злость в глазах Полины сменилась какой-то досадой. Скорее всего, досадой на себя. Потом она устало прижалась щекой к голове матери, стараясь прекратить ее рыдания. Теперь лучше Аллу Васильевну оставить в покое и поговорить с дочерью. Такие беседы с близкими родственниками сразу после трагедии обычно мало что дают, да и для них это дополнительный стресс. Обычно, но иногда это возможность раскрыть преступление «по горячим следам». И хочешь не хочешь, сыщик, а ты обязан эту возможность использовать, даже если тебе этих людей жалко и ты не хочешь доставлять им дополнительной боли.

— Полина, — поднявшись с дивана и подходя к окну, спросил Гуров, — а вы знаете что-нибудь о том, куда и зачем ваш отец поехал вчера в такое время?

— Нет, — уже спокойно ответила девушка. — Дела какие-нибудь. У них круглые сутки работа. Кто помоложе, те хоть иногда пытаются отдыхать, а как за сорок перевалило, то все... Трудоголики!

Полина отвела мать в спальню, откуда пахнуло корвалолом, потом вернулась, порылась в сумочке в поисках сигарет, и они вышли на большую лоджию, где она рассказала о бизнесе своего отца. Оказывается, Курвихин был владельцем одного из женских глянцевых журналов, который Гуров хорошо знал. Был у него еще новостной интернет-портал. Серьезно он работал и в области рекламного бизнеса.

Пришлось прямо спрашивать и о том, а были ли у Курвихина увлечения на стороне, имел ли он любовницу? Ведь очень часто в преступлениях такого рода действует простой и древний принцип: cherchez la femme. Интересно, думал Гуров, многие люди даже не догадываются, откуда взялось это выражение. Как-то он специально спрашивал в артистических кругах, и ему отвечали с уверенностью, приписывая его древним драматургам, философам, писателям. А ведь оно возникло на рубеже XVIII и XIX веков, дословно переводится как «ищите женщину» и принадлежит простому французскому офицеру полиции Габриэлю де Санте. Это была своего рода методическая помощь в следственном деле, совет опытного следователя. Де Санте уверял, что во всех сложных случаях в основе преступления сопутствующим обстоятельством служит именно женщина, особенно если мужчина ведет себя необычно или мотивация его поступков неясна. Иными словами, преступление совершено или из-за женщины, или ради женщины, или для женщины.

Гурову и в самом деле первым делом пришла в голову мысль, что Курвихин под видом важного дела поехал к любовнице. И вот результат! Труп в сквере рядом с проезжей частью, машины нет... А вот насчет ограбления не все ясно, потому что бумажник оказался на месте, банковская карточка тоже. И никто не знает, сколько у Курвихина было с собой наличных? Об этом следователь всех расспрашивал очень подробно.

— Ну, — остановился Лев возле машины, когда они с Шаловым спустились на улицу, — что ты по этому поводу думаешь?

— Пока ничего, — пожал плечами майор. — Жена — домохозяйка, которая отвыкла работать, а дни напролет проводит в салонах красоты, модных бутиках и «девичниках». Дочка пошла еще дальше. Думаю, что Полина не вылезает из ночных клубов. Алкоголь, сигареты, возможно, что и наркотики или травка. Может, на начальном этапе, поэтому и не видно характерных признаков.

— Вот так просто? — задумчиво спросил Гуров.

— Думаю, что так. Курвихин весь в работе, в бизнесе, а семья сама по себе. И дело тут всего лишь в элементарном ограблении.

— Нет, Глеб Сергеевич, давай будем объективными. Угнанный автомобиль и тело его хозяина с признаками насильственной смерти... Кстати, как его убили?

— Два ножевых. Одно в область печени, второе — в область сердца.

— Умело, заметь, не тыкали, куда попало. Оба удара смертельны. И картина явная: сначала ударили в бок, а потом, когда он согнулся, снова, но уже наверняка — в грудь. Хладнокровно и расчетливо. Так вот, вернемся к версиям, Глеб Сергеевич, и согласись, что угнать машину и тем самым имитировать нападение с целью завладения машиной, самый простой способ попытаться замести следы. Тут может быть несколько версий случившегося. Первое — убийство, связанное с конкуренцией или иными трениями в области коммерческой. Второе — попытка предотвратить вхождение Курвихина во власть. Мы пока не проверяли, но все они рано или поздно пытаются туда попасть, с тем чтобы лоббировать свои коммерческие интересы. И даже не свои, а своей группировки единомышленников.

— Третье, — продолжил с улыбкой Шалов, — причастность к криминалу и убийство на этой почве. Тоже придется порыться в его связях. Не исключено же?

— Не исключено, — согласился Гуров. — Еще?

— Обычная «бытовуха», — пожал плечами майор. — Огромная доля преступлений совершается именно на этой почве. Ревность жены, обида за измену или нежелание отдавать любовнице, метящей в новые жены, своего имущества. Могла быть и месть любовницы за то, что бросил, ушел к другой, да, черт возьми, за то, что квартиру не купил!

— Не говоря уже о муже любовницы, который отомстил за свои рога, — кивнул Гуров. — Ну, твои действия?

— Составлять планы работы по всем версиям, — устало улыбнулся майор.

Гуров выразительно развел руками, как будто говоря — вот ты и сам все понимаешь. Он уселся на пассажирское сиденье и вдруг почему-то подумал, что давно не звонил телефон, за час ни одного звонка, да еще в начале такого сложного дела. Обычно телефон раскаляется докрасна к концу первых суток расследования. Гуров нащупал на поясе чехол, вытащил аппарат. Так и есть — разрядился и выключился.

— Глеб Сергеевич, у тебя тут в машине зарядника случайно нет?

— А у вас какой аппарат? А, новый! Возьмите в бардачке. У меня с универсальным разъемом.

Станислав Васильевич Крячко посмотрел, как молодые оперативники с готовностью покинули его машину, и неторопливо выбрался сам. Гуров рассказал про этих Малкина и Борисова много хорошего. Быстры, находчивы, четкое оперативное мышление. Саша Малкин здоров как бык, а Вадик Борисов прирожденный актер и... говорят, бабник. Хотя Гуров его, кстати, так и не понял, только однажды проворчал, что ему в театре играть, но при этом как-то странно улыбнулся.

Сейчас ребятам предстояло заниматься совсем другим делом. Делом, которое обычно не любят молодые опера — монотонное, скучное занятие, на протяжении всего времени обвязывающее поддерживать максимальное внимание, концентрацию. Даже поквартирный обход в районе совершения преступления делать не так скучно, хотя и не менее утомительно. Там при опросе каждого нового человека ждешь интересной и важной информации, да и сам процесс уже заставляет концентрировать внимание. А осмотр места преступления притупляет его, потому что ищешь, сам не зная чего. Что-то такое, что может иметь отношение к данному преступлению.

— Ну, вот, орлы, — нажав кнопку на брелоке, торжественно провозгласил Крячко, дождавшись, пока сигнализация подаст квакающий сигнал. — Отсюда — или со щитом, или на щите, как говорится.

— Я бы предпочел на машине, — пошутил Борисов и тут же сделал виноватое лицо.

— Острякам слово не давали, — добродушно отозвался Крячко. — Ты, Вадик, берешь участок от дороги до линии кустов, это твоя полоса. Моя полоса — от кустов до пешеходной дорожки. Ты, Саша, осматриваешь все от дорожки и метров на десять дальше. Все понятно?

— А кусты чьи? — тут же спросил Борисов. — Сашку-бугая вообще проблематично тащить.

— В смысле? — удивленно посмотрел на Вадика Крячко.

— Чьи, чьи... Кусты собачкины, — пробасил Малкин и, двинувшись к своему участку осмотра, бросил через плечо: — Поосторожнее там, Вадик. Кусты любят собачки.

— Кусты наши с тобой, — ответил Крячко. — Может, начнем работать? Или будем стоять и шутить?

— Извините, Станислав Васильевич? — понурился Борисов с мастерским артистизмом. — Я просто хотел всем поднять настроение.

Молча смерив оперативника взглядом, Крячко повернулся и двинулся к своему участку. Им предстояло еще раз осмотреть весь район места преступления. Тут убили бизнесмена Курвихина. Как он попал сюда, был на своей машине или приехал на такси или на метро. Машину сразу же передали в ориентировку ГИБДД. Там объявили план-«перехват», но что даст этот план, если его ввели через несколько часов после смерти хозяина? Смерть, по мнению экспертов, наступила в период около одиннадцати вечера, а случайные прохожие нашли тело в половине первого ночи.

Хорошие ребята, понаблюдав за оперативниками, подумал Крячко. Мы с Гуровым такими же были в их годы. И шутить пытались, и за девушками ухлестывали. Хотя это я ухлестывал. Для нас с ним наша работа — все, а для них же пока просто любимая работа. А всем она станет позже, когда врастет в кожу, в кости, в мышление. Ишь, работают! Внимательно, не спешат... Ладно, займемся...

Крячко не пошел сразу «змейкой», как делают, когда осматривают более или менее значительный участок территории. На нем были три лавки вдоль аллеи, ряд кустарника и большой травянистый участок между ними. Если ходить от лавок к кустам «змейкой», можно ошибиться с точкой, от которой начал обход.

Пришлось идти сначала вдоль кустарника. Медленно шагая и вглядываясь в траву, Крячко прикидывал, как все могло быть. На той стороне в траве нашли несколько капель крови. Здесь, где лежало тело Курвихина, тоже была кровь, и форма пятна вполне соответствовала ситуации — она вытекала из двух ран. Экспертиза подтвердила, что и на той стороне, и здесь кровь одного человека — Курвихина. Значит? Крячко остановился и присел на корточки. Окурок! Тонкая сигаретка, сгоревшая до фильтра. Вчера ее не заметили? Он поднял окурок, помял в пальцах — мягкий, свежий. Поднес к носу... бросили совсем недавно. После убийства.

На чем я остановился, напомнил себе Станислав. Ах, да, кровь и там, и по эту сторону. Ударили ножом, в брюшину. Он согнулся от боли, его быстро протащили через кустарник, там есть пара свежесломанных веточек, и ударили еще раз ножом здесь. В сердце. Потом бросили тело и скрылись. И что теперь можно тут найти, учитывая, что осматривали с фонарями «влегкую» ночью, а потом еще раз утром?

Крячко знал, что инициатором этого дополнительного осмотра был Гуров. И он понимал напарника — свое мнение на то и свое, что основывается на собственных впечатлениях и выводах. Обычно в таких местах напрямик не ходят. Но все бывает. И лучше потом отсеять часть улик, как вот этот свежий окурок, чем пропустить нужный. След каблука на мягкой земле, оторванная пуговица, выпавшая бумажка из кармана, окурок, отцепившаяся запонка и тому подобное. Понять бы еще, на чем он приехал сюда. Из дома он уехал на машине, значит, она должна была быть здесь, но была ли?

— Вадик! — зычно крикнул Крячко, сидя на корточках у кустов.

Оперативник примчался рысью и с готовностью присел рядом, бегая глазами по земле. Видимо, он решил, что полковник из Главка что-то нашел.

— Вадик, что там у вас известно? Напомни, на какой машине ездил погибший?

— У-у, — солидно кивнул опер, — тачка у него была статусная. «БМВ» пятой серии, «Гран Туризмо». Мощная зверюга. Комплектация с полным приводом, 450 «лошадок» в движке.

— Дорогая, наверное?

— Она только в базовой комплектации больше трех с половиной миллионов стоит. Ну а у нас в салонах базовую все равно не купить, не выгодно им это. Да и у Курвихина, я думаю, наворотов в ней было много. Кстати, она черного цвета. А что?

— Да так, — поднимаясь на ноги и рассеянно глядя на дорогу, ответил Крячко. — Ясно, что пятен масла у тротуара мы не найдем. Не те времена, чтобы по пятнам находить машину.

— Это вы про времена нэпа сейчас? — не удержался Борисов.

— Очень смешно, — проворчал Стас, — обхохочешься. Иди работай.

Осмотр продолжался. Трое мужчин чуть ли не на четвереньках, квадрат за квадратом, обследовали территорию бульвара. На них смотрели из окон проезжавших машин, на них показывали пальцем дети, косились редкие прохожие. Каждый думал о своем и выдвигал свою версию происходящего. Часто несерьезную, комичную. Но почти всегда очень далекую от истины, потому что обыватель представлял себе работу уголовного розыска по нелепым фильмам, в которых

213

даже близко не водились консультанты из числа профессионалов-оперативников или хотя бы людей, частично знакомых со спецификой этой службы.

Звонок прозвенел неожиданно. Крячко вытер кончик носа тыльной стороной ладони и полез в карман за мобильником. Он не любил, когда прерывают такую вот кропотливую работу, но за долгие годы службы уже привык к тому, что неожиданные звонки, как правило, важны. Тем более звонки полковнику полиции, работавшему в Главном управлении уголовного розыска МВД страны. Номер принадлежал дежурному ГУВД Москвы, и это настораживало.

— Слушаю, Крячко! — привычно отозвался Станислав.

— Товарищ полковник, — звонко отрапортовал голос в трубке, — помощник оперативного дежурного майор Синицкий. Срочная информация для вас и полковника Гурова. Но Гуров недоступен... разрешите доложить?

— Ну, давай, давай, — недовольно проворчал Крячко.

— Есть сообщение от старшего оперуполномоченного капитана Шишкова. По угонам. Я передам ему трубку?

— Давай, что там у него...

— Здравия желаю, — сменился голос в трубке. — Товарищ полковник, по оперативным данным, по городу сейчас движется автомобиль «Мерседес», седан Е класса, коричневого цвета, госномер — три двойки.

— Ну? — тут же все понял Крячко и призывно поднял руку, делая знаки своим помощникам.

— Хозяин машины об угоне не знает, он сейчас за границей на отдыхе. Я принял решение «вести» машину издалека и осторожно...

— А если упустишь?

— Вряд ли. Я уже знаю, куда ее гонят, но не хочу их спугнуть, в том числе и тех, кто готовит машину к перепродаже.

Крячко Андрея Шишкова знал. Капитан специализировался в МУРе именно на угонщиках и базах по переделке угнанных машин. Парень был несколько флегматичным, но его старательность и рассудительность давали хорошие результаты. А еще Шишкова отличала способность убеждать начальство. Он настолько методично и скрупулезно разрабатывал не только свои операции, но и доклады, что начальство зачастую теряло терпение и давало «добро». Хотя, «добро» Шишков получал еще и потому, что ему привыкли верить.

Сейчас капитан снова был прав в своих рассуждениях. Рисковать и начать операцию-«перехват» опасно, если есть шанс получить точную информацию о месте, где переделывают краденые машины, и о самой преступной группе. Риск упустить одного угонщика и шанс получить в руки целую сеть.

Свою идею Шишков изложил Крячко коротко, но сложность была в том, что оперативную информацию он получил неожиданно, и времени на сбор группы захвата у него не было. Привлекать ОМОН в таких случаях еще более опасно. Ведь место проведения операции стало известно только что, и нет гарантии, что при появлении бойцов ОМОНа большей части бандитов удастся уйти или удастся ликвидировать следы преступления. Тут работать надо тоньше, тут надо играть.

— Слушай меня, — приказал Крячко, загоревшись перспективами выйти и на угонщиков машины Курвихина. Может быть, здесь есть какая-то связь. — У меня сейчас под рукой двое помощников из вашего ведомства. Ребята опытные, крепкие. Это Вадик Борисов и Саша Малкин...

Майор Шалов тронул машину, вывел ее через арку между домами и остановился у пешеходного светофора, ожидая зеленого света. Гуров неторопливо, погруженный в свои мысли, распутал провод зарядного устройства, потом вставил его в «прикуриватель», подсоединил телефон, дождался сообщения, что зарядка идет, и попытался включить его.

— Так вот, Глеб Сергеевич, — начал Гуров, но тут телефон завибрировал и разразился нетерпеливой трелью. — Вот, началось, — усмехнулся Лев.

Майор Шалов покосился на полковника, отмечая, как у того меняется выражение лица. Только что он был задумчив, погружен в себя, даже немного меланхоличен и вдруг весь подобрался, сжался, как пружина, лицо сделалось сосредоточенным, даже черты как-то заострились.

— Понял, Стас, понял, — торопливо говорил Гуров. — Где это? Давай, мы сейчас с Шаловым тоже подскочим. И никакой там без меня самодеятельности. Переторопят! Хотя капитана Шишкова я знаю. Но все равно, ждать меня!

— Шишков? — переспросил майор. — Это наш? Андрей?

— Да, он сейчас машину одну «ведет». И у него якобы есть данные о месте, где их переделывают и готовят к перепродаже. Разворачивайся, Глеб Сергеевич!

Гуров с неудовольствием понял, что Шалов не знает этого района Москвы. Они проехали Кузьминки и углубились в микрорайон, сплошь застроенный старыми кирпичными пятиэтажками. Сюда программа переселения из ветхого жилья, видимо, еще не добралась. Лев смотрел на ухоженные дворики, на газончики под окнами и свежевыкрашенные цветные лавки у подъездов. Отдавало старыми московскими пригородами, какими они были в шестидесятые. Хотя Кузьминки давно уже не окраина, а местами дух сохранился, дух старой Москвы, дух детства.

— Сейчас направо, — показал он рукой.

Лев следовал указаниям Крячко, которые тот давал по телефону. Сам Станислав уже подъезжал к месту с двумя молодыми оперативниками. Где-то там были частные гаражи, а среди них и несколько боксов, в которых, по сведениям капитана Шишкова, отстаивались угнанные машины, готовящиеся к перепродаже. Это был реальный шанс взять с поличным группу московских угонщиков. А значит, был шанс выйти через них на заказчиков, а может, и на других угонщиков, тех, кто угнал машину Курвихина. Или убедиться, что убийство совершено не из-за машины. Использовать надо все подворачивающиеся шансы.

— Вон до того магазина, — снова показал рукой Лев, — а потом направо. И за магазином остановитесь.

Шалов сбавил скорость и плавно притормозил у обочины за указанным магазином. Рядом топтался и с задумчивым ви-

216

дом рассматривал проходивших мимо девушек старший лейтенант Вадик Борисов, однако успевал следить и за дорогой. Как только машина Шалова остановилась, а Гуров открыл дверь, Борисов двинулся к нему.

— Здравия желаю, — поздоровался он с Гуровым, потом наклонился и кивнул майору. — Станислав Васильевич с Сашкой пошли осматривать местность, а я вас жду.

— Где Шишков?

— Не видел. С ним Крячко разговаривал по телефону. Думаю, что Шишков где-то уже там. — Оперативник кивнул в сторону детского сада за высоким ажурным забором. — Он передал, что машина, которую он «вел», где-то тут на территории. Они сейчас пытаются определить, в какой бокс ее могли загнать.

В машине зазвонил мобильник, и Гуров наклонился, выдергивая из аппарата зарядное устройство. Звонил Крячко.

— Лев Иванович, мы внутри, — тихо проговорил он. — Ты на месте?

— Да, я с Шаловым. Здесь Вадик Борисов.

— Отлично... — В воздухе повисла небольшая пауза. — Мы засекли бокс. «Мерседес» с номером «222» подогнали к воротам бокса 183. Один угонщик вошел внутрь, второй курит у машины

— Сколько выездов из кооператива? — спросил Гуров.

— Три, надо полагать. Один тот, где вас встретил Борисов, второй, сквозной, почти напротив, на другой стороне территории кооператива. А третий — в глубине справа, но там ворота из прутка, и он заперт. Думаю, это хозяйственный въезд.

— Я оставлю Шалова с машиной у этого выезда, — предложил Гуров. — Вы можете блокировать свое направление?

— Запросто, — хмыкнул Крячко. — И еще, Лев. У нас тут подозрение родилось. Боксы в середине имеют общую стену. Нет ли там внутри сквозного прохода в следующий бокс? Отправлю-ка я туда Сашу Малкина.

— Хорошо. Я иду к вам с Борисовым. Как только поравняемся с боксом, вы начинаете. Мы — следом.

Гуров шел между гаражами, старательно делая вид, что он зол и раздражен. Вадик Борисов мастерски подыгрывал ему. Это была старая схема, почти классика теории неожиданного захвата. Преступники всегда внимательны, когда совершают преступление или когда уже совершили и пытаются скрыть следы или скрыться сами. Тот парень возле угнанной машины, что стоял и курил, явно настороже. Он один на улице, он подозрителен. Что он подумает, увидев незнакомых людей, подбирающихся к боксу?

Чисто психологически подозрительным кажется человек, который спокоен или который идет медленно, крутя головой по сторонам. Почему? Да все просто. Преступник и сам бы так себя вел, поэтому невольно проецирует свое понимание образа, свое возможное поведение.

На этом оперативники и построили свой хитрый ход. Гуров и старший лейтенант Борисов, наоборот, всячески привлекали к себе внимание, заставляли смотреть на себя, вели себя, с точки зрения осторожных преступников, нелепо. Им и в голову не придет, что эти двое — оперативники. Вон, молодой забегает то справа, то слева и что-то канючит у старшего, оправдывается. А тот, что постарше, только машет рукой и чуть ли не на всю улицу обзывает молодого придурком, олухом, бездарем. Что-то он там испортил, куда-то полез, куда ему лезть не велели. Короче, накосячил!

Парень у машины докуривал сигарету и с интересом смотрел на разыгрываемый перед ним спектакль. Судя по его лицу, он даже пытался понять, а за что старший так взъелся на молодого, и настолько отвлекся от наблюдения за окружающим его пространством, что не заметил, как, низко приседая на корточках, вдоль ворот соседних боксов пробирается старший лейтенант Малкин. Но долго это продолжаться не могло, потому что преступник мог опомниться и в любой момент оглянуться.

Гуров прибавил шагу и, поравнявшись с «Мерседесом», громко сказал условное «давай». Малкина от спины угонщика отделяла всего пара метров. При всей своей массивности Сашка мог преодолеть это расстояние чуть ли не одним прыжком. Преступник заподозрил неладное в самый последний момент. Наверное, увидел торжествующий злорадный блеск в глазах Вадика Борисова, выражение лица которого вдруг изменилось с угрюмо-просящего на сосредоточенное и немного веселое.

Угонщик выронил сигарету и машинально отпрянул назад, когда Вадик кинулся к нему, но тут же попал в стальные объятия Сашки Малкина. Вадик отбил вылетевшую в его сторону ногу, выхватил из кармана рулон скотча и мгновенно залепил преступнику рот. Они вдвоем завернули парню руки за спину, сковав их наручниками, и молниеносно обшарили карманы, ощупали руки под курткой и ноги под штанинами. Оружия не было.

Крячко с пистолетом на изготовку уже стоял рядом. Он взял задержанного за нижнюю челюсть, повернул его голову к себе и, недобро сверкнув глазами, спросил:

— Сколько человек внутри?

Парень только прищурил глаза и промычал что-то нечленораздельное. Сквозь скотч послышались лишь обрывки слов, из которых можно было предположить, что слова из непечатного лексикона.

— Напрасно, — усмехнулся Крячко. — Было бы лучше начать сотрудничать. Каждое твое мычание наматывает тебе срок. И не надо нас злить. Мы и так сегодня не очень добрые. Ну, будешь говорить?

— Бесполезно, Станислав, — покачал головой Гуров. — Оставь тут с ним Вадика, и пошли внутрь.

— Лев Иванович, — горячо зашептал Борисов. — Да мы там всех слепим, как родных, чего вам туда идти? Мы молодые, крепкие, нам не впервой. Полковники на задержание не ходят.

— Ну, разговорился, — поморщился Лев. — Про полковников он знает... Я, между прочим...

— Правда, Лев Иванович, оставайся, а мы туда. Ты начальник, твое дело руководить, — неожиданно принял сторону молодых оперативников Стас.

— Время теряем! — еще больше нахмурился Гуров.

— Ну, мы пошли, Лев Иванович, — улыбнулся Крячко обезоруживающей улыбкой.

— Ладно, аккуратнее там, — кивнул Лев.

Он был недоволен, что его так опекают, тем более старый друг и давний напарник Крячко. Станислав тоже не молод, и его физическая форма не лучше, чем у Гурова. Но затевать споры при молодых оперативниках не хотелось. Отругать Стаса потом? Гуров в очередной раз подумал, что делать этого не станет. Сколько уже было таких или примерно таких ситуаций, когда Крячко откровенно оберегал старого друга.

Дверь в воротах бокса открылась и плавно закрылась за оперативниками, так что Льву оставалось смириться с ролью начальника. Стас справится там, не в таких переделках бывал. Гуров взял торчавшего столбом рядом с ним задержанного угонщика за шею и одним движением согнул его пополам, заталкивая на заднее сиденье «Мерседеса».

— Сиди смирно, — напутствовал он парня. — Учти, что ты нам не очень нужен. Решишь бежать, буду стрелять.

Сейчас должны были подъехать бойцы ОМОНа для завершения операции. Эту часть гаражного кооператива придется оцепить, нужно провести доскональный обыск всех помещений, да и задержанных придется транспортировать в управление. И тут внутри бокса отчетливо прогремел выстрел. Потом, почти сразу, еще два...

Когда Крячко, пропустив молодых оперативников, вошел в бокс, то сразу понял, что дело тут поставлено хорошо. Надежно! Большой бокс, на две машины, с высокими воротами внутри был заставлен стеллажами с различным железным хламом, банками и канистрами, и в середине помещения красовались две «Лады» весьма унылого вида. Обычная мастерская, не оформленная в налоговой инспекции. За капотом одной из машин склонилась спина в грязной спецовке.

Но опытный взгляд сыщика сразу отметил несколько деталей, которые подсказали, что мастерская с двумя проржавевшими и заезженными «Ладами» — это лишь камуфляж. Во-первых, на стене висел стабилизатор напряжения РЕ-

САНТА, рассчитанный как минимум на 10 киловатт. Многовато для обычной мастерской. Ну, «болгарка», ну, сварочный аппарат, может, аппарат точечной сварки решили поставить дополнительно, хотя обычно в таких мастерских обходятся прекрасно полуавтоматом. Вывод один — одновременно работает несколько энергоемких инструментов. А бокс на две машины. Странно.

Второе, на что Крячко сразу обратил внимание, это стеллажи у задней стены бокса. Только эти стеллажи из множества установленных вдоль всех стен имели колесики. И завалены эти стеллажи были всяким хламом, но... легким хламом! Какие-то обрезки тонкой гнутой жести, пустые грязные пластиковые канистры, комки грязной ветоши и... пустое пространство, совсем небольшое, всего сантиметров тридцать. Но зачем оно? Почему стеллажи не установить вплотную друг к другу. И непонятно, зачем там стоит пластиковая панель. Такими панелями стены обивают. Зачем она между стеллажами, да еще такая грязная, захватанная грязными масляными руками.

— Вы... че? — Сбоку от поднятого капота показалось настороженное лицо. — Вы кто?

— Ты не узнал, что ли? — расплылся Крячко в широкой улыбке, неторопливо продвигаясь между двумя машинами.

Механик закрутил головой, видя, что двое неизвестных парней обходят его с двух сторон. Крячко улыбнулся еще доверительнее и подмигнул для большего эффекта.

— Ты че, мы же пару недель назад тут были. Забыл? И про железо кое-какое для меня договаривались. Кто мне обещал задние стойки для «мерина» 2005 года? И капот грунтованный?

Крячко понял, что его помощники только все испортили. Надо было или кидаться всем сразу вперед, или ему одному идти на контакт, а Борисову и Малкину торчать у входа. Понадеялся я на их опыт, с досадой подумал Стас. Эх, времени не было на подготовку.

Механик неожиданно одним прыжком отскочил от машины в угол. Крячко на миг потерял его из поля зрения за поднятым капотом. Самым опасным бывает вот так очертя голову, кидаться вперед, не видя противника, не понимая его замыслов. Так и нарываются на пули, а то и гранаты. Перепуганный преступник порой очень опасен. Он начинает крушить все вокруг, нисколько не задумываясь о последствиях. Гибнут прохожие, взрываются здания, машины. Благо здесь закрытое помещение...

В воздухе что-то мелькнуло, и слева от Крячко метнулось большое тело Саши Малкина. Вадик Борисов с пистолетом в руке появился справа у стеллажей, и Крячко тоже бросился вперед. Все осмысление ситуации произошло за доли секунды. Сашка Малкин понял, что остановить механика они не успевают, что тот бросился в угол бокса с неизвестными намерениями, и принял самое простое решение в данной ситуации. Простое, но выполнить задуманное мог лишь он, и только он.

Пролетевшее мимо Крячко было пятилитровой канистрой с отработанным моторным маслом. Она чудом не попала механику в голову, но, ударившись ему в плечо, швырнула молодого крепкого мужчину на стеллажи. От удара задрожала стена, и сверху на поверженное тело посыпался всякий хлам. Механик попытался встать, но из лопнувшей канистры ему под ноги вылилось масло, и он заскользил, как новичок на коньках.

Именно в этот момент, почти совпавший с ударом тела механика в стеллажи, стена вдруг стала двигаться, приоткрывая проход. Вот для чего нужны колесики, догадался Крячко. И не надо стеллажи отодвигать, они двигаются вместе... И тут ударил выстрел! Как раз оттуда, из приоткрывшегося проема. Крячко был готов к подобного рода неожиданностям и сразу присел за крылом ближайшей «Лады». Он больше опасался не за себя, а за Вадика Борисова, который был единственным из оперативников открытым.

Но Вадик не подвел. Отпрыгивая назад, он, не глядя, выпустил из пистолета две пули в проем и заорал что было силы:

— Две гранаты! Быстро! Всем в укрытие! Живыми не брать...

Сашка Малкин подобрал с пола ржавый рычаг со ШРУСом и швырнул его в проем. Вместе с грохотом железа, попавшего в какое-то ведро, и воплем поскользнувшегося и падающего лицом в разлитое масло человека кто-то закричал на очень высоких нотах с кавказским акцентом:

— Не стреляйте, не стреляйте! Сдаемся!

— Никому не шевелиться! — подал начальственный голос Крячко. — Одно резкое движение, и я отдаю приказ стрелять на поражение. Там, за стеной, сколько вас?

— Трое нас, трое, — ответил все тот же голос с акцентом.

— Выходить по одному, — приказал Крячко. — В проеме вставать, оружие кидать вправо, потом с поднятыми руками медленно идти к воротам. И выполнять приказы. Ясно? Первый пошел!

В проеме завозились, кто-то стал тихо переругиваться. Потом там что-то уронили, и чей-то новый голос обозвал кого-то дебилом. Первым вышел мужчина лет сорока, с явными признаками принадлежности к кавказским народам. Он был одет в клубный пиджак, облитый спереди грязным маслом. Как, собственно, и нижняя часть его лица, и колени.

— Я тут никто, — торопливо заговорил кавказец, выходя на открытое пространство и брезгливо осматривая себя. — Я случайно зашел! Зачем все это? Зачем стрелять, зачем кричать?

— Молча! — рявкнул Крячко, прислушиваясь к звукам снаружи. — Молча отошел к стене! На пол! Лицом вниз!

Кавказец что-то продолжал ворчать, но на людей с оружием поглядывал с опаской. А может, он больше боялся тех, кто оставался за стеной и кого Крячко сейчас не видел? Вадик Борисов аккуратно взял кавказца за плечо и уложил у стены на пол. Сам он остался сидеть рядом на корточках, держа на мушке проем в стене.

— Эй, вы там! — крикнул Стас. — Второй пошел!

То, что он услышал, ему не понравилось. Показалось, что за стеной мужской голос сказал короткую фразу, похожую на «всего трое». Сыщик поднял руку, но Сашка Малкин все понял или тоже расслышал сказанное преступниками. Его крупная фигура неслышно сместилась ближе к стене, потом он, присев на корточки, прошел мимо смирно лежавшего механика, сделав ему попутно угрожающий жест.

— Не дурите там! — заорал что есть силы Крячко. — Одно резко движение, и мы в три ствола из вас решето сделаем. Срок отсидеть можно, а жизнь не вернешь!

За стеной затихли, потом второй голос ясно произнес «на хрен... пошли». Первым вышел высокий смуглый парень, держа в стороне от себя двумя пальцами пистолет. Демонстративно опустив руку, он бросил оружие и забегал глазами по гаражу. Лицо у этого человека было недобрым, очень недобрым. Десятки лет, посвященных уголовному сыску, научили Станислава видеть человека глубже других. Этот тип мог убить. Наверняка на нем висят трупы. Этот церемониться не будет. И палец Крячко плотнее лег на спусковой крючок...

Гуров с облегчением слушал звук приближающихся автомобильных моторов, коротко крякнувшего у въезда на территорию звукового сигнала. ОМОН прибыл. Он продолжал стоять у ворот бокса, держа перед собой пистолет двумя руками. Он слышал голоса, слышал уверенные интонации Станислава. Все нормально, Стас не подведет. А ведь афера все это была! По шапке вам надавать, полковники! Как мальчишки ринулись на неподготовленный захват. Орлов узнает — наслушаются они от него много чего не очень лестного в свой адрес.

Глава 2

Генерал Орлов расхаживал по кабинету, морщась и прихлебывая из стакана воду. Гуров и Крячко сидели у приставного столика и переглядывались. Петр Николаевич Орлов хоть и был для них старым другом, но он был и начальником, а годы службы с погонами на плечах приучают в некоторых ситуациях проводить грань между личным и служебным. И сейчас начальник был не в духе, начальник всем своим видом выражал недовольство. Начальство гневалось, но пока тихо.

— Изжога, — толкнув Гурова локтем в бок, сочувственно прошептал Крячко. — Плохи наши дела.

— Я все слышу, — буркнул Орлов, возвращаясь к столу и ставя на него с недовольным стуком стакан.

— Я к тому, Петр, — с самым невинным видом сказал Стас, — что в наше время создано много вполне безопасных и очень эффективных средств от изжоги. А ты все по старинке водой пользуешься. Вот возьмем, например, Алмагель. Прекрасное средство от изжоги. Или Гастал, Маалокс, Гастрацид. Сам часто пользуюсь. А вот Ренни...

— Так, — выразительно посмотрел на него генерал, — ты мне зубы тут не заговаривай, знаток-провизор. Ты зачем с парнями в гараж полез? Почему ОМОН не дождался?

— Послушай, Петр, — смущенно проворчал Гуров. — В конце концов, я старший, это моя провинность. Да и риска особого не было.

— Ох, ребята, — устало махнул рукой Орлов. — Ну, что вы, в самом деле, как дети. Женщин своих не жалеете, так меня, старика, пожалели бы. Друга старого! Мне-то каково будет, если с вами что-то случится, я за вас во всех отношениях отвечаю. Не наигрались еще? До полковников дослужились, а вам все с пистолетиками побегать хочется? «Стой, руки вверх!»

— Ну, ты, — откашлялся Гуров, глядя в крышку стола, — палку-то не перегибай. Какая там опасность... С нами было трое молодых крепких и опытных оперативников. Стрелять бы никто не стал. Это яснее ясного и... и ладно, прости, Петр.

— Ох, устал я с вами, — покачал головой Орлов. — Тебе рапорт показать? Я могу запросить в МУРе. Это рапорт старшего лейтенанта Борисова о расходовании двух боевых патронов во время задержания...

— Да это он для острастки, — тут же вмешался Крячко. — Это фактически были выстрелы в воздух. Предупредительные.

— Ну да... Одна пуля Борисова расплющилась о противоположные ворота бокса, пролетев в проем в стене, вторая застряла в кирпичной кладке правее. Есть еще и третья, которая рикошетом отлетела от стены над головой того же самого

225

Борисова и была найдена экспертами в смотровой яме. Совсем никакой стрельбы и никакой опасности.

— Вообще-то это хорошо, что они первыми выстрелили, — тихо заключил Крячко. — Это рычаг против них на допросе. Вооруженное сопротивление...

Гуров толкнул под столом напарника ногой, и Стас тут же замолчал. Он снял с руки часы и принялся старательно возиться с металлическим браслетом, как будто никакого разговора и не было. Гуров сложил руки в замок, оперся на них подбородком и, с сочувствием глядя на Орлова, тихо произнес:

— Стареешь, Петр. И ты стареешь, и мы стареем. Вот ты уже и брюзжишь на старых друзей. А ведь это наша работа. Наша работа лазить за преступниками, твоя — волноваться за нас. В нашей работе всегда надо работать прежде всего головой. И ты это знаешь, и мы это знаем. И если уж ситуация была такова, то мы ее со Стасом просчитали сто раз. Я же понимаю, что порой на тебя находит, и ты нам немного завидуешь. Завидуешь, что мы можем иногда вот так, лицом к лицу с преступниками, что мы все еще сыщики. А ты хоть и наш начальник, но уже администратор. Руководить оперативниками — это уже немного не то, а ты ведь сыщик по натуре, Петр. До мозга костей.

— Мудрый Гуров, — усмехнулся Орлов. — Всегда всем все разъяснит, всегда докажет свою правоту, всегда добьется, чтобы было по его, и всегда знает, что он прав. Ладно, мужики, давайте к делу. Итак, что мы имеем?

— Самое главное, — погасив пробивавшуюся было улыбку, тут же ответил Гуров, — что во втором боксе мы нашли машину Курвихина. Случайность, невероятная случайность, но так бывает.

— Случайность, — многозначительно поднял палец Крячко, — есть закономерный результат долгой и кропотливой работы в данном направлении.

— Ну да, — согласился Гуров. — Надо отметить Андрея Шишкова, чьими стараниями мы так быстро, хотя и случайно вышли на угнанную машину Курвихина. Номера на ней перебиты, документы изготовлены для перегона мастерски. Покупатель сознался, что знал обо всем. И что машина в угоне, и что документы липовые.

— Кто он, этот кавказец? — спросил Орлов.

— Некто Мамедов. Его сейчас пробивают по всем каналам, но, скорее всего, он просто перекупщик. Отгонит машину на Кавказ, там она, скорее всего, попадет в Азербайджан, а оттуда, через третьи уже руки, в Среднюю Азию. Нам больше интересны сами угонщики. Пока МУР занимается механиками из этого подпольного гаража, разрабатывает всю цепочку и вычисляет хозяев этого бизнеса, нам следует покрутить парней. Удалось пока выяснить лишь то, что «БМВ» Курвихина в бокс пригнали они.

— Что на них есть?

— Очень мало, — раскрывая папку и доставая лист бумаги с текстом, ответил Крячко. — Это Шмарков Александр Николаевич, 1984 года рождения. Москвич. В мастерской и по месту жительства его знают по кличке Шура Шмон. Не судим, но на примете у участковой службы давно. Так сказать, в группе риска. Агрессивен, но алкоголем не злоупотребляет. Он в их дуэте был за отвлекающего. Или хозяина отвлечь, или полицию задержать, если засекут во время угона. Думаю, несколько эпизодов с угонами ему докажут, потому что с такой ролью он обязательно должен был мордой своей засветиться.

— Мы его возле бокса первым стреножили, — напомнил Гуров. — Жаль, труднее теперь с ним будет работать. Он же практически не оказывал сопротивления. Не успел, Саша Малкин поработал. Ладно, читай, Станислав, про второго.

— Второй — личность более известная, правда, в специфических кругах, — продолжил Крячко. — Раззуваев Юрий Вадимович, 1986 года рождения, кличка Жора. У этого Жоры за плечами, в отличие от Шмона, богатое прошлое. Во-первых, три с половиной курса МАДИ[1], между прочим, факультет автомобильного транспорта.

---

[1] МАДИ — Московский автомобильно-дорожный государственный технический университет.

227

— Даже так, — хмыкнул Орлов. — Даже не спрашиваю, какую роль играл в их дуэте этот Жора. Значит, наблатыкался машины вскрывать и образование побоку, пора зарабатывать.

— И это еще не все, — продолжил Крячко. — Раззуваев дважды проходил по делам об угонах автотранспорта. Первый раз он оказался свидетелем, а второй раз его вина не была доказана. Мы выясним, конечно, нюансы, но, насколько удалось узнать на бегу, это дело тогда вел скандально известный следователь Сырников, уволенный позже за систематические нарушения.

— То, что не попался, говорит о его хитрости, — согласился Орлов.

— Это уж точно, — кивнул Крячко и выразительно посмотрел на своих друзей. — Вы знаете, что очень характерно именно для Жоры? То, что его все знают.

— В смысле? — недоуменно посмотрел на него Лев.

— В том смысле, что проводился сбор информации по агентурным источникам, и почти во всех преступных группировках, во всех разобщенных и не разобщенных группах Жору знают. Естественно, знают его рядовые участники, но они не могут определенно сказать, что связывает этого Жору с их командирами. А о делах Жора говорит только с людьми авторитетными, с теми, кто принимает решения.

— Ну, понятно, — кивнул Орлов. — Жора в преступной среде фигура востребованная благодаря своим техническим талантам и намекам на техническое образование. Без одного года бакалавр, говоришь? Любопытно. А остальные задержанные в боксе на тот момент?

— Да, — махнул рукой Лев, сосредоточенно глядя в окно, — это все шушера. Мелочь, которая знает только порученное ей дело. Один обеспечивает «легенду», ремонтируя отечественный «чермет», второй работает по иномаркам, которые ему пригонят, и не знает никого и ничего.

— Покупателя знает, — пожал плечами Орлов. — Знает Жору и Шмона. Хотя он, конечно, не подтвердит, что они угонщики, а покупатель вообще может не знать про липовые документы. Так он на суде и заявит.

— Будем работать с угонщиками, — подвел итог Гуров. — Мы их сразу развели по разным машинам и по разным камерам, и никто из них не знает того, что произошло при задержании его напарника. Тут есть поле для маневра, есть на чем и крутить.

Гуров сидел за столом в одном из кабинетов МУРа, который им с Крячко выделили для работы с задержанными угонщиками. Через несколько часов ими займется следователь, а пока надо парней «крутить» и «колоть», как говорят сыщики. «Крутить» — означает определять причастность к данному преступлению и другим аналогичным, «колоть» — получать признательные показания. Сложный процесс, требующий немалого опыта, знания психологии преступников, причем не сидевших еще преступников, и мгновенной реакции во время допроса. А еще умения задавить своим авторитетом допрашиваемого. Это тоже момент не последний. Бесхарактерный, вялый оперативник или следователь никогда не добьется того, чего может почти мгновенно добиться оперативник энергичный, агрессивный, харизматичный.

Тут одной логики маловато. Почувствует преступник, что у тебя все козыри, что ты располагаешь фактами и доказательствами против него, и замкнется. Просто перестанет отвечать. И что ты будешь делать? Терять дни, недели, а то и месяцы на то, чтобы расшевелить, разговорить преступника. Ни один судья не примет дела, в котором нет показаний подозреваемого или обвиняемого, нет его подписей на протоколах допросов, ты хоть сто свидетелей приведи, которые подтвердят, что преступник отказался подписывать.

Первым в кабинет привели Раззуваева. Сейчас Жора не выглядел таким улыбчивым и общительным, каким его запомнил Гуров во время задержания. Тогда Раззуваев смотрел на них с ухмылочкой, покуривая сигарету, пока его не сложил пополам Саша Малкин. Сейчас широкое лицо Раззуваева с характерными скулами выглядело неприятно. На нем отражалась даже не затаенная злоба, а что-то сродни ненависти и немного отчаяния. Ненависть к тем, кто прекратил вольную и веселую жизнь удачливого преступника, отчаяние от того, что Раззуваев понимал — раз взяли, да еще на пороге бокса, в котором переделывали угнанные им с напарником машины, то дела его плохи.

Когда сержант из дежурной части доложил о доставленном, Крячко жестом отпустил его, а Раззуваеву показал на стул посреди кабинета. Обойдя вокруг задержанного, он кивнул в сторону Гурова:

— Если ты помнишь, Жора, мы с вот этим дядей тебя брали с поличным возле бокса. Поэтому время не теряй на пререкания, что ты там случайно, что не при делах и знать ничего не знаешь. Тебя со Шмоном «вели» с момента угона, взяли почти в угнанной машине, возле бокса, где вы их потрошите. Так что думай, прежде чем рот раскрывать.

— А че мне думать? — хмыкнул Раззуваев. — Это ваша работа, вы и думайте.

— Ладно, согласны, — быстро ответил Крячко и тут же сменил тон на официальный: — Итак, Вадим Юрьевич Раззуваев, 1986 года рождения. Перед тобой полковник Гуров из Главного управления уголовного розыска страны. Моя фамилия Крячко, и я из того же ведомства. Понял теперь, что тобой не МУР занимается?

— Я думаю, Жора все понял, — вмешался в разговор Гуров. — Жора у нас не дурак, Жора понимает, что с того момента, как он стал напарником Александра Шмаркова и угнал с ним хоть одну машину, он уже участник преступной группы, а это крушение надежд на условный срок. Сюда же тянет и предварительный сговор. Но Жора догадывается, что у его напарника Шмаркова не выдержали нервишки и он стал стрелять в сотрудников полиции во время задержания.

— А уж то, что мы легко докажем и другие эпизоды, Жора у нас и не сомневается. Ведь не сомневаешься? — Стас подошел к Раззуваеву и похлопал его по плечу.

— Да ладно, — нервно дернул щекой заметно побледневший Раззуваев. — Я сопротивления не оказывал, с меня взятки гладки. Ну, «пятерину» мне впаяют. И что?

Крячко быстро глянул на Гурова, снова шагнул к задержанному, сгреб его воротник в кулак и, одним рывком подняв его со стула, коротко рявкнул ему в лицо:

— Дур-рак! Тебе одного трупа водителя «БМВ» 5-й серии хватит лет на пятнадцать. И ты думаешь, мы поверим, что это первый и случайный «жмурик» у вас с Шуриком? Мы умеем искать, ох, умеем! Ты не сомневайся. Не бывает так, чтобы один-единственный. Это тебе петля на шее, Жора! Петля, потому что ты тянешь на пожизненное! Это разбойное нападение с целью завладения имуществом граждан. И умышленное убийство. Это очень страшная статья, Жора. По ней сидят долго и выходят оттуда редко. Понял? Хуже только бандитизм и терроризм...

— Отпусти его, — насмешливо бросил со своего места Гуров. — Что ты его уговариваешь? Не хочет жить, не надо. Что мы, Шуру Шмона не знаем? Знаем, еще и получше, чем сам Жора. Жора вот не знает, а Шмон продаст его с потрохами, лишь бы себе срок скостить и от «мокрой» статьи уйти. Пусть тянет все за друга, если хочет...

Раззуваев пытался что-то возражать, но сыщики не давали ему такой возможности. Его сбивали то новыми обвинениями, то ссылками на имеющиеся доказательства. Главное, не давать вслух задержанному сформулировать свою непричастность и невиновность. Это чисто психологический ход. Что не произнесено вслух, остается пока несуществующим. Пусть копится внутри, пусть находится в разногласии с эмоциями, страхами, сомнениями. Ведь ему же сидеть, а не этим двум полковникам. А где и как сидеть и, главное, сколько, зависит от...

Вот это главное Гуров и Крячко умело формулировали в лихорадочно работающем мозгу преступника. Пусть сам решает, пусть сам делает выводы, к которым его подвели сыщики. Ведь не зря они начали допрос именно с Раззуваева. Он психологически слабее своего подельника. И сломать их пару, а затем каждого из них можно через него.

Когда, так и не дав ему открыть рта, Раззуваева вывели из кабинета, Крячко с довольным видом посмотрел на Гурова:

— Ну, что думаешь? Не переборщил я?

231

— Нормально. Со Шмарковым будет сложнее. Того и вооруженным сопротивлением не сломаешь. Будем надеяться, что капитан Шишков в своих архивах по угонам найдет зацепочки, что еще этой паре можно предъявить.

— Я думаю, что нам сегодня спать не придется, — задумчиво почесал в затылке Крячко.

— Ты имеешь в виду... — Гуров кивнул на дверь.

— Мне кажется, его ночью надо дожимать. Он сейчас весь в мыслях, сон не пойдет, ночь тревожная, а тут мы. Он же будет думать, что у нас новые данные появились, новые доказательства. С какого перепугу, по его мнению, два полковника из МВД спать домой не отправились. Прямое доказательство, что у них что-то есть серьезное на него.

— Хитрый ты, Станислав, — покачал головой Лев. — Но я с тобой соглашусь. Передержим парня, если сегодня не добьем. Потом будет сложнее.

Через несколько минут в кабинет ввели высокого смугловатого парня. Шура Шмон не выглядел подавленным, не старался вести себя нагло. Лицо его как будто окаменело, и смотреть он старался в стену, мимо двух полицейских, к которым его привели. Доставивший задержанного сержант вопросительно посмотрел на Гурова и кивнул на наручники, сковывающие руки Шмаркова.

— Нет, — громко ответил Гуров, — пусть в них сидит.

В глазах Шмаркова мелькнули снисходительные искорки. Он посмотрел на человека, сидевшего за столом, на второго, стоявшего у зарешеченного окна, и спросил хриплым голосом:

— Че, боитесь, что ли? Куда я отсюда убегу?

— Отсюда не убежишь, — хмыкнул у окна Крячко.

— А-а, — засмеялся Шмарков, — боитесь, что не справитесь, если я бузить начну?

— Глуп ты, как я посмотрю, — вздохнул Лев и откинулся на спинку стула, с брезгливостью разглядывая задержанного. — Не понимаешь, что вот с такой мразью, как ты, нам дел иметь совсем не хочется. Улик достаточно, дело раскрыто. Да и не одно. Нам благодарности и похвалы, а тебе — в колонию. Только вот сколько нервов нам попортишь, да еще следователю. И на суде потом начнешь куражиться. Кому это надо? Есть выход и попроще.

— Да, Шмон, — неприятным голосом подтвердил Крячко и демонстративно подошел к двери, прислушиваясь к звукам из коридора. — Все так и есть. Мы только того и ждем, чтобы ты кинулся на кого-то из нас. Стулом бы замахнулся, а я бы в тебя половину обоймы выпустил, спасая жизнь своего товарища.

— Стул прикручен к полу, — машинально ответил Шмарков, и взгляд его стал настороженным. — И вообще за такое вас самих... того самого. Здесь...

— Можно и не здесь, — остановился за спиной Шмаркова Крячко. — Можно и во время следственных действий за пределами этих стен. Тоже мне, проблема. Не ты первый...

— Вы че? — откровенно заволновался Шмарков и стал крутить головой, пытаясь понять, что за его спиной делает опер.

— А ты чего заволновался? — рассмеялся Гуров. — Поверил? Наивная твоя душа! Вот когда тебе говорят, что соберем улики, докажем, когда обещаем, что суд даст тебе большой срок, ты почему-то не веришь, а когда тебе грозят смертью исподтишка, ты сразу повелся. Ну, разочаровывать не буду. Думай, как хочешь, как тебе твой жизненный опыт подсказывает. А нас интересует твоя биография и все твои дела с угонами.

— А че я вам на себя клепать должен, — пожал плечами Шмарков. — Доказывайте, вам за это деньги платят. Докажете — ваша взяла, нет, так я посижу и выйду.

— За перестрелку с полицией ты сядешь точно, — пообещал Крячко.

— Не докажете. Там нет моих пальчиков, — хрипло засмеялся Шмарков.

— Пальчиков нет, — пустился в экспромт Крячко, — зато есть свидетельские показания. Там дураков, кроме тебя, не было. Мамедову это все тоже не очень нужно, он тоже хочет побыстрее домой вернуться. Так что процесс стирания пальчиков зафиксирован, как и стрельба тобой в офицеров полиции. Свидетели показали, что они слышали предупреждающие возгласы. Не отвертишься, что не знал и не слышал. Но это все цветочки, а вот убийство на Кутузовском проспекте гражданина Курвихина с целью завладения его имуществом, в частности автомашиной «БМВ», и тому подобным это намного серьезнее. Да по предварительному сговору, да группой. Не ошибись, Шмон, когда грубить нам соберешься.

— Дураков нет, — усмехнулся Шмарков, но уже не с прежней уверенностью. — Я в ваших руках, нет мне резона злить вас. Есть что — предъявляйте.

— Сержант! — гаркнул Гуров специально, чтобы подольше поддерживать нервы Шмаркова во взвинченном состоянии.

Вообще-то Крячко мог спокойно подойти к двери и вызвать конвойного. Но сейчас все требовалось делать «на нервах». Сержант вошел и вопросительно посмотрел на Гурова.

— Забирайте его, — велел Лев, а потом ткнул указательным пальцем Шмаркову в лицо: — А ты, Шмон, заруби себе на носу. Пока мы с тобой разговариваем по-хорошему, ты можешь рассчитывать на человеческое к тебе отношение. Начнешь злить, раздражать и мешать, превратишься в бездушный мешок дерьма, от которого мы захотим избавиться побыстрее. Пусть МУР тобой занимается. А мы, с высоты нашего служебного положения, могли бы тебе твою участь облегчить. Но решать тебе!

Шмаркова увели. Крячко с любопытством смотрел на Гурова, сложив руки на груди. Тот о чем-то напряженно думал. Причем, насколько Станислав знал своего старого друга, напарника и начальника, от Гурова стоило ждать чего-то нестандартного.

— Знаешь что, Станислав? — Гуров стряхнул с себя задумчивость, пружинисто встал и прошелся по кабинету. — Мой опыт подсказывает мне, что в паре Шмарков и Раззуваев — Шмарков мог и должен был быть старшим. Больше того, Раззуваева, с его техническими талантами, могли использовать «втемную», если убийство Курвихина заказное.

— Так, так, — улыбнулся Крячко. — Мы пока никакого криминала вокруг бизнеса Курвихина не обнаружили, но допустим.

— Курвихина хотят убрать, — загнул Лев один палец на руке, — для этого нанимают Шмаркова, чтобы имитировать убийство с целью ограбления. Шмарков — угонщик, это в их кругах знают все, и большого смысла использовать именно его нет. Значит, — загнул он второй палец, — Раззуваев не должен знать заказчика. Они бы так не рисковали.

— Тогда Раззуваев должен был знать, что Курвихин именно в то время и в том месте остановится на Кутузовском проспекте. Значит, плясать надо от Курвихина, а не от рядовых исполнителей.

— Примерно так, — согласился Гуров. — Но эти умозаключения нам надо уточнить. И срочно. Сегодня ночью в напряженной нервной атмосфере трясем Раззуваева, а потом мы с тобой вслед за «муровцами» пройдем по всем связям Курвихина. Куда он, черт возьми, поперся ночью? И что он делал на Кутузовском?

— А до ночи пусть с ним поработает мой человечек в камере, — предложил Крячко. — Приглядится, может, подогреет его, напряжет всякими рассказами, попугает маленько якобы своим опытом. Есть у меня такой ас камерных разработок.

В одиннадцать вечера, когда сыщики находились в своем кабинете на Житной, на мобильный телефон Гурова неожиданно позвонил майор Шалов и доложил, что совершенно случайно буквально в десяти метрах от зоны поиска на месте убийства Курвихина найден электрошокер.

— Ну-ка, ну-ка, Глеб Сергеевич! Повторите еще раз и в деталях, — велел Гуров и включил внешний динамик своего телефона. Крячко подсел рядом и приготовился слушать.

— Ребята, которых я оставил заканчивать повторный осмотр места на Кутузовском, — снова заговорил майор, — проявили инициативу и, чуть расширив зону поиска, сразу нашли на линии кустов электрошокер. Темно-красная такая штучка. Не очень дорогая, рассчитанная на непосредственный контакт, без всяких стреляющих там картриджей. Лежал он, чуть запутавшись в нижних ветвях кустарника, поэтому его со стороны аллеи было не видно, а со стороны дороги, естественно, его не видели водители, потому что смотрят на дорогу, а не на кусты.

— Посторонняя вещь, — с сомнением вставил Крячко.

— Что? — переспросил майор. — А-а, здравия желаю, Станислав Васильевич. Это вы там рядом. Нет, не случайность. Эксперты в лаборатории обнюхали предмет с особой тщательностью. Есть два хороших отпечатка пальцев.

— Один Курвихина? — догадался Гуров.

— Так точно. Мы сверили с дактилокартой из морга. А вот второй отпечаток — маленький и узкий. Или ребенок, или женщина. Скорее женщина, потому что это женская модель «Акула PRO», а еще в щелке между двумя деталями застрял обрывок женского волоса. Эксперты сказали, что волос живой, ему всего несколько дней. Темно-каштановый, здоровый, но крашеный. Анализу на ДНК подлежит, если таковая необходимость возникнет.

— Ну, ты обрадовал, Глеб Сергеевич! — засмеялся Крячко. — Даже не представляешь, как ты нас обрадовал! — И, когда Гуров отключил телефон, спросил: — Ну?

— Что «ну»? Сам не понимаешь? Если бы Курвихину при его статусе угрожала опасность, он бы носил с собой «травматик», а то и получил бы разрешение на боевой «Иж». И уж телохранителя он мог себе позволить. Другое дело, что во время этой таинственной поездки он не взял бы его с собой. Но женская модель электрошокера не вяжется тут ни с чем.

— Вот! — с довольным видом потер руки Крячко. — Я и говорю: либо жена, либо дочь, либо любовница. Это мы установим теперь легко.

— Наличие любовницы у Курвихина не установлено. Жена есть, дочь есть.

— Электрошокер он мог взять из стола секретарши, — заметил Крячко. — Вариантов много, так что завтра у нас с тобой напряженный день.

Набросав к двум часам ночи план беседы с несколькими женщинами из окружения Курвихина, в том числе с его женой и дочерью, сыщики отправились на Петровку в ГУВД

Москвы. Шмарков и Раззуваев сидели в камере ГУВД последнюю ночь. Завтра следователь их официально арестует, и переправят ребят в СИЗО.

Помощник дежурного проводил Гурова в дежурную часть, где его принялись угощать кофе, а Крячко отправился побеседовать со своим агентом. Дружба дружбой, даже будь вы сто раз коллегами по работе, а чужих агентов в лицо знать не положено никому. Даже твоему начальству.

Крячко вернулся минут через двадцать. Он выразительно глянул на помощника дежурного и подсел к Гурову.

— Ну, все в порядке, Лев. Раззуваева обработали нормально. Чего-то он боится, весь на нервах. Даже сидеть на одном месте не может. Причем не нас он боится, а скорее, блатных. Расколоть его в камере не удалось, вопросами вывести на чистую воду тоже. Но главное ясно — не все там просто у них с убийством Курвихина. Знаешь, какую мыслишку мне подбросил мой человечек? Вы, говорит, пригрозите вообще его отпустить, за неимением серьезных улик. Возьмите подписку о невыезде и отпустите. Он или откажется выходить, или кинется с кем-то объясняться.

— Насколько твой агент опытен? Можно его рекомендациям верить?

— Вполне. Это тот еще жучара, людей из блатной среды видит насквозь.

Сейчас Раззуваев выглядел далеко не таким уверенным. Лицо посерело от волнения, глаза глубоко запали, а губы вытянулись в тонкую нервную нитку. Он встал на пороге, глядя в лица полковников, а сержанту из дежурной части пришлось подтолкнуть задержанного. Раззуваев даже не оглянулся. Шаркая ногами, он прошел на середину комнаты, где ему приготовили стул, и тяжело опустился на него. Гурову показалось, что парень чуть ли не вздохнул в голос, когда садился.

Крячко знаком отпустил сержанта и расположился на другом стуле, усевшись на него верхом.

— Ну, Юрий Вадимович? — спросил Гуров. — Что вы нам скажете? Как там в фильме было? Он же Гоша, он же Гога, он же Жора.

— А в чем вы меня подозреваете? — пристально посмотрел на него задержанный.

— Странный вопрос. Убийство человека с целью завладеть его автомашиной, несколько угонов дорогих иномарок. Это уже букет. Начнем крутить тебя на других эпизодах, и тогда всплывет еще что-то. Кажется, это очевидно? Но мне понравилась форма твоего вопроса.

— В смысле? — насупился Раззуваев. — Какая форма?

— Ты спросил, в чем мы тебя подозреваем. Заметь, ты сказал не «нас», а «меня». Это ты точно уловил. У вас сильно разные статьи будут. И сроки!

— С кем?

— Со Шмоном, конечно, — усмехнулся Лев. — Не придуривайся, ты все понимаешь.

— Понимаю, — неожиданно произнес Раззуваев. — Шмон меня сдаст. Не вашим, блатным сдаст. Я ему не нужен, теперь только мешаю. Я про угоны знаю, мы с ним еще не за все тачки бабки получили. Он накапает блатным, и меня в камере удавят как-нибудь ночью. И все останется ему... Когда выйдет.

— Вообще-то, Юра, — почти отеческим тоном сказал Крячко, — мы знаем немного и о тебе, и о Шмаркове. Шмарков пустое место в блатном мире, а ты — специалист, востребованный специалист. Ты любую машину «на раз-два» откроешь, за что тебя и ценят.

— Фигня все это, если честно, — заметно погрустнел Раззуваев. — Сейчас такие приборчики есть в широком ходу, что любой лох любую тачку с сигнализации снимет и заведет без проблем. Да, ко мне постоянно обращаются, но настоящих связей у меня нет среди этих... блатных. А у Шмона есть. Он оттуда, из них, а я там временный. И вы ведь не все знаете...

— Что мы не знаем? — встрепенулся Гуров.

— Что мы в тачке этого вашего нашли. Ну, того, что на Кутузовском ночью завалили, хозяина крутой «бэхи».

В воздухе на несколько секунд повисла напряженная, почти звенящая тишина.

— А что вы там такого нашли? — стараясь не выдать своей заинтересованности, наконец спросил Гуров.

— Бабки. Целый кейс с бабками... полтора «лимона» «налика».

— В рублях? — тут же спросил Крячко.

Раззуваев коротко кивнул и замолчал, обреченно уперевшись взглядом в пол. Гуров, глядя на него, прикидывал варианты дальнейшего развития беседы. Ясно, что с протоколами лезть сейчас не следует, итак, того и гляди, тонкая нить доверия разорвется. Черт с ним, если он завтра от своих слов откажется. Главное, получить достоверную информацию, а уж как ее потом превратить в частичку доказательной базы, придать ей статус официальной, подумаем потом. Мы всю жизнь имеем дело с оперативной информацией, которую к делу не пришьешь. Такая наша работа. Следователь ищет прямые доказательства, улики, а мы — подсказки, корректоры потом дадут следователю те самые доказательства.

— Расскажи, как вы водителя «бэхи» убили? — попросил Лев. Именно попросил, а не приказал, не потребовал.

— Так получилось, — проворчал Раззуваев. — Это все Шмон. Мы вообще-то не планировали...

Картина выглядела следующей. В тот поздний вечер Раззуваев и Шмарков шли по аллее мимо музея. Шли после неудачной попытки угнать дорогую тачку. «Заказная» машина, которую они обхаживали вторую неделю, сорвалась из-под носа. А ведь все складывалось удачно: и хозяин, приехав к любовнице, оставил машину вне видимости из ее окон, и до утра он к машине бы не подошел, и сигнал системы сигнализации уже давно был скопирован. А тут, как назло, когда парни уже решили приступить к угону, подвыпившая пара каких-то «ушлепков» начала пинать машины на парковке возле дома. Завыли и запищали сигнализации, откуда-то почти сразу вывернула патрульная машина ДПС. После такого «концерта», когда перенервничавшие жильцы дома будут еще долго выглядывать из окон на свои машины, соваться к нужной тачке было глупо. Придется снова выжидать, и не меньше недели.

И вот, торопливо пересекая сквер на Кутузовском, они и увидели классную «бэху», припаркованную у тротуара. И мужика, который кого-то ждал. Ждал вальяжно, даже сонно как-то. Парни залюбовались машиной, прикинув возможный навар. А тут еще водитель вышел, потягиваясь и разговаривая с кем-то по телефону. Совершенно ясно прозвучало: «Я тебя уже жду, сколько ты будешь собираться?»

Шмарков сразу загорелся. Он предложил обойти мужика с двух сторон, резко «вырубить», а потом спокойно увезти машину. Раззуваев стал возражать. И машин по проспекту движется много, и «вырубить» надо человека на несколько часов, чтобы успеть машину спрятать. Заманить в кусты не удастся. С какой стати ему идти за незнакомыми людьми в кусты? Если честно, то Юрке Раззуваеву не хотелось наносить вред здоровью хозяина машины. Одно дело — технично угнать машину с парковки, и совсем другое — напасть на человека.

Компромисс нашел Шмарков. Он всегда умел убеждать незамысловато и надежно. Раззуваеву срочно нужны были деньги, а тут вот она, призовая тачка. И деньги Шмарков обещал чуть ли не завтра. Есть у него якобы покупатель на точно такую «бэху». А еще Шмарков заявил, что знает безопасный, но надежный удар, от которого человек будет в отключке два часа. И Раззуваев решился. Но все с самого начала пошло не так. А пошло так, что до сих пор вспомнить страшно.

Привлечь внимание водителя должен был сам Раззуваев. Санек заявил, что у Юрки внешность располагающая. Шмарков остановился у кустов, схватился за сердце и стал опускаться на землю, на одно колено, и лицо сделал такое страдальческое, что не поверить было трудно. Раззуваев, как они и договорились, бросился к водителю с просьбой о помощи. Он не стал конкретизировать причину, просто, как советовал Шмарков, давил на психику и взывал о помощи.

Мужчина «купился» быстро. Правда, он деловито поставил свою машину на сигнализацию и только потом поспешил за Раззуваевым, узнав, что там случилось с его другом. Им удалось-таки убедить Курвихина дойти до самых кустов. Как раз до того места, где на траве была первая кровавая отметка.

Раззуваев вдруг замолчал и сидел, подергивая плечами, словно у него болезненный озноб. Гуров не торопил. Крячко сидел рядом верхом на стуле и терпеливо теребил нижнюю губу, присматриваясь к задержанному, а не играет ли тот. Всяких повидали матерые полковники на своем веку.

— Короче... — глухим голосом заговорил наконец Раззуваев. — Этот мужик как-то догадался... А Шмон, сука, с самого начала, видать, решил того типа «замочить», только не сказал мне об этом, знал, что я буду против. Я и опомниться не успел, как Шмон ударил. Испугался я тогда сильно... видел, как лезвие в темноте блеснуло... Мужик, видать, дернулся, и Шмон его не сильно задел. Потом гляжу, у мужика в руке шокер, даже разряд видел. Но он уже раненый был... Шмон ногой шокер выбил и второй раз его ножом... Я как в тумане был. Помню, что мы мужика сразу под мышки ухватили и чуть ли не на руках за кусты, чтобы со стороны не видно было, как мы его волочем.

Крячко встал, скрипнув стулом, подошел к маленькому холодильнику у окна. Открыл, позвенел чем-то и, захлопнув дверку, протянул Раззуваеву найденную в холодильнике маленькую бутылку «Аква минерале». Задержанный схватил ее, отвинтил крышку и жадно припал губами к горлышку.

Вот и этот сломался, подумал Гуров, глядя, как судорожно дергается кадык Раззуваева, покрытый двухдневной щетиной, как льется на шею и за воротник вода. Сколько раз он за свою жизнь наблюдал такую же вот характерную сцену. Все они считают себя героями, пока их двое, а жертва беззащитна, они чувствуют свою удачливость и безнаказанность, когда по ночам снимают блокировку с заранее присмотренной машины. Они довольны жизнью и безгранично счастливы, когда получают большие деньги за украденное чужое имущество. А потом вот так! Животный страх в глазах, судорожно дергающийся небритый кадык и пролитая вода, потому что скулы сводит, а во рту сухо, как в заброшенном колодце в центре пустыни.

— Ну, дальше? — предложил Лев умышленно равнодушным голосом.

Он очень хорошо знал, как действует именно такая вот равнодушная интонация на преступников, которые созрели, чтобы каяться. Им теперь до зарезу, им как воздух нужен сочувствующий слушатель. И вот этот психологический сдвиг

241

обычно приводит к истерикам. Преступник начинает каяться, начинает молить, чтобы его выслушали, чтобы дали возможность не только рассказать, но и объяснить. Не все из них, и не очень часто. Только слабые.

— Что дальше... — снова нервно дернул плечом Раззуваев. — Ключ от машины из кармана вытащили и на дорогу. Завели и... Кейс мы потом увидели.

— А водитель был уже мертв, когда вы по его карманам шарили? — уточнил Крячко.

— Да... нет... Он хрипел, и нога так... подергивалась.

— Где кейс с деньгами сейчас?

— Не знаю... — неуверенно пробормотал Раззуваев. Потом помолчал и добавил: — Наверное, Шмон у бабки своей спрятал.

— Что за бабка?

— Его бабка. По матери. Она в Марфино живет. Мы когда тачку отогнали, Шмон взял кейс и сказал, что спрячет до поры до времени, потому что нельзя пока этими деньгами пользоваться, вдруг номера переписаны или сами купюры меченые какие. Надо проверить, подождать, а потом уж делить.

— Кто еще про деньги знал? — спросил Гуров.

— Никто, — убежденно ответил Разуввев. — Мы никому не говорили... Я не говорил. Если только Шмон... Хотя, ему зачем? Это мне потом уже пацаны сказали, что этот мужик, которого Шмон завалил из «бэхи» на Кутузовском, вроде как при делах, за него могут и разборки начаться. Поэтому и с машиной не спешили. Опасно. Этот Мамед все торопил...

— Значит, так, Юрик. — Гуров посмотрел на часы и решительно встал из-за стола. — Разговор наш запомни крепко-накрепко. Хочешь до суда дожить, а потом рассчитывать на маленький срок и в колонии выжить, тогда усвой одну простую истину. Ты живешь в государстве. И кроме государства, государственных органов, в данном случае полиции, тебя никто не защитит. Все эти бредни про уголовные порядки и понятия забудь. Там волки волков жрут. И пикнуть не успеешь, как потроха выпустят. Усвоил?

— Усвоил, — с надеждой в голосе ответил Раззуваев.

— Со следователем мы поговорим. Тебя завтра официально арестуют и отправят в следственный изолятор. Наша система, и мы там все держим под контролем. Местный опер будет о тебе в курсе и в обиду не даст. Что и когда рассказывать следователю, мы тебе потом скажем. Поделись с ним информацией, и подумаем, как с вами дальше работать.

Гуров вышел на улицу первым и глубоко вдохнул ночной воздух. Он посмотрел на небо и увидел там привычное серое небо. Не видны в городе ночью звезды, а так иногда хочется постоять под звездным небом и поразмышлять о красоте окружающего мира, который не в состоянии испортить преступники.

— Чего ты там увидел? — поинтересовался вышедший следом Крячко.

— Я думаю, что пару часиков поспим, а потом стоит съездить туда, где звезды видны.

— К бабушке? Думаешь, найдем?

— Надо найти, Станислав, надо. Этот кейс очень важная улика. Он для нас и рычаг против Шмаркова. Мы только этой уликой его можем дожать, без кейса вся история — это только байки. Ну и для следствия важно. Есть кейс, значит, есть и серьезный вопрос, куда Курвихин ехал ночью, кого ждал. То ли его смерть случайная, то ли умышленная. Если его убили по заказу, тогда кому выгодна его смерть? Кейс нужен!

Глава 3

Гуров терпеть не мог лжи. Но, как его ни коробило от вранья, говорить этой тихой, опрятной семидесятилетней женщине, что ее внук Саша Шмарков преступник, было нельзя. По многим причинам. Включая и то, что Зинаида Ивановна, как звали женщину, могла просто не перенести такого известия. Выход один — сказать половину правды и тем самым постараться привлечь Зинаиду Ивановну на свою сторону в качестве союзника.

Гуров сидел за круглым столом на большой остекленной веранде и беседовал с женщиной, теребившей носовой платок. Крячко возвышался за его спиной в дверном проеме и периодически вздыхал, подыгрывая своему напарнику.

— Видите ли, — в который уже раз убедительно заявлял Гуров. — Дело запутанное, ваш Саша говорить не хочет. Может, он и не виноват ни в чем.

— Он всегда был скрытным мальчиком, — качала седой головой женщина. — Сроду от него ничего добиться было нельзя. Скрытный, но ласковый... И куда же его занесло-то...

— Так вы точно помните, что он ничего в тот день не приносил? — Гуров не стал упоминать кейс, но на всякий случай изобразил руками нечто похожее на небольшой чемоданчик.

— Да нет, — пожала плечами Зинаида Ивановна. — Я отдыхала... там, в комнате, когда он пришел. Слышу, зовет. Я ему говорю, что сейчас встану, а он — лежи, бабушка, лежи. Там у меня молоко стояло, деревенское, и гренок я напекла. А когда встала и вышла, он уже на улице был. Веселый такой. Взялся мне стенку плиткой обкладывать на улице. Я ему говорю, мол, зачем, а он смеется — хочу, говорит, чтобы дом у тебя, бабуля, красивый был.

— А можно посмотреть? — вдруг спросил Крячко.

— Что? — не поняла женщина.

— Как ваш внук обкладывал плиткой стену дома.

— Так... — Зинаида Ивановна с некоторым удивлением посмотрела на гостей. — Там это... пойдемте, покажу.

Деликатно подав пожилой женщине руку, Гуров пропустил ее вперед и спустился следом. Необходимости в обкладывании стены этого дома плиткой он не видел. Старый кирпичный дом. Вполне крепкий. И кладка выполнена аккуратно. Смысл? Они с Крячко переглянулись, когда шли за хозяйкой по каменной дорожке. Дом обойти пришлось полностью. И тут сомнений стало еще больше. Зачем начинать обкладывать плиткой стену в том месте, где эта стена абсолютно никому не нужна — со стороны заросшего виноградом забора, отделявшего участок Зинаиды Ивановны от соседнего?

— Вот, — показала она рукой на три ряда плитки в нижней части стены прямо над бетонной отмосткой. — Жалко, что плитка кончилась, но Саша сказал, что докупит и продолжит.

— Логично, — пробормотал Крячко. — Если такой же плитки не найдет, на задней стене и не видна будет разница. Из остатков лепил.

— Зинаида Ивановна, — спросил Гуров, — а много у вас этой плитки, которую Саша на стену клал?

— Так вот вся здесь. Еще от моего покойного мужа оставалась. Он, когда на заводе в стройцехе работал, привозил. Хотел постепенно накопить, да не успел.

— М-да, — кивнул Крячко, — понятно. Всего четырнадцать плиток.

Гуров прекрасно понял, что имел в виду его напарник. Когда готовятся к таким работам, обычно закупают сразу: плитку, плиточный клей для наружных работ, уровень, специальный инструмент в виде шпателя-гребенки. Хотя здесь плитку внук клал на раствор. Клал неровно, торопливо. Или просто навыков нет, и результаты работы получились у него такими корявыми. Что-то нелепое было во всей этой затее.

Подобрав с земли небольшой камушек, Гуров подошел к стене, присел на корточки возле облицованного плиткой участка и постучал по крайней плитке, потом по второй, третьей. Хозяйка дома хмурилась, но не мешала полицейским. Есть! Услышав характерный звук пустоты под плиткой, Стас удовлетворенно хмыкнул.

— А что у вас в этом месте было? — поднявшись на ноги, обратился к хозяйке Лев.

— Отдушина там была. Мой муж, когда дом строил, говорил, что под полами надо обязательно оставлять пространство для проветривания. Чтобы не гнили, значит. Вот и оставили с этой стороны дырку в полкирпича, да и с другой тоже.

— А зачем же ваш Саша ее заложил?

— Ой, я уж и не знаю, кому верить. Мне жить-то осталось не так много, на мой век хватит, а там уж пусть разбираются, кто больше понимает. Саша-то сказал, что полы и эти... лаги

245

высохли давно, что гнить уже не будут. А еще напугал меня лихорадкой какой-то, гимарагической, что ли.

— Геморрагической, — поправил Крячко. — Мыши?

— Куда ж без них... А так, говорит, им прятаться негде и зимовать тоже.

— Ну, что, Лев Иванович, я пошел звать следователя и понятых? — повернулся Стас к Гурову.

Хлопнула дверь, послышались шаги. И вот на дорожке показалась миловидная женщина, дежурный следователь из ГУВД. Следом участковый вел двоих пенсионеров, что-то старательно им объясняя. Последним шел Крячко, крутя в руке нечто наподобие монтировки.

Он начал действовать со сноровкой завзятого строителя. Несколько раз постучал сбоку в пласт раствора под крайней плиткой, потом, увидев какую-то образовавшуюся щель, начал осторожно откалупывать пласты засохшего раствора вместе с плиткой. Дело шло споро, и вот, наконец, весь участок стены был свободен от облицовки. Крячко, обмахнув остатки раствора подобранной тут же тряпкой, показал пальцем на дырку в кладке размером как раз в половину кирпича и усмехнулся:

— А он поленился еще один кирпич поискать? Смотрите, вот здесь и здесь цвет раствора отличается. А вот эти швы новые. И цвет раствора вот на этих швах такой же, как и цвет раствора, на который клали плитку. Видите?

— Значит, вон те кирпичи вынимали, — согласился Гуров, — а потом снова вставляли. Не слабую он работу проделал.

— Ничего подобного, — засмеялся Крячко. — Цокольная часть выложена не сплошным рядом кирпича, а столбами и перемычками. Столб в два с половиной кирпича, перемычка в полтора кирпича. А здесь, где отдушина устроена, толщина перемычки всего в половину кирпича. Это как раз предусмотрено технологией для очистки и возможного ремонта.

— Вы что же? — не на шутку забеспокоилась хозяйка. — Вы стену мне ломать собрались?

— Уважаемая Зинаида Ивановна, — как можно теплее заулыбался Крячко. — Тут дел на пару минут. Мы вы-

246

тащим всего три кирпича, а потом снова заделаем проем. И к тому же...

Он расплылся еще шире, забавно развел руками, а потом со вздохом встал на колени и сунул руку в отдушину. Секунд двадцать Стас шарил рукой, затем вытащил ее, отряхнул и молча кивнул Гурову.

В кабинете на Житной стояла тишина, нарушаемая только мягким стуком клавиатуры компьютера Крячко. Станислав составлял список женщин из окружения покойного Курвихина. Версия с любовницей требовала самого серьезного расследования. Не верилось сыщикам, что у Курвихина не было любовницы. Не слишком теплые отношения с женой, явные признаки охлаждения атмосферы дома, потеря контакта со взрослой дочерью.

Гуров сидел напротив за своим столом и задумчиво перекладывал с места на место содержимое бумажника Курвихина. Запиликал проводной телефон на столе.

— Слушаю, Гуров! — взяв трубку, сказал Лев.

— Лев Иванович, майор Шалов. Удобно говорить?

— Да, слушаю, Глеб Сергеевич, — насторожился Гуров. — Что у тебя?

— Мы тщательно пробили последние звонки Курвихина через оператора. Во время, близкое ко времени его смерти, Курвихин никому не звонил. Звонили ему. Это его дочь Полина. Она подтвердила. Отец обещал отвезти ее за город к подруге, у них там что-то вроде «девичника» наметилось. Он ей сказал, что скоро подъедет к дому, пусть она готовится и одевается. До этого, примерно в течение двух с половиной часов, у Курвихина не было ни одного телефонного контакта. Странно, правда?

— Почему? — спросил Гуров.

— Мой опыт подсказывает, что человек с таким положением и пяти минут не проживет, чтобы не позвонить кому-то или чтобы ему кто-то не позвонил. Ну, пять, десять минут, пусть тридцать. А тут — два с половиной часа.

— Да, вы правы. Сколько у вас в списке человек из его телефонных контактов?

— Около сорока. Постоянно всплывают все новые и новые контакты.

— Хорошо, работайте, — буркнул Гуров и положил трубку.

Поразмышляв некоторое время, он продолжил перебирать визитки из бумажника Курвихина и другую мелочь, которая обязательно бывает у деловых мужчин. Потом, вздохнув, набрал номер лаборатории.

— Ну, что у вас там с кейсом? — недовольно спросил он в трубку. — Вы его на атомы, что ли, разлагаете там?

— Нет, Лев Иванович, — бодро ответил молодой женский голосок. — Просто проверяем каждую купюру отдельно. Часто микроскопические частички дают интересные подсказки в расследовании. Единственное, что можно точно сказать, на внутренних поверхностях кейса чужих отпечатков пальцев нет. Из пригодных для сравнения только два пальцевых отпечатка самого Курвихина. Степень загрязнения купюр обычная, в пределах допустимого. Это неудивительно, потому что большая часть была в употреблении от месяца до трех месяцев, а за такой срок интенсивного оборота купюр...

— Я понял, — прервал ее Гуров. — Работайте. Будут важные новости, звоните даже ночью. У меня все.

— М-да, — сказал в пространство Крячко с философскими интонациями, — большие надежды мы питали, а он, собака такая... я кейс имею в виду, не открывает нам своих тайн.

— Знаешь, Станислав, — откинулся Лев на спинку кресла, — у меня тут одно сомнение родилось и никак не отпускает. Скажи, ты много чужих визитных карточек носишь с собой в бумажнике?

— Практически вообще не ношу, — уставился на напарника Крячко. — А что?

— А где ты их держишь?

— Да в визитнице, она в ящике стола валяется. От пиццы и личного стилиста до сервисного автоцентра и...

— Вот! — наставительно заметил Гуров и даже поднял вверх указательный палец. — Но ты просто полицейский чиновник, государственный человек. А Курвихин — бизнесмен, у него деловые контакты — это вообще часть его работы и даже жизни.

— Поясни. — Крячко решительно отодвинул клавиатуру и с видимым удовольствием сложил на груди руки. — Люблю эти мгновения! Мгновения резкого просветления и прояснения. Сейчас на моих глазах рождается истина.

— Стас, перестань! — поморщился Гуров. — Ты послушай! У Курвихина в бумажнике лежит визитка сервисного автоцентра. Это понятно, там обслуживается его личная машина. Наверняка на сервис машину гоняет его шофер, если он ему так доверяет, но решал эти вопросы Курвихин сам. Потом, визитка президента медиахолдинга, вот эта визитка — зампреда областного правительства, а эта — председателя думского комитета, так, это у нас... генерал из Минобороны. И вот теперь дошли до главного!

— Ты сейчас держишь визитку в руке с таким торжеством, будто нашел в бумажнике Курвихина визитку Барака Обамы. Или Ангелы Меркель.

— Дорогой мой, — расплылся Лев в снисходительной улыбке, — я держу в руках визитную карточку директора подмосковного каменного карьера.

— Кого? — Улыбка сползла с лица Крячко. — Директора карьера?

— Да. Некий Ратманов Глеб Александрович. Директор карьера «Давыдовский».

— Курвихин сам занимался строительством загородного дома или дорожным строительством занялся?

— Не думаю, — покачал головой Гуров. — Для бизнеса не его профиль, хотя надо послушать, что там парни Шалова накопали в делах Курвихина. Но все равно, если бы бизнесмен такого уровня решил освоить это направление, мы бы нашли у него визитки уровня топ-менеджмента строительной индустрии, руководства крупных торговых компаний, реализующих строительные материалы, руководителей заводов. А карьер... Мелко. Карьером занимался бы один из его рядовых менеджеров.

— Тогда что же?

— Погоди, Станислав, ту есть еще один важный момент. Первое мы выяснили — контакт очень низкого уровня для Курвихина. Подозрительно, но контакт официальный. Теперь вторая важная вещь! Какого черта она лежит у него в бумажнике? Визитки, которые не нужны, обычно выбрасывают, чтобы не захламляли рабочее пространство. А нужные, с которыми придется работать, хранят где? Где ты хранишь такие визитки? Правильно! В визитнице в столе или в настольном приборе стопочкой. А вот в бумажнике, учитывая его ограниченный полезный объем, носят только очень важные и нужные в самое ближайшее время визитки.

— Вот ты о чем! Так-так! — обрадовался Крячко. — Теперь понял. Эта визитка из разряда тех, что ему либо только вручили, и он не успел ее выложить, или он ее выкладывать не стал, потому что она ему нужна. Он собирался контактировать с этим Ратмановым. Сам. Не секретаршу просить, чтобы набрала номер, а сам. А уровень не его! Вот ты где уловил странность и несоответствие! Не перестаю тебе удивляться.

— Перестань! — отмахнулся Гуров. — Предлагаю такой план. Первым делом заслушаем доклад Шалова по результатам изучения окружения Курвихина. Возможно, там уже появились узловые фигуры, на которые стоит обратить дополнительное внимание. Второе, у Курвихина есть ведущие специалисты и заместители, но каждый, как водится, занимается своим направлением. Главный редактор глянцевого журнала может и не знать, и наверняка не знает, какие планы бродили в голове у хозяина относительно строительства.

— Конечно, — кивнул Крячко. — Надо разговаривать с теми, кто ближе всего, кто постоянно слышит разговоры, получает задания. И кто не привязан к какому-то конкретному предприятию Курвихина. Это его личная секретарша и его личный водитель. И нам надо торопиться.

Итак, Володя Осипов! Гуров посмотрел на фото, присланное ему майором Шаловым на коммуникатор. Снимок успели скопировать с паспорта. Не ахти какое качество, но и так понятно, что парень не очень общительный. Тонкие черты лица, взгляд скорее непроницаемый, нежели просто угрюмый. О таких говорят «себе на уме». А учитывая возраст... тридцать два года, как сообщил Шалов в приложении к фотографии, так это еще и непредсказуемость поведения. Интересного себе водителя нашел Курвихин. О, да он еще и работает у него всего два месяца.

Служебная машина стояла возле офисного центра. Здесь на третьем этаже располагалась одна из фирм Курвихина — рекламное агентство «Пегас». Имелась даже небольшая студия. Идти в офис, чтобы поговорить с водителем Курвихина, Гуров не хотел принципиально. Это игра на чужом поле, там хорошего разговора не получится. Парень не простой, там его на откровенность не вызовешь. Да и глаз лишних много. И ушей. Но и к себе в кабинет вызывать нельзя, парень успеет морально и психологически подготовиться, если ему есть что скрывать. Самый простой вариант — разговор неожиданный, разговор на нейтральной территории, но с намеком на угрозу, что он в любой момент может быть продолжен в стенах кабинета.

Начало темнеть, но Осипов из здания еще не выходил. Гуров сидел за рулем служебной машины с затемненными стеклами и мысленно ругался. Теперь ему из машины были плохо видны лица людей. А если Осипов выйдет с кем-то? Если не удастся их разглядеть? Ладно, это не главное, подумал Гуров и тут увидел водителя.

Осипов появился откуда-то сбоку, видимо, вышел через второй вход с другой стороны здания. Вот тебе и сюрприз! Он ведь мог бросить машину здесь и уехать на чем-то другом. Осипов оказался парнем среднего роста, хорошо сложенным. Широкие плечи, узкая талия, стрижка салонная, и укладку делал сегодня или максимум вчера. Красавчик, если присмотреться. Ну, куда поедем? Это интересный вопрос.

Гуров решил, что по ходу событий решит, в какой момент объявиться со своим делом. А пока стоит понаблюдать за этим человеком, присмотреться к нему. Черный «Бентли» плавно вывернул от тротуара и ушел в сторону перекрестка. Гуров выждал несколько секунд и тронулся, пристраиваясь за неприметным «Фольксвагеном», чтобы не маячить на глазах у Осипова.

«Бентли» уверенно шел по проспекту Мира. Гуров продолжал держать между своей машиной и машиной Осипова одну машину. Так проще и не потерять объект, и не примелькаться ему в заднем зеркале, если Осипов вдруг опасается слежки. Хотя с чего бы ему опасаться? Гуров усмехнулся про себя. Вариантов придумать можно много. Шефа-то убили, и с какой стороны тут может оказаться примазанным личный водитель, еще неизвестно.

Оп! «Бентли» свернул на развязку, и Гуров еле догнал его на улице Докукина. Потянулись старые дома, в основном девятиэтажки. Несколько магазинов светили яркими окнами, потом неожиданно впереди оказался неосвещенный участок улицы, по какой-то причине не горело несколько фонарей на столбах. Гуров успел подумать, не свернул бы Осипов куда-нибудь, и «Бентли» тут же, не включая поворотников, свернул в переулок направо.

Ах, ты... Гуров ругнулся и тут же понял, что Осипов остановил машину сразу за поворотом. Пары секунд хватило Льву, чтобы принять решение. Он не стал сворачивать следом, а проехал прямо и остановился у тротуара перед темной громадой четырехэтажного здания непонятной принадлежности. Впрочем, судя по глухому забору, здание находилось на реконструкции.

Вот и хорошо, что темно, решил Гуров и быстро выскочил на улицу. Несколько шагов пробежал до угла забора, прикидывая, как себя вести, если сейчас столкнется с Осиповым. Хотя вряд ли. Сворачивают на другую улицу не для того, чтобы вернуться на предыдущую. Здесь и так места для парковки достаточно...

Вот и угол забора. Редкие прохожие шли навстречу, не обращая внимания на одинокого мужчину. Самый простой способ изобразить причину, почему тебе надо остановиться на улице, это вытащить телефон и сделать вид, что разговариваешь. Именно этим сыщик и занялся. Он усердно кивал, сосредоточенно бросал короткие фразы, а сам сдвигался все ближе к углу, пока наконец не увидел Осипова.

Водитель вытащил из машины темную летнюю куртку, надел ее и застегнул молнию под самое горло. Рассеянно осмотревшись по сторонам, он протянул руку и взял с переднего сиденья пакет с чем-то большим прямоугольной формы. Зачем куртка, тепло же? Чтобы не маячить в темноте светлой рубашкой? Коробка? С чем? Размер примерно сорок сантиметров на сорок. Твердая, потому что пакет Осипов держал не за ручки, а сжимал коробку пальцами. Чем дальше, тем интереснее! Надо быстро решать, что делать дальше, подумал Гуров, наблюдая, как Осипов, оглядываясь по сторонам, неторопливо двинулся к забору, ограждавшему строительную площадку. Вытащив коммуникатор, Гуров спрятался за крайний киоск и набрал номер Шалова.

— Глеб Сергеевич! Молчи и слушай... времени нет на объяснения. Пришли срочно пару толковых опытных ребят с оружием на улицу Докукина, 36. Это нежилое здание, находящееся на реконструкции недалеко от развязки с проспектом Мира. Дашь мой номер телефона, и пусть ждут моего приказа. Либо внутрь на помощь, либо... что скажу. Если услышат выстрелы, тогда действовать на их усмотрение.

Осипов исчез из поля зрения, и это заставило Гурова поспешить в том направлении, куда он скрылся. Лев шел осторожно, прижимаясь спиной к металлическому профилю ограждения и стараясь ставить ногу так, чтобы не издавать лишних звуков, и вдруг...

Впереди скрипнул металл, кажется, кто-то отгибал плохо закрепленный профильный лист. Прибавив шаг, Гуров остановился у забора под прикрытием синего «КамАЗа», который стоял тут, кажется, не один год, настолько он был запылен. Ага, вот тут лист металла в заборе отгибали. Очень похоже, что все подготовлено заранее. С учетом стройки и машины...

И странная коробка в руках Осипова. В такой коробке удобно носить разобранный пистолет с глушителем. Для винтовки коробка маловата. А если «стечкин» с глушителем и штатным проволочным плечевым упором? Он что, киллер? Сколько от окна этого здания до окна дома напротив на улице Докукина? Метров пятьдесят или восемьдесят. Для хоро-

253

шего стрелка да со специальным патроном это не расстояние, даже с таким оружием, как АПБ. У «стечкина», оснащенного плечевым упором, по заводским характеристикам дальность эффективной стрельбы до 150 метров.

Придя к таким умозаключениям, Гуров выругался и нагнулся ощупывать стык листов металла. Вот оно, это место, где лист можно отогнуть. Но звук! Он был не таким уж громким, но Осипов ведет себя с явной осторожностью и запросто может стоять неподалеку на территории, прислушиваясь к звукам. Решение пришло само собой. Гуров нашел ворота, ведущие на территорию ремонтируемого здания быстро и именно там, где и намеревался их найти, с этой тихой и малозагруженной улицы. Значит, и помещение охраны неподалеку. Ворота, правда, глухие, но под ними вполне приличная щель до земли, в которую пролезть может не только собака, а и человек. Мысль о собаках не понравилась, но придется рисковать. Эх, Маша за костюм убьет. Он ей так нравился!

И тут Гуров услышал голоса за воротами. Замерев, он весь превратился в слух. Кто-то идет к воротам... Женский смех? Это будет сильным ударом, если выяснится, что Осипов подрабатывает здесь сторожем. Или пришел на свидание к женщине-охраннице? Бред! И позвонить майору Шалову уже не успеть, если придется брать, то брать самому. Гуров потянул из подплечной кобуры пистолет.

Женский смех все ближе, ему вторит мужской басок. Если это любовная встреча, то они сейчас остановятся возле ворот и начнут целоваться. Гуров мысленно застонал, представив, как далеко мог за это время уйти Осипов и на какой этаж забраться. Но, к его огромному удовольствию, никто не стал останавливаться возле ворот, никто не принялся шептаться, жарко дыша и шелестя одеждой. Как-то даже обыденно и скучно загремел открываемый навесной замок, и створка ворот пошла внутрь. Без скрипа, что Гурова очень обрадовало.

Молодая женщина, одетая в джинсы и обычную футболку, позвякивая чем-то стеклянным в пакете с эмблемой сети магазинов «Пятерочка», столкнулась нос к носу с неизвестным мужчиной и замерла. Сзади появилось мордатое мужское лицо, на котором мгновенно промелькнули все его незамысловатые эмоции. Кто? Чего надо? К моей женщине приставать решил? Да я тебя сейчас...

— Тихо, полиция, — прошипел Гуров, успев сунуть пистолет в боковой карман пиджака. — Выйдите сюда, оба!

— Чего те, какая ты полиция... — начал было «быковать» охранник, но Гуров сунул ему под нос удостоверение и подсветил экраном своего телефона. Охранник шевельнул бровями и пробормотал: — Не понял. Полковник полиции, Главное управление уголовного розыска? Че за хрень? Полковники по ночам стали ходить в одиночку или это «липа»? Че надо?

— Леш, может, полицию позвать? — пытаясь боком отодвинуться от неизвестного, вставила женщина.

— Ты иди, Мариш, — строго велел ей охранник. — Поздно уже. А я тут с алкашами всякими и без полиции разберусь.

Гуров мысленно застонал, но решил, что это лучший выход в данной ситуации. Пусть женщина уйдет, а уж с этим мордоворотом он как-нибудь разберется. Хотя вызванный наряд полиции всем бы оказался на руку. Лишь бы не патрульная машина с проблесковыми «маячками»!

Стоило затихнуть в стороне женским торопливым шагам, как охранник сделал попытку оттолкнуть «неадекватного полковника» и закрыть ворота.

— Давай, двигай отсюда, — изрек он со снисходительной веселостью, — а то я завтра в переходе куплю «ксиву», что я генерал. И посажу тебя на «губу»...

Разозлившись не на шутку, Гуров не дал охраннику договорить. Слишком много времени потеряно, и слишком дорогой может оказаться цена этому времени. Одним движением сыщик поймал охранника за пальцы левой руки и согнул их к предплечью так, что парень охнул от боли и бухнулся на колени. А Лев продолжал давить, предотвращая попытки парня пустить в дело свободную правую руку.

— Эх, с... — шипел охранник, — пусти... урою...

— Уроешь, уроешь, — зло ответил Гуров, — только потом, когда меня выслушаешь! Не дергайся, я сказал, а то руку сломаю!

— Че те надо? — простонал охранник, замерев и стараясь не усугублять своего положения.

— Чтобы ты, придурок, мозги включил! Ты тут поставлен не женщин водить, а охранять...

— Блин, больно же... Это жена моя... Она мне пожрать приносила...

— Единственное, что тебя спасает, — проворчал Лев. — А теперь слушай и думай. Я — настоящий полковник полиции. И скоро сюда прибудут еще оперативники. А к тебе на территорию пробрался незнакомец с чем-то подозрительным и зловещим в руках. Соображаешь?

— И че надо-то? Так бы сразу и сказал...

— Не «сказал», а «сказали»! Я тебе говорил, только ты не слушал. И если этот тип с оружием сюда пробрался или со взрывчаткой, я тебя, остолопа, посажу! — заявил со злостью Гуров, отпуская наконец руку охранника.

— Че сразу «посажу», — потирая кисть и поднимаясь на ноги, буркнул охранник. — Я и... ничего.

— Вот именно! А сейчас включайся. Ты здесь один дежуришь?

— Нет, то есть пока да... Напарник отошел, часика через два будет.

— Ох, и уроды вы, — покачал Лев головой. — Значит, так, все ближайшее время ты будешь на улице. Слушать, ходить вдоль фасада здания, обращенного к улице Докукина, шуметь побольше. Но не перестарайся, делай вид, что слоняешься от безделья.

— Понял, — закивал охранник. — Я должен заставить его затаиться? Надо сделать вид, что кошек гоняю, камнем там в нее шугануть.

— Разок можешь, но не увлекайся. Главное, будь на виду. А я иду в здание.

— Гоните его на меня...

— Не дури, он может быть вооружен. Если он выскочит, то ты лучше деру давай, не вздумай с ним в схватку вступать!

256

Пойдешь на помощь, если я сам тебя позову. А если услышишь выстрелы, то бегом в свою сторожку и вызывай полицию. Носа наружу не показывать и в героев не играть.

Насупившийся охранник запер ворота и остался на улице. Гуров, расспросив его о планировке здания, еще раз бросил взгляд на фасад и поспешил под прикрытие стены. Так, мимо охранника Осипов не прошел, значит, он вошел в здание с другой стороны. Там два входа, как сказал охранник Леха. Здание пустое, подготовленное под реконструкцию внутренних помещений. Двери не заперты, потому что заканчиваются демонтажные работы старых материалов и стен и производится вывоз мусора.

Гуров обошел здание, старательно прислушиваясь. Ряд окон с остекленными рамами, грязная железная дверь, чуть приоткрытая... Он вытащил пистолет, поднял его стволом вверх и взялся за дверное полотно. Легкий нажим, и он тут же почувствовал напряженными нервами, что дверь вот-вот заскрипит. Так не протиснуться, слишком узкая щель. Грохот кирпича по листу железа с противоположной стороны здания заставил его поморщиться и обложить Леху последними словами.

Пройдя вдоль фасада, Лев добрался до второй двери. Эта была почище. Хорошая полуторная дверь, но... запертая на задвижку. Он пошевелил подвижную часть задвижки — кажется, ходит свободно. Сунув пистолет в кобуру, чуть надавил на дверное полотно и стал медленно отодвигать язычок задвижки в сторону. Металл почти без звука сдвинулся с места и пошел в сторону. Еще несколько сантиметров — и все.

Наверху что-то хрустнуло. Гуров замер на одной ноге и прислушался. Точно, в здании, где-то на втором этаже напротив этой двери. Наверное, за дверью лестница, ведущая наверх. Он снова достал пистолет и одной рукой стал приоткрывать дверь, держа оружие на уровне груди, нацеленным в образующуюся щель. Еще немного... Только не заскрипи... Еще сантиметров десять... Есть!

Лев протиснулся в щель и стал боком продвигаться к первому лестничному маршу. Вокруг стояла густая, как кисель, тишина, напитанная пылью, запахом мочи и крыс. Нога каждый раз, прежде чем опуститься на пол, ощупывала подошвой поверхность, становясь между кусками битого кирпича, обломков досок, гнутой арматуры и дюралевого каркаса легких перегородок. Всего несколько ступенек до промежуточной лестничной площадки... Вот он и на втором этаже. Это Гуров чувствовал почти физически.

И снова пришлось замереть на одной ноге. Раздались громкие шаги, потом буркнувший что-то голос... Киллер! Начинающий, что ли? Сыщику пришлось прижаться спиной к стене, потому что шаги слышались совсем рядом. Осипов, или кто это там сейчас был, стал подниматься по лестнице на третий этаж. Гуров тут же двинулся следом. Он старался идти так, чтобы тихий звук его шагов совпадал со звуком шагов неизвестного.

Человек поднялся на третий этаж и двинулся к окнам. На улице Леха опять запустил кирпичом в несуществующую кошку и крикнул... Кажется, что-то матерное. Парень явно вошел в роль! Последний поворот. Теперь Гуров ясно видел темное окно напротив лестничного пролета и на его фоне человеческую фигуру. Человек стоял и шелестел пакетом. И еще какие-то звуки примешивались. Вроде открывали что-то типа кожаного футляра, причем с таким же звуком, с каким открывают кобуру.

Эта последняя мысль заставила Гурова поторопиться. В данном случае было бы лучше, если бы на улице горели фонари. Лучше была бы видна фигура Осипова, положение его рук и даже то, что он сейчас в этих руках держал. Он очень осторожно поднялся на самую верхнюю ступеньку, преодолел несколько последних шагов до дверного проема, ведущего в это помещение. Оставалось каких-то десять или двенадцать метров до окна и до стоявшего возле него Осипова. Одним прыжком не преодолеешь, подойти незаметно можно только со спины, в надежде что Осипов не обернется. И пустая комната. Правда, хоть как-то выметена, видимо, только недавно ее дочиста убрали от строительного мусора.

Гуров успел сделать всего десяток шагов, преодолев едва половину расстояния до окна, когда человек вдруг резко обернулся. Такой прыти сыщик от Осипова не ожидал и только потом понял, что свою роль тут сыграло как раз освещение. Для обернувшегося в глубину комнаты Осипова человек был практически не виден. Ну, может, только черное пятно да хруст шагов. Естественно, от неожиданности Осипов должен был испугаться. При дневном свете такого не случилось бы. Но эти мысли пришли позже, а в тот момент Лев увидел лишь метнувшийся мимо него силуэт да услышал шелест пакета, взлетевшего в воздух.

Чисто автоматически он кинулся на пол. В темноте шансов схватить человека не много, и если использовать единственный, то пытаться схватить надо именно за ноги. И ни в коем случае нельзя выпускать из руки пистолет. Гуров упал на правый бок и чуть было не получил удар ботинком по лицу. Но он удачно успел выкинуть вперед руку и схватил Осипова за ногу.

Громкий вскрик, и человек упал лицом вниз с таким стуком, что Гуров невольно испугался за целостность костей, особенно костей головы. Эх, пропадай костюм, с горечью подумал он и, не выпуская ногу, перекатился через голову, надежно оседлав тело лежавшего на полу мужчины. Самое время было расставлять точки над «i».

— Лежать! Полиция! — рявкнул Лев в самое ухо задержанному и для острастки ткнул стволом пистолета в район мозжечка. — Пристрелю!

— Вы чего... Спятили, что ли... Какая стрельба, я же не преступник!

— Руки за спину! Живо!

Осипов болезненно закряхтел, видимо, он сильно ушибся во время падения, и завел одну, а потом и вторую руку за спину. Гуров привычным движением защелкнул на его запястьях наручники. Теперь можно было вызывать подмогу. Он вытащил телефон и снова набрал номер майора Шалова:

— Где твоя кавалерия, Глеб Сергеевич? Я взял его.

— На месте, Лев Иванович. Десять минут назад отзвонились, что ждут приказа.

— Пусть заходят на территорию. Охранник в курсе, только пусть представятся полицией, а то он очень недоверчивый.

Я на третьем этаже. Скажите, чтобы прихватили с собой фонарь, осмотреться внутри надо.

Через пять минут затопали ноги, забегали по лестничным пролетам лучи сильных фонарей. В комнату, где Гуров все еще сидел на Осипове, ввалились сразу трое оперативников. Лев узнал Борисова и Малкина. Кажется, майор Шалов определил молодых оперативников в штатные помощники полковнику из министерства.

— Осмотрите тут все до сантиметра, — приказал он, вставая на ноги. — Этого человека обыскать очень тщательно и отвести в соседнюю комнату под надежную охрану.

Появились еще двое офицеров в форме, представившиеся участковыми уполномоченными. Гуров распределил обязанности, и началась кропотливая работа. Однако, кроме порвавшегося пакета с символикой сети магазинов «Пятерочка» и валявшегося на полу бинокля с футляром, в комнате ничего обнаружить не удалось. Лев приложил бинокль к глазам и покачал головой. Мощная штука... Затем поднес бинокль ближе к фонарю и прочитал «STURMAN ATAKER 7—18х42».

— Ну-ка, парни, давайте сюда этого шпиона, — приказал он, рассматривая окна жилого дома напротив.

Собственно, смотреть отсюда было абсолютно не на что, в поле зрения был лишь дом. Это и наводило на мысль, что Осипов за кем-то следил. Огромное облегчение вызывал тот факт, что Осипов не оказался киллером и не было никакого огнестрельного оружия и жертвы. Интуиция подсказывала Гурову, что жертва тут была несколько иного рода. За спиной послышались шаги, ворчание и звуки сильных тычков в спину. Он обернулся и посмотрел в хмурое лицо водителя. Осипов чувствовал себя явно «не в своей тарелке».

— Так, — смерил его насмешливым взглядом Лев, — или ты отвечаешь мне на несколько вопросов, в том числе и неудобных, но отвечаешь честно. Или мы продолжаем разговор в ином месте и в ином тоне.

— За что меня задержали? — попытался говорить уверенным тоном Осипов. — Я ничего не нарушил и преступлений никаких не совершал...

— Тихо, тихо! — осадил его Лев. — Ты тут невинность не разыгрывай, зеленоват еще для такого! Проникновение на охраняемый объект. Это раз. Только по подозрению в кражах с аналогичных объектов тебя можно взять за шиворот и трое суток продержать в изоляторе временного содержания. Хочешь попробовать, что такое камера ИВС и какой там контингент? Могу устроить по блату. Если хамить не перестанешь, а начнешь вежливо отвечать на мои вопросы. Можно тебя туда же запереть и по подозрению в педофилии. На кого тут в такое позднее время в бинокль пялился? Причем в такое время, когда люди раздеваются и спать ложатся? На девочек, на мальчиков?

— Кстати, — хохотнул за спиной Вадик Борисов, — в камерах изоляторов тоже с большим интересом относятся к педофилам, насильникам и гомосекам. Обещаем, что там тебе будет весело. Ну, отвечай полковнику из Главка!

Снова последовал тычок в спину Осипова. Гуров открыл было рот, чтобы сделать старшему лейтенанту замечание, но почувствовал, что тычок оказался полезным. Последней каплей. Осипов вдруг сорвался! Только что он был угрюм, замкнут, а сейчас лицо его раскраснелось, глаза запылали негодованием и страхом. И даже руки начали суетливо сжиматься в кулаки, шарить по карманам и ощупывать свою одежду.

— Какая педофилия, что вы на меня наговариваете? Что вы меня пугаете? Женщина там, понимаете! Женщина! Какие, к черту, мальчики! Девочки...

— Уже лучше, — похвалил Гуров. — Показывай окно. На какую женщину любоваться ты сюда приехал?

— Вон, — снова став вялым, кивнул в сторону жилого дома Осипов, — третий этаж... Шестое окно слева.

Гуров навел бинокль на указанное окно. Шторы раздвинуты, через плотную тюль виднелась разобранная постель, торшер в изголовье. Посреди комнаты стояла молодая женщина в белом банном халате. Она растирала что-то по рукам, наверное, питательный крем, и смотрела в экран телевизора. На вкус Гурова, в этой женщине не было ничего особенного. Худощавая, темноволосая, губы узковаты, да и икры ног тонкие. Грудь вот, правда, чувствовалась. Не менее четвертого размера. И это при тонкой талии. М-да, задумчиво пожевал губами Лев, вкусы у всех разные. Большая часть мужиков относительно женской груди высказываются однозначно — хорошо то, что умещается в ладони. Но есть и любители большой груди и вообще не просто тела, а телесов. Бывает...

— Кто она? — коротко спросил он, опуская бинокль.

— Женщина, — вяло ответил Осипов, пожав плечами.

Гуров обернулся и одарил водителя таким взглядом, что тот сразу подобрался и торопливо стал объяснять:

— У нас работает, в холдинге. Замглавбуха. Вероника Косицина.

— И она тебе нравится?

Осипов промолчал. Гуров понимал, что сейчас подворачивается очень удобный шанс узнать много интересного о Курвихине и его бизнесе из первых рук.

— Так, Володя Осипов! Расскажи-ка мне вот о чем. Твоему шефу, я имею в виду Курвихина, кто-то угрожал, он кого-то опасался?

— Меня уже допрашивали на этот счет, — ответил Осипов. — Со мной он не делился такими проблемами, кто я ему?

— Не придуривайся, — снова осадил его Гуров. — Курвихин мог при тебе в разговоре с кем-то сказать что-то такое, из чего ты понял бы, что это была угроза.

— Нет. Не слышал такого. Да и вообще я у него месяца три работаю. И вожу его мало, хотя и считаюсь персональным водителем. Я его только утром из дома забираю да вечером привожу обратно.

— И весь день стоишь «на приколе»?

— Нет. У меня в обязанностях еще бухгалтерию возить. В банки, в налоговую, в другие места.

— Веронику чаще возишь? — кивнул Гуров на окно.

— Да, — тихо ответил Осипов.

— А Курвихин обычно в течение своего рабочего дня часто куда-то ездил?

— Обычно к нему все приезжают. Он почти не выходил из офиса.

— Хорошо, чем занимался Курвихин? Какой у него бизнес?

— В смысле?

— Какие предприятия у Курвихина? — повысил голос Лев. — Какой профиль?

— Рекламой он занимается... журнал выпускает для мужчин.

— А щебень ему тогда зачем?

— В смысле? Какой щебень? — непонимающе посмотрел на сыщика Осипов.

— Щебень Курвихин закупал, договаривался с кем-то о поставках щебня, о дорожных работах?

— Я же говорю, он при мне о делах не разговаривал. В машине, по крайней мере. Про щебень я даже не слышал.

Гуров дождался Крячко возле подъезда дома на улице Докукина, где жила Вероника Косицина. Станислав лихо припарковался на противоположной стороне улицы, пропустил несколько машин и торопливо перебежал улицу.

— Вот и утренний моцион, — заявил он со смешком. — Время семь, а мы уже на работе! А ты что это?

— Что? — не понял Гуров, с удивлением глядя на друга, разглядывающего его с интересом.

— Я тебя привык видеть в другом костюме. Что у тебя сегодня? Встреча с дамой?

— Кончай, Станислав! Я вчера на стройке так уделал одежду, что теперь ее только в химчистку.

— Там? — Крячко кивнул на дом по другую сторону улицы. — Про химчистку расстрою. Пиджак все равно форму потеряет, гарантирую.

— Черт с ним! — отмахнулся Гуров. — Что секретарша?

— Я с ней вчера два часа бился. Не тот типаж. Все бесполезно. Не знает она ни черта.

— Какой типаж, ты о чем?

— Понимаешь, Лев, — с мечтательным выражением лица заговорил он, — существует два вида секретарш. Один — это деловая, энергичная и грамотная женщина, настоящий помощник руководителя. Она все помнит, все знает, всем все напоминает, за всем следит. Она как запасной блок памяти

263

для своего шефа, и она же ему мать родная. Это когда надо следить, чтобы он вовремя таблетку принял или деньги для ребенка в школу передал на новогодний утренник. А есть второй тип. Это просто картинка. Красивая и бестолковая. Ее задача — встречать гостей, сверкая обтянутыми в дорогое телесами, и подавать кофе. Ну, может, еще с шефом иногда спать.

— Ты, я вижу, изучил этот вопрос основательно, — усмехнулся Гуров. — Готовишься стать большим начальником?

— Исключительно знание жизни, — заявил Крячко. — Так вот у Курвихина в секретаршах второй тип. Только он с ней не спал.

— Почему?

— Или у него есть любовница, а он не патологический бабник, либо есть еще один вариант. Она, как я понял, дочь его друга, которую он взял к себе на необременительную должность для приобретения стажа. Она учится на юридическом. С дочками друзей, как правило, не спят.

— С этим я понял, а по делу?

— Соответственно, — вздохнул Крячко и стал смотреть на девятиэтажку, в которую им предстояло зайти. — Она знала структуру холдинга на бумаге, знала лично всех руководителей и главных специалистов, их секретарш, естественно, но в технологии, производственные процессы и во всю глубину бизнеса не вникала. Необходимости не было. Поэтому про деловую жизнь Курвихина она знала очень мало. Что такое щебень, она представления не имеет, куда уж разбираться или просто знать о каком-то там строительстве, которое затеял шеф. Глухо!

— Ладно, пошли к Косициной. Обрадуем девочку с самого утра сюрпризами.

Гуров позвонил Веронике Косициной еще вчера вечером и договорился, что зайдет к ней домой утром. Он даже предложил ей не звонить на работу и не сообщать о том, что она задержится. Это сделают из управления. И еще Гуров принесет с собой повестку, которая даст основание руководству оплатить эти вынужденные часы отсутствия на работе и не поставить прогул.

Естественно, вчера вечером принять незнакомого полковника из МВД Косицина отказалась, сославшись на позднее время и собственную усталость. Да и не стоило вчера настаивать. Допрашиваемый человек, если хочешь получить от него добровольные сведения, должен ощущать комфортную обстановку. Или давление, но в данном случае оно неприемлемо.

Нажав кнопку домофона, Гуров представился, и дверь открылась. Через пару минут они с Крячко входили в скромную однокомнатную квартиру. Интерьер не выглядел богатым, но оформлено помещение и обставлено было со вкусом. Сама хозяйка, уже одетая по-деловому и подкрашенная, встретила визитеров и пригласила в комнату.

— Так что случилось? — с некоторым напряжением в голосе спросила Вероника. — Вы вчера меня не просто заинтриговали, но напугали. Извините, что отказалась пустить вас в квартиру в такое позднее время, но вы...

— Не утруждайтесь, — улыбнулся Гуров. — Все правильно, и мы прекрасно вас понимаем. Честно говоря, я бы удивился, если бы вы нас вчера пригласили. Но попытаться я должен был. Давайте перейдем к делу. Скажите, у вас есть какие-то соображения или подозрения, касающиеся гибели вашего шефа Курвихина?

— Ну, откуда? — пожала плечами девушка. — Я не из категории приближенных, которая все знает про начальство. Я хоть и заместитель главного бухгалтера, но роль моя в фирме небольшая.

— Вы же постоянно находитесь в офисе, слышите разговоры, предположения, обсуждения.

— Да они все и сводятся как раз к вопросам: «ах, кто?», «ах, за что?». Ерунду всякую говорят, треплются, и все. Я даже не знаю, кто настолько близок к шефу, чтобы быть в курсе. Он ведь был очень замкнутым человеком.

— Понятно, а по бухгалтерии у вас проходили крупные суммы, получаемые Курвихиным на руки или получаемые кем-то из его сотрудников? Скажем, в пределах полутора миллионов.

— Да что вы! — вытаращила глаза Вероника. — У нас и зарплат таких нет.

— Понятно. А строительные материалы у вас часто проходят?

— У нас? Нет, мы хозспособом ничего не делали. По крайней мере за последние два года, что я там работаю. Договора были на ремонтные подрядные работы со сторонними организациями. Материалы они сами закупали по сметам, а не мы.

— Щебень у вас где-то проходил?

— Щебень? Н-нет. Проходили отделочные материалы. Гипсокартон, всякие направляющие, краски, шпатлевки, смеси различные. А щебень вообще не присутствовал. И не было у нас таких работ. А почему вы ко мне пришли, а не к главному бухгалтеру?

— Очень неприятно говорить вам об этом, но мы засекли одного из сотрудников вашего холдинга за странным занятием. Он подглядывал за вами в окна с биноклем. Наверное, он в вас просто влюблен. Вот мы и решили разобраться, а заодно уж и поспрашивать про дела фирмы.

— За мной? — в ужасе спросила Вероника и невольно прикрыла грудь рукой. — В окна с биноклем? Какой кошмар! Это со стройки, наверное... Кто это?

Она спросила с таким нажимом, что не ответить было нельзя. Есть такая черта у женщин. Если им что-то нужно знать, то с ними не справится ни полиция, ни армия, вообще никто. Гуров вздохнул, переглянулся с Крячко и ответил.

Глава 4

— Итак! — Генерал Орлов мерил шагами свой большой кабинет и задумчиво смотрел в пол перед собой, как будто боялся наступить куда-то не туда.

Гуров и Крячко сидели у окна на мягком угловом диване и послушно потягивали холодный сок. Орлов сегодня был настроен либерально и настоял, чтобы друзья остыли немно-

266

го, а заодно и поразмышляли над этим непонятным делом вслух. И в его присутствии.

— Что, давят на тебя, Петр? — не удержался от вопроса Крячко.

— Да нет... при чем тут это? Не давят. Просто вопросов задают много. Оказалось, что у Курвихина этого вашего очень много знакомых, хороших знакомых и... Итак! Что мы имеем в активе?

— У Курвихина был своего рода холдинг, — ответил Гуров, ставя стакан на журнальный столик и откидываясь на спинку дивана.— «Своего рода» я сказал потому, что официально юридически холдинг не оформлен, есть просто группа компаний, которыми он руководил теневым образом. Там имелись наемные руководители, но приказы им отдавал сам Курвихин и решения принимал тоже он. Что там конкретно, Станислав?

— Конкретно, — зашелестел листами ежедневника Крячко, — конкретно у него было рекламное агентство. Довольно доходное. Они там даже продающие видеоролики изготавливали. И имели двенадцать рекламных мест на ведущих магистралях города. Аренда там — ого-го!

— Не завидуй, — буркнул Лев.

— Ладно, — легко согласился Крячко. — Дальше... Глянцевый мужской журнал, довольно популярный и с приличным тиражом. Затем новостной интернет-портал, студия по изготовлению сайтов. Вот такой бизнес. Щебень туда никак не вписывается.

— Сразу хочу предвосхитить твой вопрос, Петр Николаевич, — добавил Гуров, — что семья Курвихина в его бизнесе не участвует и отношения к нему не имеет. И к бизнесу вообще. Загородного дома Курвихины не имеют. Так что к щебню его семья тоже отношения не имеет.

— То есть никто ничего о связи Курвихина и этого хозяина карьера не знает?

— Абсолютно.

— А кто он хоть такой? Что собой представляет?

— Ну-у... — Гуров пожал плечами и сделал в воздухе неопределенный жест рукой. — Молодой мужчина, возраст —

двадцать восемь лет, зовут Глеб Александрович Ратманов. Жду закономерного вопроса, поэтому сразу отвечаю. Карьер этот Ратманов не купил, его подарил ему некто Пожерин Александр Иванович. Произошло это два года назад.

— Вот как? — остановился посреди кабинета Орлов. — Интересно. Пожерин, Пожерин... Это не тот самый бизнесмен...

— Тот самый, если ты имеешь в виду магната нефтеперерабатывающего бизнеса Пожерина. Солидный бизнес: нефтеперерабатывающий завод, несколько небольших месторождений на европейской части России. Тимано-Печорский регион и Волго-Уральский. Правда, есть мнение, что скважины у него уже иссякают, но завод востребован и дает приличный доход. Лет пять назад Пожерин закончил его модернизацию и теперь выдает продукцию европейского качества.

— И с какого это перепугу Пожерин вдруг дарит каменный карьер Ратманову? — удивился Орлов. — Там что-нибудь нетрадиционное, что ли? Смазливый парень, похотливый нефтяник?

— Наоборот, все очень традиционно, — рассмеялся Крячко. — Настолько традиционно, что даже скучно. Ратманов — сын Пожерина. Внебрачный. Пожерин долгое время ничего не знал о сыне. Фамилии разные, потому что свою фамилию парню дала мать. Теперь вот, через двадцать с лишним лет, отец и сын встретились.

— Замаливает грехи, — проворчал Орлов, — задабривает. Дарит бизнес.

— Не ворчи, — вмешался Гуров. — Просто естественное желание помочь сыну. Что тут такого?

— С бабами путаться не надо было, не пришлось бы теперь наверстывать в воспитании и обеспечении. Ладно, это их дела. Надо срочно выяснять, что за связь между Курвихиным и этим Ратмановым. Замешан ли там Пожерин. Вы и так уже занимаетесь этим делом довольно долго, а просвета никакого, даже намека нет на рабочую гипотезу.

— Собственно, мы поэтому и пришли, — невозмутимо ответил Гуров. — Мы со Станиславом считаем, что дальше действовать нужно очень осторожно. Не следует кидаться с вопросами к Ратманову, надо предварительно прощупать ситуацию.

— Давно бы отправили туда кого потолковее из МУРа... — ворчливо заметил Орлов.

— Не-ет, — покачал Лев головой. — А если причина смерти Курвихина лежит в рамках этих отношений? Туда поедем мы со Станиславом. И еще. Карьер находится в тридцати километрах от МКАДа, и если директор карьера большую часть времени находится на своем рабочем месте, то можно предположить, что он не знает о смерти Курвихина. А это определенный маневр для оперативной разработки.

— А Ратманов и собственник, и директор?

— Да. Насколько мы понимаем, там штат невелик, и он выступает один в двух лицах — и собственник, и директор. Карьер, экскаватор, дробилка, бухгалтерия, сторож и директор. Вот и вся схема. Но карьер хороший, щебень качественный, серый. Запасы там приличные, еще лет на десять хватит, если не больше.

Крячко был очень убедителен. И Гуров, знавший Станислава уже много лет, решил, что его друг прав, это может сработать. Немного театральности, которая зачастую нужна в оперативной работе, и расчет на то, что дела у Курвихина и Ратманова были серьезные. Ведь лежала же визитка в бумажнике, а не валялась где-то в столе вместе с другими, мелкими и не очень важными контактами.

Гуров шел по коридору вторым. Двигался он солидно, не спеша, всем своим видом источая уверенность, что любая дверь, оказавшаяся закрытой, при его приближении мгновенно распахнется. Крячко шел впереди. Вел он себя суетливо и, по мнению Гурова, сильно переигрывал. Но Стасу лучше не мешать, когда его переполняет вдохновение. Это Гуров тоже знал очень хорошо.

— Где? По тому коридору? — в который уже раз справлялся Крячко у встречавшихся на пути о кабинете директора.

В небольшом и основательно запыленном офисе Управления карьером было на удивление людно. Видимо, сновавшие тут люди были по большей части не работниками офиса, а покупателями. Кто-то спешил подписать накладные, кто-то шел оплачивать, кто-то выписывал пропуска или принес на согласование договора поставки, акты взаиморасчета... Мало ли документов крутится на производстве.

— Здесь директор? — не столько осведомился, сколько констатировал Крячко, ввалившись наконец в маленькую приемную со столиком секретарши, тремя стульями вдоль стены и обязательной большой кадкой, в которой хирела тонколистная ховея.

За столом сидел угрюмый парень и торопливо что-то писал на листке бумаги. Он поднял глаза на вошедшего, но, кажется, мысли его были далеко, и он снова уткнулся в свою писанину. Крячко с довольным видом кивнул на парня, потом на дверь с табличкой директора. Гуров движением ресниц выразил согласие, и Стас решительно распахнул дверь в кабинет.

Деревянным панелям на стенах было лет, наверное, пятьдесят. Их, конечно, подновляли, приводили в порядок. Стены и потолки были идеально выровнены и окрашены в пастельные тона, вполне современные светильники делали помещение светлым и уютным, но все равно было тут что-то от советских времен. Очень не хватало вымпелов на стенах с коммунистической символикой, какого-нибудь переходящего красного знамени и, конечно, портретов вождей за спиной у директора.

Кареглазый широкоплечий парень с идеальной стрижкой оторвался от компьютера и выжидающе посмотрел на входивших в его кабинет мужчин. Взгляд у него был какой-то привычный, наверное, к нему так вот десятками за день приходят с привычными вопросами или делами. И решает он их быстро, «по накатанной».

— Здравствуйте, Глеб Александрович, — внушительно проговорил Крячко и весьма картинно посторонился, освобождая для обозрения солидную фигуру Гурова в дорогом костюме, усаживающегося без приглашения за длинный приставной стол.

— Да... — коротко кивнул Ратманов. — Что вы хотели?

Крячко промолчал и демонстративно остался стоять у двери. Пусть директор карьера голову ломает: кто перед ним сидит и кто у дверей стоит. И что все это значит.

— Мы по тому делу, которое вы должны были решить с Сергеем Владимировичем Курвихиным, — медленно, с расстановками, произнес Гуров и положил ногу на ногу с видом человека, который не собирается подниматься с этого стула до тех пор, пока не решит всех своих вопросов.

Наступил решающий момент. Лев мысленно молился, чтобы они с Крячко все же «не перегнули палку» со своим странным поведением. Но они же представления не имели, по какой причине в бумажнике Курвихина оказалась визитка Ратманова. И реакция директора карьера могла быть какой угодно. Вплоть до вопроса: «А кто такой Курвихин?»

— Та-ак, — протянул директор, и выражение его лица изменилось, стало жестким. Он откинулся на высокую спинку дорогого кресла, посмотрел сначала на Крячко, потом на сидевшего напротив Гурова и решил разговаривать именно с Гуровым. — Значит, господин Курвихин пожелал идти иным путем, да?

Гуров мысленно почесал в затылке. А хрен его знает, куда и каким путем собирался идти Курвихин. Знать бы вообще, о чем речь! Надо идти напролом, лавировать тут опасно.

— Господин Курвихин, — ответил он, — вовсе не желает идти другим путем. Он хочет, чтобы все было к обоюдному удовольствию. И без проблем.

Лицо Ратманова смягчилось, а в глазах мелькнуло даже какое-то облегчение.

— Итак, — продолжал идти напролом Лев, вдохновленный первым успехом. — Если можно, еще раз ваше предложение. Чтобы мы не пользовались сведениями из вторых рук, коль скоро проблему решать нам. Вы же хотите, чтобы все было хорошо?

— Пусть Полинка отдаст документы, — сказал Ратманов. — Что я еще могу сказать вам нового? Я что-то не пойму, кто вы и почему не приехал сам Курвихин?

271

— Поверьте, Курвихин не сможет приехать. Я вас не обманываю. И проблему решать нам двоим. Это я вам заявляю от чистого сердца. Как на исповеди.

— Ладно, допустим. Где документы?

— Видимо, у Полинки, — пожал плечами Гуров.

Применительно к этой ситуации, он мог назвать только одну Полинку — дочь Курвихина. Какие-то документы, видимо, важные. И, видимо, дочь Курвихина замешана в этом деле. Вот это ситуация! И как выпутываться? Интуиция подсказывала сыщику, что торопиться не стоит. Не время вытаскивать удостоверение и объявлять свой официальный статус. В деле наконец проявился определенный мотив.

— Вот пусть она и возвращает то, что взяла. Мне уже плевать, по чьей указке она это сделала, кто ей велел или заплатил. Но если она не вернет документы, скандал будет большой, и я даже не знаю, кого он еще захлестнет. Это не только моя проблема, и пусть Сергей Владимирович ее решает. Или вы, если он вас прислал. Кстати, зачем он вас прислал?

— Вы, Глеб Александрович, вполне резонно заметили, что проблема гораздо шире, чем может показаться, — вставая, сказал Гуров. — А мы как раз и есть специалисты по решению такого рода проблем. Мы их решаем профессионально, и у нас огромный опыт, поверьте.

— Да я, собственно, и не сомневаюсь, — не очень уверенно ответил Ратманов.

Гуров почувствовал, что сейчас снова начнутся неудобные вопросы, и решил, что на этом этапе пора откланяться и удалиться.

— Вот и правильно, — заявил он. — Нас искать не нужно, пытаться связаться с Курвихиным тоже не стоит, я бы не рекомендовал. Я рекомендовал бы вам ждать результатов нашей работы. Мы с вами обязательно свяжемся. Сами свяжемся.

— Как хоть называть-то вас, как я по телефону пойму, что это вы звоните? Визиток у вас нет?

— Не надо визиток, — покачал головой Гуров уже от двери. — Меня зовут Лев Иванович. Этого достаточно. Ваши телефоны, домашний адрес мы знаем, поэтому свяжемся в любой момент. До свидания.

272

Крячко деликатно и немного театрально распахнул перед Гуровым дверь, пропустил его мимо себя, потом улыбнулся Ратманову и вышел спиной вперед, как будто опасался выстрела в спину. Этот штрих Станислав добавил специально. По опыту знал, как действуют на нервы оппонентов такие мелочи. Они начинают теряться в догадках, а кто же, собственно, к ним приходил? Какого рода «решальщики» проблем? А когда человек путается в догадках, он невольно начинает нервничать и совершать ошибки.

В кабинете майора Шалова сразу стало тихо, когда вошли двое полковников из министерства. Гурова и Крячко в МУРе хорошо знали. Знали по рассказам опытных оперативников, знали многие и лично, потому что с МУРом Гуров и Крячко работали давно и часто. Вскочившие с мест офицеры вопросительно посмотрели на Шалова.

— Пока все свободны, — кивнул майор. — Можете покурить.

Зашаркали ноги, задвигались стулья, и кабинет быстро опустел. Гуров уселся на стул, почесал бровь, еще раз формулируя в голове то, что сейчас собирался озвучить.

— Значит, так, Глеб Сергеевич, появилась очень интересная информация, и нам с вами нужно очень быстро отработать новую версию. Мы только что общались инкогнито с хозяином карьера «Давыдовский» господином Ратмановым.

— В том смысле, что он не знает, кто именно к нему приходил?

— Да, именно, — недовольно кивнул Гуров. — Ситуация такова, и причина нахождения визитки Ратманова в бумажнике Курвихина видится следующей. По полученным от самого Ратманова сведениям, дочь Курвихина Полина взяла у Ратманова какие-то документы, которые он очень хочет вернуть и которые могут вызвать некий гипотетический скандал в неких кругах. Так он, по крайней мере, выразился. О смерти Курвихина он пока не знает, но тут иллюзий строить не стоит. Узнать он может в любую минуту, и вся наша

273

игра может слиться в канализацию в тот же миг. Поэтому надо спешить.

— Да, слушаю, — придвинув к себе лист бумаги, взялся за авторучку Шалов.

— Станислав Васильевич вплотную займется Ратмановым, изучением его бизнеса, его жизни, досуга и всего остального. Дашь ему в помощь Вадика Борисова и организуешь максимально быстрое получение информации из различных официальных источников: адресные службы, сотовые операторы, электронные базы ГИБДД и вообще ГУВД Москвы, и тому подобное. А я у тебя заберу Сашу Малкина и займусь Полиной Курвихиной и всей их семейкой. У тебя какие-то наметки уже есть по этой девахе?

— Есть немного, Лев Иванович, — кивнул майор. — Из всего того, что мы получили на семью убитого Курвихина, следует, что подозревать жену и дочь в его смерти или хотя бы причастности к его смерти оснований нет. Предварительно, конечно. Мать — типичная домоседка. Я бы затворницей ее не назвал, но дама ведет себя степенно. А вот у дочери жизнь безалаберная, сплошные увеселения. Спит, она, я так понимаю, часов до двенадцати. Потом выползает из дома, зависает в том или ином кафе, встречается с подругами, обмениваясь вчерашними впечатлениями, а к вечеру опять исчезает в каком-нибудь ночном клубе. И на следующий день все повторяется снова.

— Только кафе и клубы меняются?

— Нет, примерная география сохраняется. Если кафе, то это либо «Кофе. Шоколад», либо «Чудесница», либо «Милая леди». Все зависит от того, с кем из подруг она встречается. У тех тоже свои вкусы и пристрастия. А любимых клубов у нее два — «Иллюминатор» и «Анжелика».

— И как она проводит время в клубах?

— Бесится, как и все, — пожал плечами Шалов. — До потери пульса не пьет, в употреблении наркотиков не замечена. С парнями часто уезжает. Не берусь судить, ее ли снимают, она ли снимает парней. Но с шушерой она не общается, в основном «золотая» молодежь, молодые предприниматели. Одним словом, разгульный образ жизни, тлетворное влияние Запада, как говорилось в одном моем любимом фильме.

— М-да, — задумчиво кивнул Гуров, — я помню. «Бриллиантовая рука». Элементы сладкой жизни, тлетворное влияние Запада. Ладно, займемся этой девочкой... И где твой Малкин?

Полина Курвихина обнаружилась в половине третьего в кафе «Чудесница» на Пречистинке. Установили ее оперативники местного отделения уголовного розыска по полученному фото. Через полчаса Гуров в сопровождении Саши Малкина был возле кафе.

Затемненные стекла высоких узких окон создавали атмосферу таинственности, даже при взгляде снаружи. Еле видимые контуры двух или трех посетителей за столиками, ажурные кованые элементы козырька над входом в кафе, три круглые ступени, все это создавало определенный шарм.

— Я с ней разговариваю, ты не подходишь, но все время находишься рядом, — приказал Гуров Малкину, остановившись на первой ступени. — Твое дело смотреть вокруг, вовремя засечь возможные контакты этой девицы. Либо она одна и кого-то ждет, либо она уже с кем-то беседует. Если прикажу, собеседника уберешь. Вежливо, но эффективно. Сумеешь?

— Обижаете, Лев Иванович, — пробасил Малкин, потирая мощное плечо.

— Ну-ну, — укоризненно заметил Гуров. — Ты больше на голову рассчитывай.

Вестибюль встретил их обилием зеркал и точечных светильников. Возникало ощущение, что свет везде. Он преломлялся, отражался и даже искажал пространство. У кого-то в руководстве этого кафе явно были романтические вкусы. Взять хотя бы название и оформление вестибюля. И вот теперь тяжелые темно-бордовые занавески, собранные в складки по краям входной в зал арки.

Полину Гуров узнал сразу. Она сидела в дальнем конце небольшого, но длинного зала. Столик стоял у окна с затем-

275

ненным стеклом, и девушка была не одна. Мягкая подсветка вдоль стен и романтический стиль оформления помещения располагали к спокойствию и плавному течению мысли. Поэтому Гуров сразу почувствовал, что между Полиной и парнем, сидевшим напротив, имеет место конфликт. То ли позы у обоих были напряженными, то ли голоса, звучавшие тихо, были все же резковаты для интимной беседы.

Он неторопливо двинулся между двумя рядами столиков к Полине. Мужчина с молодой особой не обратили внимания на вошедших, увлеченные разговором, две девушки грустно вели неспешную беседу возле стойки. Гуров предпочел, чтобы в кафе сейчас вообще никого не было. Интересно, кто этот тип, что сидит с Полиной? На молодого предпринимателя не похож, даже на водителя молодого предпринимателя не смахивает. Что-то в этой выгнутой спине и выстриженном под расческу затылке было знакомое. Да, да! Эта приблатненная жестикуляция, движение головой, как в их кругу привыкли давить на собеседника. Причем независимо от ситуации. То ли «наезжая» на кого-то, то ли пытаясь наврать дружкам о своих похождениях, то ли пытаясь познакомиться с девушкой.

— Здравствуйте, молодые люди, — спокойно сказал Гуров, подойдя к столику и разглядывая лицо парня.

Да, это человек не ее круга! Полина пыталась от него избавиться. И вообще она пришла сюда не ради встречи с ним. У него вон и кофе нет, перед ним стоит дешевый сок. Полина хмуро глянула на незнакомого мужчину и опустила глаза, в которых мелькнула какая-то усталая обреченность и затихшая раздражительность.

— Че? Какие проблемы? — сразу окрысился парень, окинув взглядом мужчину перед собой.

— Что вы сразу грубить бросаетесь? — поинтересовался Гуров. — Я вот хотел с Полиной поговорить и подошел спросить, когда бы ей было удобнее.

— Ты че, отец? Не видишь, что она не одна? Что я с ней разговариваю? Сел в сторонке и жди очереди!

Шутка показалась парню очень остроумной и вполне соответствующей его крутому образу. Так, кажется, придется все же применять силу, хорошо бы не здесь. Правильно, что я Сашку с собой взял, с удовлетворением подумал Гуров, делая за спиной знаки Малкину, чтобы он вышел из зала.

— Не могу я ждать, — с сожалением в голосе ответил Лев и подмигнул Полине. Девушка удивленно посмотрела на него, а потом прыснула в кулак. Кажется, ей стало интересно. — Может, вы, юноша, подождете в сторонке, пока я с Полиной поговорю? Я даже могу вам место показать. Там, снаружи.

Это было завуалированное предложение выйти поговорить. И парень понял его. Не по смыслу даже, а по интонации. Расчет оказался правильным. Волна агрессии захлестнула все, что было в той коротко остриженной голове, и парень перестал себя контролировать. Он встал с места с явным намерением разобраться прямо здесь, но Гуров уже неторопливо шел к выходу, сунув одну руку в карман брюк. Это должно было завести агрессивного парня еще больше. И завело.

Лев слышал звуки торопливо отодвигаемого стула, а потом и быстрых шагов. Надо было поспешить и выйти за пределы зала раньше, чем его настигнет стриженый. Парень прибавил шагу, сверля свирепым взглядом спину мужика, который вывел его из себя, и, ринувшись следом за ним в вестибюль, аккуратно попал в руки Саши Малкина.

— Здравствуй, малыш! — ласково пророкотал оперативник, взяв парня за шею и отодвинув в сторону от прохода одним движением.

— Займись им, Саша, — буркнул Гуров и снова исчез за занавеской в зале.

Малкин был опытным оперативником, он вообще был далеко не новичком в полиции, начав работу еще в патрульно-постовой службе. Только увидев парня, который вышел следом за Гуровым из зала, он сразу все про него понял. Что агрессивен, что вышел «разобраться», что не остановится этот тип ни перед чем, потому что его понесло, потому что это уже понты перед девчонкой. И такого типа люди всегда имеют в кармане что-то более весомое, чем обычное слово.

В данном случае это был дешевый нож с выкидным лезвием, которые продаются в каждой сувенирный лавке на

277

каждом вокзале. Парень выхватил его мгновенно, наверное, часто и подолгу тренировался перед зеркалом или перед дружками. Выглядело это несколько театрально, а потому бестолково. Взмах рукой, щелчок пружины, рука, отведенная чуть в сторону с блеснувшим лезвием. Почему чуть в сторону? Если ты решил напугать человека ножом, если намереваешься этим ножом защищаться или напасть, то ты должен все время держать лезвие между собой и противником. Тем более что противник держит тебя за шею своей широченной лапищей и времени у тебя на размахивание ножом нет. Бить надо сразу!

Время было упущено. Да и Сашка Малкин был опытным в таких вот схватках человеком. За эти доли секунды, что прошли с момента появления ножа в руке парня, оперативник оценил ситуацию, способности своего противника и собственные шансы. Результат этого анализа не заставил себя ждать. Колено Малкина взлетело и впечаталось парню в область печени. Тот непроизвольно ахнул, но его рука, сжимавшая нож, уже попала в стальные тиски. Пальцы Малкина сомкнулись на запястье противника... рывок, и парень оказался согнут в бараний рог, а нож вывалился со стуком на пол.

— Пусти! — выдавил он из себя, стоя в согнутом положении с вывернутой за спину рукой. — Сломаешь...

— Да легко, — добродушно согласился Малкин. — Были случаи, что и ломал. Потерпи, сейчас в полицию съездим. Познакомимся. Люблю я знакомиться с новыми людьми, аж спасу нет! Особенно с теми, у кого всегда ножик в кармане заготовлен. Очень мне интересно проверить таких шалунов на причастность к прошлым мутным делишкам в нашем городе. Вот, помню, случай был...

Болтая и развлекаясь, Малкин выволок сопротивляющегося парня на улицу и сдал в руки дежуривших у входа по просьбе Гурова оперативников из местного отделения уголовного розыска, которые и нашли тут Полину Курвихину.

— Простите, Полина, — уже другим тоном сказал Гуров, возвращаясь к столу и без приглашения усаживаясь за столик напротив девушки. — Мне действительно нужно с вами поговорить, а этот... ваш ухажер мне мешал.

— Его не убили там? — Она весело кивнула в сторону выхода. — Дурачки обычно так и нарываются на неприятности.

— Помилуйте! — Гуров чуть ли не всплеснул руками. — К чему такие сложности? Умеючи, можно от любого человека избавиться вполне прилично, законно и без всякого шума. Если не желаете, то можете этого молодого человека больше никогда не увидеть. Не в том смысле! Просто он теперь будет бояться приближаться к вам на пушечный выстрел.

— Была бы рада! — засмеялась Полина и достала из пачки на столе тонкую сигаретку. — А вы меня заинтриговали. Вы откуда? Из спецслужб? Или крупная мафия, которая все может и никого не боится? Или просто богатый «папик»? Хотя...

— Что хотя? — с интересом спросил Гуров.

— Костюм у вас дешевый. Могу поспорить, что цена ему не больше пятисот долларов. Скорее, вы из полиции или из охраны какого-то олигарха. Причем жадного, мог бы платить вам и побольше.

— А если я просто решил за вами поухаживать? — Гуров молодецки вскинул одну бровь. — Вдруг я в вас давно и безнадежно влюблен?

— Дядя, не по адресу! — засмеялась девушка. — Вы мужчина интересный, видный, но... пардон! Как серьезная партия вы меня не интересуете, а для развлечений есть парни и помоложе. Учтите, я дама состоятельная, мне «папики» не нужны. Я сама могу содержать нищего любовника...

— Но все равно, насколько я понял, — перебил Гуров, откидываясь на спинку стула, — вы тяготеете к парням с положением. Так ведь?

— Так вы и имя мое узнали, — усмехнулась она как-то уже не очень весело. Кажется, ей стала надоедать эта затянувшаяся интермедия.

— И фамилию. Курвихина. Полина Сергеевна Курвихина. И увлечения ваши мне тоже хорошо известны. Я же говорю, что это парни с положением, молодые удачливые предприниматели. Например, Глеб Ратманов! Вы с ним провели прекрасную ночь. Настолько темпераментно провели, что он вас до сих пор никак не забудет...

— Хватит! — зло выкрикнула девушка, и с соседних столиков на нее оглянулись другие посетители кафе.

— Тихо, — резко бросил Гуров и, вытащив из нагрудного кармана пиджака служебное удостоверение, развернул его перед девушкой. — Не надо привлекать внимание. Мне не хочется тащить вас в кабинет. Мне хочется посидеть с вами в кафе и побеседовать. Вам, думаю, такой вариант тоже ближе.

— Так, значит, — тихо произнесла Полина и насупилась, — накапал в полицию... Крайнюю из меня сделать решил... Измельчал мужик, измельчал.

— Полина! — Гуров побарабанил пальцами по столу. — Сейчас вообще не идет речь о том, кто и в чем виноват. Не забывайте, что убили вашего отца! И я сижу тут и разговариваю с вами именно по этой причине.

— Что? — Лицо девушки стало серым. — Вы хотите сказать, что я или Глеб виновны в смерти отца?

— Помогите мне разобраться. Вокруг этого дела накручено так много событий, что ожидать можно чего угодно. Я знаю, вас уже допрашивал следователь. Я читал протоколы, и вы там ни словом не обмолвились о ваших отношениях с Ратмановым, о каких-то документах. Так вот, я не следователь. Я имею право не давать официальный ход фактам и сведениям, пока не разберусь до конца сам. Я даже склонен не оповещать никого из своих коллег о нашем разговоре, вашей мне помощи и наших отношениях.

— Хорошо, — очень тихо ответила Полина и поежилась, словно ей стало зябко. — Давайте, разбирайтесь, а то мне и в самом деле становится не по себе. Если честно, то я стала просто бояться. А вы считаете, что Глеб мог иметь отношение к смерти отца?

— Не знаю. Отрицать не буду, но и соглашаться с вами у меня нет оснований. Расскажите, что произошло между вами.

— Все рассказывать? — Девушка посмотрела сыщику в глаза и кивнула, соглашаясь. — Хорошо. Это было где-то за неделю до смерти отца. Я тогда зависла в «Анжелике». Это клуб такой на Пречистенке. Настроение было какое-то дурацкое. Теперь мне кажется, что это все предчувствие. Ну, перебрала я тогда. Я вообще-то не люблю злоупотреблять алкоголем, как у вас это называется...

— Так называется не только у нас, — ответил Гуров. — Значит, у вас было плохое настроение. И?

— И тут Глеб подвернулся. Я поняла, что он с девушкой поссорился. Точнее, расстался, но произошло у них это как-то «на ножах». На этой почве мы с ним и познакомились. Я ему о своих проблемах, он мне о своих. Раз выпили за проблемы, два, потом на брудершафт. Ну и... поехали к нему. По дороге он рассказал, что у него работа не в Москве, а где-то за МКАДом, и он иногда сюда выбирается. Дальше все тоже рассказывать?

— Если вы имеете в виду занятие любовью, то не обязательно в подробностях, — улыбнулся Гуров. — Важнее другое: было ли это между вами по обоюдному согласию, не было ли потом разочарования, ссоры? И что, откуда у Глеба пропало?

— Да... — помедлив, ответила Полина, глядя в окно. — Было. Нормально было... Хорошо даже. Он парень ласковый, с пониманием, что женщине и нужно. Нет, мы не ссорились, даже намека не было. Честно говоря, я даже стала подумывать, чтобы привязать его к себе, закружить ему голову. Да вот не успела. Я же сама ему свой телефон дала, а он уже днем мне звонит и про какие-то документы, которые я у него выкрала. Бред какой-то! Потом вроде отстал. А позже выяснилось, что он с отцом этот вопрос обсуждал. Отец хмурый тогда ходил, думал все. Потом как-то мне сказал, что решит все без меня. И вдруг — это убийство... скажите... это из-за Глеба, из-за этих документов?

— Пока я не могу ответить вам на этот вопрос. Но как только что-то прояснится, мы обязательно это обсудим. А пока никому о нашем разговоре, о нашем знакомстве, никому об этих документах! Все поняли?

Александр Шмарков лежал на верхней кровати в камере СИЗО и мучился в каком-то странном сне. Ему снилось, что он сидит на какой-то детской карусели. Сидеть ему неудобно, и он просто балансирует, чтобы не упасть. А падать ему почему-то нельзя, потому что карусель эта установлена не на детской площадке, а над чем-то туманным и непонятным. Если бы там была пропасть или острые колья, это еще можно было как-то объяснить. А то просто какой-то туман, неизвестность. И она как раз страшила.

Потом к нему стали приходить люди. Жора приходил и что-то жалобно канючил. Опер местный приходил. Этот стоял и смотрел. Неприятно смотрел, курил и пускал дым ему в лицо. Откуда тот дым в лицо? Ведь пару раз, что к этому оперу Шмаркова водили, тот никогда этого не делал.

А еще приходил какой-то авторитет. Его Шмарков никогда даже не видел, но почему-то знал, что это авторитет, и ему что-то нужно. Шмарков пытался в этом сне отдать все, внести в «общак» все, что есть в карманах, но у него почему-то не брали. И не требовали ничего. Зачем приходил авторитет? Зачем приходили все? Непонятный сон, утомляющий, беспокоящий. Захотелось стряхнуть его с себя. Во сне Шмарков не понимал, что это сон, ему просто хотелось избавиться от этой непонятной напряженной атмосферы. Человек он по жизни был энергичный, решительный, поэтому и стряхивать сон стал тоже энергично.

То, что его колено угодило кому-то в зубы, Шмарков не сразу понял. Он проснулся оттого, что начал ворочаться, а потом увидел перед собой чье-то лицо. И очень ему захотелось по этому лицу ударить. Потом чьи-то руки стали его хватать, кто-то, плюясь кровью, навалился ему на ноги, и что-то острое корябнуло ушную раковину. Мозг пронзила мысль, что это обычный гвоздь, так частенько делают у блатных. Эффективно и кровищи никакой. Это Шура Шмон еще со времен первой отсидки знал. Вставят длинный гвоздь в ухо, ударят ладонью, и нет человека...

Только никогда не думал Шмарков, что сам он вот так в камере...

Гуров приехал через тридцать минут после того, как следователь позвонил и сообщил о несчастье в следственном изоляторе. Местный оперативник, старший лейтенант Миненков, встретил полковника из МВД и проводил в медсанчасть, где на столе лежало накрытое простыней

282

тело. Молодой оперативник был несколько подавлен. Он сам бросился приподнимать простыню, чтобы Гуров смог осмотреть тело.

— Как это произошло? — угрюмо спросил Лев.

— Не понимаю даже, товарищ полковник. Никаких сведений у меня не было. Приказ, касающийся Шмаркова и Раззуваева, я знаю. Особое внимание и все такое прочее.

— Все такое прочее случилось и лежит вот, — зло бросил Гуров, кивнув на тело. — Как вы проворонили? Почему у вас не работала агентура в камерах? Вам приказ поступил не из МУРа, не по линии вашего управления, а из самого МВД! Вы хоть представляете, сколько вы нанесли ущерба следствию?

— Товарищ полковник, у меня не было сведений. Они хитро сработали... даже мой агент ничего не знал, не слышал и не видел. Они, наверное, догадывались, что там рядом «камерник» может быть, вот втихаря заказ и передали...

— Плохо, Миненков, очень плохо работаете, — проворчал Лев. — Рассказывайте, как все произошло.

— Под утро, — начал бубнить оперативник, — примерно в начале пятого утра, трое из этой камеры тихо встали, навалились на Шмаркова и... гвоздем в ухо. Классический способ.

— Убийцы установлены?

— Да. Я сразу сообщил руководству, и мы начали дознание. Другие подследственные уже дают показания.

— Вы хоть договорились о незамедлительном вскрытии?

— Так точно. Сейчас приедут за телом. Обещали сегодня до двух часов дня результаты.

— Черт бы вас побрал, Миненков, — с горечью проговорил Гуров. — Ладно, быстро мне показания, которые успели получить, и все данные на виновников.

Объяснения, которые давали свидетели, проснувшиеся от шума в камере под утро, разнились в мелочах. Да и эти мелочи были вполне объяснимы. Кто-то спросонок не понял, кто-то не хотел подставляться с показаниями, опасаясь мести убийц. А кто-то из патологической ненависти к полиции мог специально врать. Но это все отфильтруется, думал Лев, истина, она все равно читается между строк. Побеседуем, в глаза посмотрим. Да и картина преступления важна следователю, а ему важно другое — кто заказал Шмаркова, почему, куда тянется от него цепочка.

Выборочно Гуров допросил четверых подследственных. Он выбирал по вполне определенному принципу. Человек не должен бояться последствий для себя, он должен быть в принципе бесстрашным, немного нагловатым. А еще этот человек должен искренне сочувствовать убитому и не испытывать особой антипатии к полиции. Все допрошенные рассказывали примерно одно и то же, рисуя примерно одну и ту же картину. Проснулись от шума, увидели, как трое уголовников навалились на человека, подняли шум, уголовники разбежались по своим «нарам». Когда подошли к Шмону, тот уже не подавал признаков жизни.

У Гурова сразу возник вопрос, а почему эти трое действовали так нагло, понимали же, что факт убийства и свою роль им скрыть вряд ли удастся? Значит, эта троица, что убила Шмаркова, была из числа «быков». Или «атлетов», или «гладиаторов», или «бойцов», как называют на тюремном жаргоне заключенных из окружения блатных, исполняющих их приказы по применению определенных санкций (чаще — насильственных) к другим заключенным. Вплоть до убийства. Есть среди этой категории и такие, кто эту обязанность палача проиграл или получил в наказание за что-то. В данном случае не важно, кто убил, важно, кто и как передал приказ. А ведь приказ был!

Миненков принес дела на троих убийц и положил перед Гуровым. Самый верхний лист в этих папках был наскоро составленной характеристикой местной администрации. Фактически — это документ внутреннего использования, инструкция и напоминание для контролеров охраны. Здесь есть описание прежних судимостей, ракетодромов поведения, склонностей, степени агрессивности, адекватности, взаимоотношение с другими подследственными в камерах и тому подобное.

— Ну, чего стоишь? — Гуров отложил в сторону последнее дело и посмотрел на оперативника, продолжавшего стоять перед ним чуть ли не навытяжку. — Виноватого разыгрываешь? Кто, по-твоему, был старшим в этой троице, кто получил приказ конкретно?

— Вы тоже подумали, что они получили приказ с воли? — как-то даже обрадовался Миненков.

— С воли или из другой камеры. Это не важно. Сейчас давай ответим на вопрос, кто в этой троице был старшим, а кто беспрекословно ему подчинился.

— Я считаю, что Яворский, — с готовностью ответил оперативник. — У него две судимости. Одна за драку по статьям «хулиганство» и «нанесение тяжких телесных повреждений», а вторая за разбой и тоже с «тяжкими». А Рутнев и Судаков, они как-то помельче, имеют по одной судимости, и статьи у них попроще.

— Давай сюда первым Судакова, — приказал Гуров и откинулся на спинку стула, сложив на груди руки.

Лев не ошибся, представляя себе этого двадцативосьмилетнего парня. На фото в деле он видел лишь овальное лицо с широко посаженными глазами и оттопыренными ушами. Полные красные губы портили лицо Судакова, лишая его какой-то мужественности. И выражение глаз на снимке явно не соответствовало его характеру.

Сейчас в комнату для допросов вошел совсем другой человек. Оттопыренные уши, правда, были на месте, и широко посаженные глаза тоже. Но вот смотрели эти глаза уже по-другому. Сейчас в них было очень мало добра. Не то чтобы они источали злобу, просто были пустыми, какими-то отрешенными. Была в них готовность к плохому. И губы не выглядели такими уж пухлыми и красными. Сейчас они вытянулись почти в ниточку и посветлели. От напряжения, надо полагать.

— Садись, Судаков, — разглядывая парня, велел Гуров.

Судаков послушно сел и стал смотреть в стол перед человеком, к которому его привели. Ни интереса, ни готовности отвечать или запираться. Трудно придется с ним. С обоими придется трудно. А еще труднее будет с Яворским. Тот матерый. Это Судакова с Рутневым можно как угодно называть, мелочь они. А Яворский — блатной. Только как он докатился до такого задания? В карты проиграл, авторитетному «сидельцу» на ногу наступил в умывальне? Шутки шутками, но задание он получил скверное. И этих привлек, но они могут о личности приказавшего ничего не знать. Могут, но проверить все равно придется.

— Зачем вы убили Шмаркова? — спросил Гуров таким тоном, словно они уже не один час беседовали тут вдвоем и оба прекрасно знали, о чем идет речь.

— Меня уже допрашивали, — постным голосом ответил парень. — Я там в бумаге все сказал.

— Там ты фигню какую-то сказал, — беззлобно хмыкнул Лев. — Вы пошутить хотели, а он отчего-то умер. Это насмешка над следствием, причем умышленная. За это оперативники тебя гноить будут, а следователь подготовит для суда такую сопроводительную, что получишь ты по полной. И за все.

— А мне по барабану, — скривился Судаков, а в глазах его мелькнуло еще больше обреченности.

Ясно, подумал Гуров, уперся и будет упираться вплоть до колонии, куда войдет героем. Туповат, заигрался в эти игры. Пока его петух в одно место не клюнет, он своей позиции не изменит.

Лев еще минут двадцать искал подходы к этому парню, но все свелось лишь к тому, что подтвердились первые предположения. Судакова увели, и в кабинет вошел второй подельник — Игорь Рутнев, по кличке Боксер. Крепкий парень, с короткой шеей, лобастой головой, сломанным боксерским носом, маленькими прижатыми ушными раковинами и маленькими серыми глазами. Невольно создавалось впечатление, что, кроме крупной головы и мышц, все остальное у него было мелкое. И душонка тоже. Но работа есть работа.

— Слушай, Рутнев, — сказал Гуров, дождавшись, пока Миненков усадит очередного допрашиваемого, — а ты в самом деле боксер или это у тебя по другой причине кличка появилась?

— А че, в натуре занимался, — уверенно посмотрел в глаза сыщику Рутнев. — Хоть щас могу наломать кому угодно. Я на уровне кмс выступал, только получить не успел.

— Ну, кандидат — это не мастер, — усмехнулся Гуров. — Это только попытка доказать свое мастерство. В спорте, в жизни, даже у вас, в вашей уголовной среде. Как ты был кандидатом в мастера спорта, так им и помрешь. И ты кмс, и Судаков кмс. В вашей троице один Яворский мастер. Он убивал Шмона?

— Ничего не знаю, начальник, — ухмыльнулся Рутнев. — Мы пошутить хотели, а он к тому времени уже сам ласты склеил. Причины не знаю, может, больной какой был. К нам нет претензий, пусть ваши медики разбираются.

— Разберутся, — заверил Гуров. — Чего там долго разбираться, гвоздь в ухе, он быстро найдется.

— Ничего не знаю, — снова ответил Рутнев. — Может, он сам упал, и гвоздь ему в ухо попал. А может, его кто ненавидел, и раньше нас какие-то ухари успели. А мы только пошутить, напугать хотели... Чисто поржать. Скучно там.

— Можешь эту сказку повторять сколько угодно, — пожал плечами Лев. — Свидетельских показаний достаточно, чтобы посадить тебя за убийство. Групповое, по предварительному сговору... умышленное, Рутнев, умышленное.

— Доказывайте, — дернулся парень.

— Тут и доказывать нечего. Вы прилюдно его убили, что уже служит доказательством умышленности. Получили приказ и убили. И ты понимаешь, что я не следователь, я опер. Это следователю нужно всякие там процессуальные штучки соблюсти, а мне информация нужна. Кто приказал? За что приговорили Шмаркова?

— Выясняй, а я тут ни при чем.

— Дурак ты, Рутнев. Хочешь оказаться последним, кто сознается? Можешь вполне оказаться третьим, а это плохое место в очереди на поблажку от судьи. Помнишь, как на фронте говорили, что третий не прикуривает. Так и здесь. Третий обычно опаздывает. Снисхождение получают первые. А последние и в колонии, и вообще в жизни оказываются действительно последними. Крайними. Ты вот мне хамишь, а я ведь могу твоим дружкам доказать, что ты их сдал. Обижусь и сделаю тебе такую подлянку. И будешь ты в дерьме по самые уши.

Гуров умышленно говорил все это, наблюдая за Рутневым. Ему важно было понять границу сдержанности, границу возбудимости, где этот Боксер начнет терять самообладание. Удастся выяснить, потом с ним будет легче работать. Но выяснение на этом и закончилось. В маленьких глазках Рутнева вдруг полыхнуло необузданное безумие. Он вскочил со стула так, будто его снесло оттуда ураганом. Один миг, и парень оказался перед столом, за которым сидел Гуров, а его кулак почти без размаха понесся в лицо сыщику.

Миненков не успел среагировать вовремя и бросился на помощь спустя пару секунд. Если бы не опыт Гурова, если бы тот не ждал чего-то подобного, то быть бы Льву Ивановичу в этот день с разбитым лицом, а то и со сломанным носом. Кулак Рутнева не достиг цели. Он просвистел в воздухе в нескольких сантиметрах от лица жертвы. Гуров успел отклониться влево, перехватить руку нападавшего за запястье и дернуть на себя. Рутнев по инерции пролетел в воздухе несколько лишних десятков сантиметров и весьма чувствительно грохнулся грудью о стол.

— А вот это я тебе тоже запомню, — зло бросил Лев прямо в ухо Рутнева, согнув его кисть до самого предплечья и схватив второй рукой за волосы. — Просить прощения будешь. Это я тебе обещаю. Теперь ты у меня в категории прокаженных, теперь тебе будет особое внимание и день, и ночь, сявка. Это дружки твои будут спать спокойно, а ты за то, что руку поднял на полковника Гурова, должен раскаяться и другим передать при случае.

Ворвавшиеся в комнату контролеры ловко завернули Рутневу руки за спину и защелкнули на его запястьях наручники. Когда парня подняли и поставили на ноги, Гуров сделал знак задержаться:

— Насчет подлянки в голову не бери. Это я тебя на вшивость проверил. Я обычно такими методами не пользуюсь, но и моих законных методов тебе хватит для того, чтобы получить на суде вдвое больше, чем мог бы, веди ты себя осмотрительно и вежливо. Вот это я тебе обещаю. Уводите!

Когда Рутнева вывели, Миненков удивленно спросил:

— Вы же специально его спровоцировали, Лев Иванович?

— Конечно. Пусть он теперь нервничает. Такие легко возбудимые всегда долго нервничают, психуют. Он и в камере не успокоится. Все это дойдет до его дружков, и пусть они тоже голову ломают, а расколол я Боксера или не расколол, предъявил я ему что-то или нет? Они должны друг на друга оглядываться и все время в панике думать, кто и чего рассказал. И не потому, что лишнего срока боятся. Они его не боятся, в этом я уверен. Паниковать они начнут потому, что боятся того, кто отдал приказ убить Шмаркова. И когда им своя шкура уже совсем станет ближе к телу, чем чужая, чем их дурацкие понятия, тогда они и начнут играть в «сознанку». Тогда и начнется настоящая работа по извлечению зерен истины из того вороха плевел, что они будут вываливать нам на допросах. Давай главного. Что-то мне подсказывает, что с ним разговор пойдет интереснее.

Худой жилистый Олег Яворский выглядел старше своих лет. Его лицо было не по возрасту изборождено морщинами. И глаза у него были какими-то мутными, какими обычно бывают у стариков. Наколок на руках у Яворского оказалось больше, чем у Рыбы и Боксера, вместе взятых. Гуров оценил эту символику как очень солидную. И странно, что этот человек, явно из блатных, выполнял безропотно чей-то приказ убить Шмаркова.

— Олег Яворский, по кличке Явор, — процитировал Лев. — Не очень-то выдумку включали «паханы», когда тебе «погоняло» придумывали. Это еще «по малолетке» прилипло?

Яворский кивнул. Его взгляд оценивающе прошелся по мужчине в гражданском костюме, сидевшему за столом, по самому столу с тремя тощими папочками дел, заведенных местной администрацией на подследственных. Мельком бросил он взгляд и на Миненкова, сидевшего сбоку от него, у окна. Было видно, что этот человек привык оценивать обстановку. Вряд ли он намеревался нападать на полицейских, вряд ли выискивал возможность бежать. Кстати, в его деле дана характеристика как не склонного к агрессии и конфликтам.

— Вообще-то у нас принято представляться, когда начинают допросы, — неожиданно напомнил Яворский. — Оперуполномоченного Миненкова я уже знаю.

— Молодец, — улыбнулся Гуров поощрительно. — Стремишься во всем понятия включать, порядок соблюдать? Резонно. Я — полковник полиции Гуров Лев Иванович.

— Из МУРа? Я слышал про вас.

— Нет. Я работаю в Главном управлении уголовного розыска МВД страны.

— Ух ты! — Яворский прищурился. — Серьезный департамент. Значит, вы главный над всеми операми в стране?

— Ну, не я самый главный, конечно, но где-то так. А ты что, пожаловаться хочешь на кого-то?

— А че мне жаловаться? — усмехнулся Яворский. — Мы сами по себе, вы сами по себе. Вам зарплату отрабатывать надо. Все без обид. А про вас я слышал, терли, что вы опер честный, на всякую подлянку не способный. Прошел тут слушок, что вы этим дельцем заниматься будете.

— Вот гады, — с чувством буркнул Миненков. — Узнали уже.

— Давай-ка лучше о тебе поговорим, Олег, — предложил Гуров. — Меня интересует, кто заказал Шмона, которого вы «замочили» этой ночью.

— Вы, начальник, понимаете, что отвечать мне на этот вопрос нельзя. Иначе я следующим окажусь. Не здесь, так на пересылке или на этапе. Ваши все равно не уследят. Где-то бардак, где-то кого-то проплатят, и кирдык Явору во цвете лет.

— Предлагай свой вариант, — сказал Гуров, чувствуя, что уголовник идет на контакт.

— Мне резона нет. Вы тут банкуете.

— Ладно, Олег, я понял тебя. Вот что мне нужно. Первое, кто заказал Шмона? Второе, какова связь между этим заказом и убийством хозяина той «бэхи», которую Шмон и Жора взяли на Кутузовском проспекте?

— «Бэха», говорите? Нет, про тачку базара не было. Значит, там ниточка длинная... Дело такое, начальник, заказчика я не знаю. Погорел я год назад в одной зоне. Главное, мне откинуться через два месяца, а я... режим нарушил, а там проверка. «Смотрящий» с «хозяином», как это водится, вась-вась жили, а проверяющие были не с местной управы, а со столичной. Короче, «смотрящего» пришлось в ШИЗО сажать.

— Да ты что? — опешил Гуров. — И посадили?

— Ну, часа три он там посидел, для вида... Главное, что мне потом предъявили. Короче, тогда я попал в «палачи», такое мне наказание придумал сходняк. А заказчика я в натуре не знаю. Мне переслали «маляву», а в ней слова — «расплата за позор». Так было уговорено на сходняке. Как скажут мне эти слова, значит, я должен беспрекословно сделать. Иначе, начальник, сами знаете, какие у нас порядки. Можно далеко вниз загреметь.

— «Малява» где?

— В парашу выбросил, куда же еще. Рыба и Боксер не при делах. Их тоже назначили, но это так, мелочь. Они не в курсах.

— Значит, заказать Шмона мог кто угодно?

— А я че говорю? — невесело ответил Яворский. — Короче, подумать мне надо. Я свое дело сделал, ко мне претензий нет. Теперь мне срок навернут, и я его оттопчу. А вот скостить себе годок-другой мне никто запретить не может. Подумать надо, начальник.

Глава 5

То, что Александр Иванович Пожерин так быстро согласился на встречу, Гурова не столько удивило, сколько насторожило. И на встречу Лев решил ехать один, оставив Крячко на связи с заданием принимать все оперативные меры в случае необходимости. Какие, он пояснить не мог, ссылаясь лишь на интуицию. Крячко кивнул и заверил, что с места не сдвинется, пока рак на горе не свистнет. Ну а уж коли случиться такому чуду, то он всех на уши поднимет, все перебаламутит, но... какого рода событий ждет Гуров, Крячко так и не понял и честно в этом признался.

В ресторан «Одесса» на Большую Ордынку Гуров приехал в половине третьего дня. Вежливый метрдотель осведомился, а не заказан ли уважаемому гостю столик. Узнав, что уважаемого гостя ждет господин Пожерин, метрдотель высказался, что день сегодня вполне ясный, и солнце приятное, и пожелал такого же приятного обеда гостю. Гурову было интересно, а насколько бы затянулась вежливая речь метрдотеля, будь зал раза в два длиннее. Слишком уж точно было рассчитано количество слов до нужного столика. Впрочем, количество слов все равно бы оказалось подходящим, если бы зал и был в два или три раза длиннее.

Пожерин появился почти сразу. Деловитой походкой он двинулся к столику, держась прямо и машинально поправляя манжет рубашки, выступавший из рукава серого костюма. Плечистый, с мощной шеей, он выглядел солидно, по-хозяйски. Чувствовались в нем уверенность, властность. И полковника из МВД он окинул коротким оценивающим взглядом. Результат этого осмотра по лицу бизнесмена определить было невозможно.

— Здравствуйте, — протянул руку Пожерин. — Это вы полковник Гуров?

— Да, это я. Меня зовут Лев Иванович. Спасибо, что приехали, потому что дело очень серьезное и времени на уговоры и обмен любезностями действительно нет.

— Прошу вас заказывать. — Пожерин пододвинул Гурову меню. — Право, не стоит стесняться. Мне это ничего не стоит, и честь вашего мундира нисколько не пострадает. Я вас сам пригласил сюда, а не в свой кабинет, мне и платить.

Легкая улыбка, разведенные в стороны руки, и снова перед Гуровым сосредоточенный, уверенный в себе бизнесмен, владелец очень серьезного бизнеса в московском регионе и нескольких нефтяных скважин в европейский части страны.

— Хорошо, я принимаю ваше приглашение, — кивнул Лев, — но, к сожалению, я уже пообедал. С вашего разрешения, я ограничусь парой чашек кофе и соком.

Официант принял заказ и мгновенно исчез. Пожерин откинулся на спинку кресла и выжидающе посмотрел на собеседника.

— Я прошу вас, Александр Иванович, рассказать о вашем внебрачном сыне Глебе Ратманове, — начал Гуров.

— Глеб? — без всякого удивления переспросил Пожерин. — Но позвольте узнать, чем вызван ваш интерес к его персоне?

— Александр Иванович, — с укором проговорил Лев, — вы взрослый серьезный человек. И вам позвонил и попросил о встрече не зеленый юнец-лейтенант. Вы же знаете наши правила: сначала мы спрашиваем, а вы отвечаете, а потом, если это не составляет следственной тайны, мы делимся с вами подозрениями. Вы вполне можете на этом этапе вообще отказаться разговаривать со мной, но, судя по тому, как вы согласились на встречу, вам это не выгодно. Ведь так? Тогда давайте работать. Точнее, вы обедать и работать, а я пить кофе и работать.

— М-да, — открывая бутылку минеральной воды и наливая себе на треть в стакан, заметил Пожерин, — я вижу, у вас по заслугам раздаются чины, а не только по блату. Полковником вы стали не случайно. Умеете убеждать.

— Скажу вам по секрету, Александр Иванович, я и преступников умею ловить. Уж поверьте мне.

— Ладно, слушайте, — кивнул Пожерин и отпил глоток. — Будь по-вашему. Я рассказываю вам, вы потом отвечаете мне. Глеб в самом деле мой сын. Это давняя история. Был у меня роман с одной женщиной, потом мы расстались. Я и представления не имел о том, что она беременна. А двадцать лет спустя я совершенно случайно узнаю, что у меня от нее сын.

— Вы уверены, что это ваш сын? Простите, ради бога, но такова моя профессия.

— Да будет вам, Лев Иванович! Я и сам ничуть не доверчивее вас. Поверить-то я поверил, но негласно организовал анализ ДНК. Да, Глеб мой сын.

— Вы подарили ему готовый бизнес, — не столько в вопросительной, сколько в утвердительной форме сказал Гуров.

— Парень он толковый, чего ему слоняться по наемным должностям. Пусть учится быть хозяином.

— Я чувствую, что вы сыном довольны, Александр Иванович. Только вот проблемы у него. И я думаю, что вы о них прекрасно знаете. На всякий случай сам вам скажу, чтобы предвосхитить лишние вопросы и пустые разговоры. У вашего Глеба пропали какие-то ценные документы. Он не знает, кто и когда их украл, но подозревает одну девушку, которая провела у него ночь в день пропажи. И он, как серьезный хозяин, вышел на ее отца, попросил его повлиять на дочь и найти тех, кто ее к нему подослал. Беда не приходит одна, Александр Иванович. Отец этой девушки на днях был убит. Вот такая цепочка...

Надо отдать должное Пожерину, он ни единым жестом, ни мимикой, ни интонацией голоса не выдал своего волнения. Или того, что все изложенное сыщиком ему уже прекрасно известно.

— О похищении документов я ничего не знал, — наконец сказал Пожерин. — Убежден, что Глеб к смерти этого человека отношения не имеет. Не таков он, чтобы ввязываться в криминал. Он бы обязательно посоветовался со мной, прежде чем принимать такие решения. Он даже про документы мне не сказал.

Пожерин сунул руку под пиджак и вытащил телефон. Гуров тут же предупреждающе поднял руку, останавливая собеседника:

— Секунду, Александр Иванович! Вы хотите звонить Глебу?

— А вы хотите мне это запретить?

— Прошу вас подождать. Что вы ему сейчас скажете? Начнете задавать вопросы, и вы, и мы потеряем время. Я предлагаю использовать его более рационально. Давайте соберем вместе вас, Глеба и ту самую девушку. Кстати, мы ее неоднократно допрашивали, и я полагаю, что ей можно верить. Так вот, я предлагаю собрать всех, обсудить все детали и принять меры к розыску тех, кто подставил и девушку, и вашего сына и, возможно, имеет отношение к смерти ее отца. Согласны? Устроим своего рода мозговой штурм.

Пожерин положил трубку на стол и снова взялся за стакан. Гуров почувствовал, что бизнесмен волнуется, хотя виду не подает. Что-то есть еще помимо изложенного. Что-то он еще знает.

— Ну, прежде чем звонить Глебу, я вам могу преподнести некоторую информацию, Лев Иванович. Для того чтобы вы успели ее обдумать до начала мозгового штурма. Видите ли, мне вчера звонил неизвестный мужчина и предлагал продать часть моего бизнеса в нефтепереработке. Предлагал он, в общем-то, нормальные деньги за это, но мне не понравился финал. В случае моего отказа он угрожал посадить Глеба за его махинации с щебнем.

— Очень интересно. — Гуров даже отставил в сторону свою чашку. — И что по этому поводу сказал Глеб?

— С Глебом я еще не обсуждал эту проблему.

— Нервы у вас, Александр Иванович! — восхитился Лев.

— Нервы тут ни при чем. Я должен был задействовать службу экономической безопасности, попытаться установить звонившего. Да и Глеб был в зоне недоступности. Один день в таких делах ничего не решает. Да и я не дал пока своего согласия. Теперь, пожалуй, можно и обсудить все эти вопросы.

— Если не возражаете, то я предлагаю собраться у нас в Главке в моем кабинете. Вы звоните Глебу, а мой товарищ привезет Полину.

Кабинет сразу стал тесным. Пришлось к любимому дивану Гурова пододвинуть мягкое кресло и два рабочих кресла. Пожерина вместе с сыном Гуров решил устроить рядом на диване, Полину, для душевного комфорта, он усадил отдельно в кресло. Пока Крячко помогал рассаживаться всем присутствующим, Лев отошел к своему столу и, делая вид, что занят перебиранием каких-то бумаг, некоторое время наблюдал за троицей гостей. Пожерин с сыном о чем-то переговаривались, почти не поворачивая друг к другу голов. Судя по артикуляции, обычный обмен фразами при встрече. Как дела, как мама, как твой ушиб...

Это хорошо, что они не успели переговорить до встречи здесь, решил Гуров. Сейчас можно будет по их реакции на вопросы и ответы судить об искренности и важности происходящего. А вот Полина напряжена. С ней сложнее всего. Подстава с документами, гибель отца, причем насильственная. Теперь эти разборки, опасение, что ей могут предъявить обвинение. А ведь тут не просто страх незаслуженного наказания, тут еще и позор перед всей семьей, всеми родственниками. Обвинение в причастности к смерти собственного отца. Такое пережить трудно. Не надо девушку мучить. Надо ей помочь, и она в благодарность поможет нам. Кажется, доверительные отношения с ней уже начали складываться. Вот на доверии и надо играть. С ней на личном доверии и помощи, с Пожериным — на общем деле защиты его сына от уголовного преследования. Да еще на защите его собственного бизнеса. А с Глебом? Глебу просто помочь решить его проблему с чертовыми документами. Надо хотя бы разобраться, а что у него украли.

Как обычно в подобных ситуациях, ведущим выступал Крячко. У сыщиков это называлось «быть дирижером». Один человек ведет перекрестный допрос, в данном случае он имеет больше вид беседы, а второй сидит в стороне и анализирует. В нужный момент он вмешивается и неожиданными вопросами поворачивает беседу в иное русло или возвращает, если она сворачивает в иную сторону. И здесь был очень важен язык Крячко, его умение виртуозно вести беседу, балагурить, снимать напряжение у собеседника, расслаблять или, наоборот, заставлять сосредотачиваться.

Гуров был аналитиком, психологом. Он держал в уме перед собой всю схему преступления, он мысленно вносил туда изменения и дополнения. Но самое главное, он вел в голове сразу несколько рабочих версий, и следил, чтобы беседа работала на одну из них.

Станислав по-отечески посокрушался, что молодежь ведет такой образ жизни, как шумно в ночных клубах и как это вредно для физического здоровья. Потом грустно сказал, что это жизнь и ничего предосудительного тут нет. Все вокруг взрослые люди и... И Полина незаметно стала почти без стеснения рассказывать, как она пришла в клуб, как ей понравился Глеб, как они познакомились, как поехали к нему.

И тут понадобился весь талант Крячко, чтобы без намеков на пошлость свести разговор не к тому, чем занимались молодые люди, а где они находились, заперли ли за собой входную дверь, закрыта ли была дверь в «ту» комнату, и мог ли неизвестный теоретически отпереть дверь, пройти во вторую комнату, вскрыть сейф и украсть документы, а потом точно так же выйти из квартиры. И тут стали вскрываться интересные вещи. Собственно, в разговор включился Гуров с только что составленным списком уточняющих вопросов.

Да, дверь Глеб, когда они вошли с Полиной, за собой запер. Нет, внутренней задвижки нет, и дверь можно было отпереть снаружи ключом. Ключи он, конечно же, терял, и это, как теперь кажется, была странная потеря. Даже не совсем потеря. Он обнаружил пропажу дней десять назад в кабинете. Тогда он хотел отправить водителя служебной машины к себе на городскую квартиру, чтобы тот встретил курьера — должны были привезти пылесос, купленный через интернет-магазин, а ключей в сумке у Глеба не оказалось. Он отменил доставку заказа на некоторое время, решив, что ключи выложил из сумки в загородной квартире, где он жил в поселке, рядом с которым располагался карьер. Но и там ключей не было. Да и не вынимал их Глеб из сумки. Полный решимости бросить все дела и отправиться в Москву менять дверной замок на новый, он вдруг в кабинете в ящике стола нашел всю связку ключей. Когда, зачем он их вынимал из сумки и клал в стол, Глеб не помнил, и тогда его это не очень взволновало. Он даже забыл о том незначительном случае.

— Так вы посылали водителя с найденными ключами в Москву? — тут же спросил Гуров.

— А-а, — догадался молодой человек, — вы думаете, что он мог снять копии и изготовить дубликаты? Водитель даже в руках не держал ключей. Я снова восстановил доставку и поехал сам, чтобы убедиться, что в квартире все в порядке. Мысль поменять замок все же была, но до дела не дошло.

— Насколько хорошо охраняется офис на карьере? — поинтересовался Стас. — Могли ключи у вас вытащить, а потом ночью снова вернуть в стол, потому что вернуть в сумку не было возможности.

— Охраняется офис... — Глеб улыбнулся и виновато посмотрел на отца. — Обычно охраняется. Сторож на территории, здание на замке. Честно говоря, там и красть-то нечего. Компьютеры, мебель, калькуляторы...

— Ясно, — переглянувшись с Гуровым, кивнул Крячко. — Замки на дверях очень простые, с советских времен, двери тоже, качественный и дорогой ремонт не рентабелен. Перейдем к квартире в Москве. Можно было пройти от входной двери в ваш кабинет так, чтобы из спальни преступника не увидели?

— Комнаты изолированные, — с готовностью ответил Глеб, полез в карман пиджака, достал авторучку и пододвинул к себе поданный ему Крячко лист бумаги. — Вот планировка. Входная дверь, направо санузел, потом кухня. Это коридор, и из него первая дверь в кабинет, он поменьше размером. А вторая — это спальня. Так что, если тихо...

— А сейф?

— Сейф? — Глеб замялся, глянул на отца, но потом твердо продолжил: — Сейф в стене, под картиной. Только я... извини, Поля, я немного сгустил краски. Я тогда был так зол, да и посчитал, что этот факт ничего не меняет. Я ведь все равно был уверен, что это твоих рук дело. То есть ты отвлекала, а твои дружки...

— Ну, ты мужик или нет? — вдруг взорвалась Полина. — Говори уже, что хотел!

— Документы были не в сейфе, они были в моем портфеле. Я тогда замотался и спешил в клуб. Развеяться. В сейф я убрал деньги и уже собрался уходить, как увидел, что документы на столе. Открывать снова было неохота, и я сунул папку в портфель. А портфель так и остался лежать на столе. Из него папку и выкрали...

— Значит, взлома не было, — подключился к разговору Гуров. — Так, самое сложное преодолели. Значит, пропажу ты обнаружил после ухода Полины?

— Да, уже утром, когда собрался ехать на карьер.

— Ты связался сразу с ней или с ее отцом по поводу пропажи?

— Я позвонил Сергею Владимировичу.

— А мне почему не сказал? — снова взвилась девушка, но Крячко мягко положил ей руку на плечо, и она мгновенно затихла.

— Я зол был, считал тебя тогда виноватой, — храбро принялся объяснять Глеб. — Потом решил, что... меня вон и отец всегда учил, что проблему надо решать кардинально. Сразу, а не откладывать, и не по частям. Собственно, у меня и была мысль, что Курвихин мог быть заинтересован в том, чтобы отжать у меня карьер...

— Карьер твой сраный... — тихо проворчала Полина.

— Я нашел его телефон, коротко изложил суть проблемы и попросил о встрече. Мы встретились, я все рассказал. Он ответил, что его дочь не могла быть причастна, и пообещал принять все меры и помочь мне... и ей.

— Ушлепок дебильный, — снова тихо буркнула Полина под строгим взглядом Крячко.

— Когда ты ему свою визитку дал?

— В тот день и дал.

— Вы созванивались с Курвихиным после той встречи?

— Нет, он обещал сам позвонить, как только что-то прояснится. Я ждал, но... Появились только вы.

— Ясно, — кивнул Гуров. — Получается, что ты встречался с Курвихиным в день, предшествующий его гибели. Теперь вопрос к Полине. Отец с тобой на эту тему разговаривал? Я имею в виду инцидент с Глебом и пропажу документов.

— Нет. Вообще-то я уезжала к подруге за город, а он звонил мне и спрашивал, когда я вернусь. А вернулась я в тот день, когда его убили. Фактически за два часа до его отъезда из дома. Он был чем-то озабочен, но явно не этим делом, иначе бы папа обязательно успел меня попрекнуть и пообещать крупный разговор после возвращения.

— И это ясно, — снова кивнул Гуров. — Еще вопрос. Он мог везти деньги Глебу или кому-то для решения вопроса с пропажей документов? Например, в виде выкупа, взятки, платежа за услугу.

— Да откуда же я знаю! — воскликнула девушка. — Мы с мамой вообще ничего не знали про деньги. Мы не знали даже, куда он поехал. Сказал, что по делу, и все.

Гуров и Пожерин остались в кабинете одни, Глеб уехал, потому что Александр Иванович пообещал сам рассказать, что было в похищенных документах. Крячко увез домой Полину, намекнув, что по дороге попытается еще немного раскрутить ее на признания или дополнительную информацию.

Горела лампа у Крячко на столе, горел торшер возле дивана. Пожерин расхаживал по кабинету, задумчиво потирая ладони. Гуров, вольготно устроившись на освободившемся диване, сложил на груди руки и с интересом смотрел на бизнесмена. Близился важный момент. Пик подготовки, после которого машина розыска должна теоретически начать набирать скорость. Вскрылось слишком многое, чтобы теперь информация не пошла волной. Отсев будет большой, но, главное, информация пойдет, успевай только анализировать.

— Скажите, Александр Иванович, — наконец заговорил он, — а вам не приходило в голову, что Курвихин вполне мог иметь отношение к тем людям, которые вас шантажируют?

— А деньги? Вы говорили, что у него с собой в тот вечер было полтора миллиона наличными. Для чего? Покупать у меня долю в бизнесе? Бред, у меня главный инженер зарплату вместе с отпускными получил столько же. Нет, либо он пытался решить проблему дочери, либо это вообще деньги, не имеющие к нашему делу отношения.

— А если он пытался откупиться от Глеба?

— Тогда смерть Курвихина автоматически падает тенью на нас? На меня и Глеба? Нет, нелепость. К тому же эти документы не денег стоят, это информация, которую нельзя оглашать.

— Вы так и не рассказали, что было в той папке?

— Да, — согласился Пожерин и, подойдя к креслу, сел напротив сыщика. — Папка. Видите ли, Глеб сам дошел до этой идеи. Собственно, я его не поощрял. Я помогал, излагая основные принципы, а он вот... дальше пошел. Идея-то на поверхности лежит. Это когда ты товар на склад завозишь и со склада покупателям отпускаешь или по магазинам развозишь, тогда трудно мимо накладных что-то протащить,

300

хотя и там можно. А у него немерено камня. И отпустить «левый» щебень просто подмывает. Отпустить неучтенный щебень, порвать транспортные документы, чтобы не мешались, и рассчитаться «черным налом». Простите, неучтенной наличностью...

— Я знаю, что такое «черный нал», — заметил Гуров. — Значит, Глеб злоупотреблял этой схемой? И в папке сведения об отпущенном без накладных и не проведенном через бухгалтерию щебне? И пометки, кто сколько заплатил и кто сколько должен? Черная бухгалтерия?

— Именно, — со вздохом ответил Пожерин. — Я слишком поздно узнал. Упустил момент.

— И вы так спокойно говорите об этом, — удивился Гуров. — Не боялись, что ваш сын попадет в поле зрения налоговой, управления по экономическим преступлениям?

— Вы не обижайтесь, Лев Иванович, — повел рукой в воздухе Пожерин, — но в нашей стране, если умеешь, это не опасно. Всегда можно решить вопрос миром. А вот о таком повороте, связанном с моим бизнесом, я как-то не думал. Не успел просто. Теперь уже поздно. Теперь надо решать. С вашей помощью, без вашей ли помощи...

— Стоп, стоп, стоп, — осадил его Лев. — Вы, кажется, забыли, что мы тут собирались по поводу убийства Курвихина, а не из-за проблем вашего сына. Вообще-то подозрения до конца не сняты ни с кого. А подозрения, если вы помните, в причастности к умышленному убийству. Поэтому давайте работать рука об руку на общее благо. Попутно разберемся и с другими делами, но прошу помнить, что если у меня будут доказательства вины вашего сына, даже вас самого, то я не буду терзаться и в мгновение ока лишу вас свободы. Надеюсь, иллюзий у вас не возникло на этот счет?

Орлов настоял, чтобы совещание проводил Гуров, но в его кабинете. Лев пожал плечами и собрал стихийно сформировавшуюся группу в кабинете генерала. За столом для совещаний у окна сидели майор Шалов, за ним веселые по причине солнечного утра Борисов и Малкин. Крячко напротив быстро и сосредоточенно писал что-то в ежедневнике. Орлов не вставал из-за своего стола, занимался какими-то бумагами, но часто поднимал голову и прислушивался к тому, что происходит на планерке.

— Таким образом мы имеем три более или менее твердые версии гибели Курвихина, — говорил Гуров. — Убийство с целью ограбления, в котором выделяем два направления: убийство спонтанное и убийство с целью завладения кейсом с крупной суммой денег.

— Может, объединить вообще в одну версию без направлений? — предложил Малкин.

— В обоих случаях, Саша, — повернул к нему голову Шалов, — мы имеем дело с мелкоуголовным типажом. Либо Шмарков и Раззуваев случайно наткнулись на Курвихина, либо их навели на него те, кто знал про деньги. Но эта сумма интересна не бизнесменам, а уголовникам.

— Может оказаться, — с умным видом добавил Вадик Борисов, — что именно таким образом и отводит от себя подозрения тот бизнесмен, которому интересен бизнес Пожерина. Он все валит на уголовников.

— Зачем? — тут же спросил Крячко, не поднимая головы.

— Ну, как... — замялся Борисов.

— Да, — повторил Стас, — зачем? У всякого следствия есть причина. Здесь она, по-твоему, какова? Убить Курвихина, чтобы навредить Пожерину? Нет связи. Смысл был бы, если бы убийцы подкинули на место преступления улики, доказывающие вину Пожерина, Ратманова. Таких действий не предпринималось. Просто убили, просто забрали машину, просто забрали кейс, и все.

— Согласен, — кивнул Гуров. — Теперь дальше. Вторая версия — бизнес Курвихина. Пока не установлено, что никто не посягал на его бизнес или не склонял его к темным сделкам. Третья версия, на которой настаивает наше руководство, тоже должна отрабатываться. Это версия о причастности к смерти Курвихина кого-то из членов его семьи.

— Ну-у, — тихо промычал Вадик Борисов, но тут из-за стола поднялся Орлов и тяжелой походкой прошел к столу для совещаний.

— А что, кто-то тут досконально изучил семью Курвихина, все связи его дочери и жены, кто-то так глубоко влез каждой из женщин в душу, что уверен в их непорочности?

— Видите ли, товарищ генерал, — храбро кинулся в атаку Борисов.

— Вижу, — перебил его Орлов и уселся в кресло во главе стола. — Давно вижу, все знаю. Не верится, глядя в ясные девичьи очи. Это мы проходили, да, Лев Иванович? И тихая безропотная женщина, грустно взирающая на мир, тоже не гарантия отсутствия темных мыслей. Запомните, парни, никогда не относитесь к видимому как к очевидному. Я не очень верю в совпадения. Смерть Курвихина и попытка через Ратманова добраться до бизнеса Пожерина слишком заметное совпадение. И его отрабатывать нужно серьезно. Потребуется, и завтра поступит приказ в МУР о создании оперативной группы по расследованию этого преступления.

— Пока-то не стоит, — вежливо заметил Крячко, отрываясь от записей. — Пока вроде все спокойно, без эксцессов...

Пульт связи, расположенный сбоку от стола Орлова, переключенный на громкую связь, вдруг взорвался голосом дежурного:

— Товарищ генерал, срочное сообщение для полковника Гурова! Он не у вас? ЧП... неустановленное лицо совершило нападение на офис управления карьера «Давыдовский». Персонал частично заперся по кабинетам, звонил сам директор, некто Ратманов, и просил связать его с полковником Гуровым...

— Типун тебе на язык, Станислав, — буркнул Лев и бросился к пульту. — Это Гуров. Какие подробности? Цель захвата, требования? Что конкретно хотел передать мне Ратманов?

— Подробности выясняем, товарищ полковник. Подняли по тревоге спецподразделение МВД, местные оперативники уже выехали туда. Выехал переговорщик из ГУВД...

— Ничего не предпринимать! — крикнул Гуров в микрофон. — Я срочно выезжаю с группой сотрудников. Руководить операцией буду лично!

Офицеры засуетились, двигая стульями и складывая в рабочие папки бумагу, документы.

— Спускайтесь, — сказал Орлов, — я прикажу подогнать оперативную машину. Сейчас без спецсигналов из города не выбраться.

Когда оперативная машина МВД въехала на территорию предприятия, там вовсю распоряжался молодой длинный капитан с толстой папкой под мышкой. Собственно, он большей частью пытался очистить территорию от посторонних и трех легковых автомашин. И почти следом к воротам подлетел белый автобус «Форд» без опознавательных знаков. Дверь откатилась, и из автобуса стали выпрыгивать и разбегаться во все стороны спецназовцы. Судя по всему, инструктаж они получили по дороге, схему территории уже знали, потому что каждый занимал продуманную позицию. Даже на крышу гаража полез снайпер, а второй бежал к вышке с прожекторами, которые в ночное время освещали территорию.

К капитану подбежал офицер в черном обмундировании спецназа, и они оба подошли к Гурову.

— Что здесь? — представившись и выслушав представления офицеров, спросил Гуров.

Капитан жестом подозвал мужчину в мятом пиджаке без галстука.

— Вот, водитель директора. Он оттуда успел нескольких женщин вывести. И видел почти все с самого начала. Давай, Валера!

— Ну что... — хмурясь и покусывая губы, начал водитель. — Я в бухгалтерию как раз зашел за бензин отчитаться. Там у нас в разгар рабочего дня всегда людно, покупатели, курьеры с документами... Я этого типа и не заметил сначала. Он чего-то в коридоре все крутился, а потом заскочил, выхватил из-под куртки автомат без приклада и давай орать, что всех положит.

Гуров слушал Валеру и смотрел, как Крячко, помнивший планировку двухэтажного здания, что-то говорил Борисову и Малкину, энергично жестикулируя. Если террорист или грабитель (пока не ясно, как его называть) один, то взять его просто. А вдруг у него есть помощники, которые себя пока не проявили? В принципе, спецназ справится с этой пустяковой задачей. Главное, избежать жертв.

304

Из рассказа водителя получалось, что неизвестный, вооруженный автоматом, держит в заложниках одну из бухгалтеров в помещении бухгалтерии. Кто-то заперся со страху в своих кабинетах, кто-то успел выйти из здания, даже главный бухгалтер и кассир. Кстати, Ратманов неподалеку заперся в своем кабинете. Он по телефону сказал, что слышит в коридоре топот ног и злобные крики налетчика. Неужели бандит не один?

— Ну что? — Крячко подошел к Гурову. — Командуй, командир. Наш спецназ, как муху, его прихлопнет в два счета.

— Это да, — согласился Лев.

— Если только это бандит, террорист или что-то подобное. Если это не имеет отношения к нашим делам, лично к Ратманову.

— Вот видишь, Стас, — проворчал Гуров, рассматривая серое кирпичное здание, — ты тоже так подумал.

К нему подошел командир группы спецназа и передал клочок бумажки с номером телефона бухгалтерии, где, предположительно, находился бандит с заложницей.

— Дай я, — загорелся Крячко. — Я ему сейчас такую лапшу развешу по всем ушам.

— Надо переговорщика подождать, — с сомнением произнес Гуров. — Черт, и времени нет, в любой момент может случиться что угодно.

И действительно, внутри помещения на втором этаже вдруг отчетливо грохнули два одиночных выстрела. Даже сквозь двойные стеклопакеты окон стало слышно, как завизжали женщины. Гуров выругался, вытащил телефон и набрал номер Ратманова:

— Глеб, что там происходит?

— Где вас носит? — высоким голосом отозвался тот. — Он бешеный какой-то. Бегает по коридорам, орет... Теперь вот стреляет. Ждете, когда он всех тут поубивает?..

И тут в телефонной трубке раздался грохот и треск. Ратманов что-то закричал, но сильный стук заставил Гурова отвести свой аппарат от уха. Потом скрежет, и хриплый голос заорал:

305

— Вы, там! Где ключи от сейфа? Даю минуту... Или вы мне сейф откроете, или я тут все покрошу к...

Гуров поморщился от такого напора и объема матерных слов, который выплеснулся вместе с требованием открыть непонятный сейф. Непонятый? Может, все просто? Может, его интересует сейф кассира? И что там случилось с Ратмановым? Он так вскрикнул...

Назвался груздем... Гуров скрипнул зубами. Назвался руководителем операции, принимай решение. Как иногда тяжело принимать решение! Невыносимо тяжело. Вы когда-нибудь видели трупы? Нет, не просто трупы, а именно уложенные в аккуратный ряд у стены, накрытые простынями, одеялами, куртками. Накрытые всем, что подвернулось под руку. И кровь, стекающая к твоим ногам от этих трупов. А ты стоишь и успокаиваешь себя, что сделал все, что мог, что ты вообще молодец, потому что трупов могло быть значительно больше.

Виденная не раз картина снова всплыла перед глазами. Нет, полковнику Гурову не приходилось принимать решений, в результате которых случались жертвы, но он много раз видел результаты таких решений. Кажется, сейчас настал и его черед.

— Что ты орешь, как больной слон? — рявкнул Лев в ответ. — Будут тебе ключи. Хоть прямо сейчас...

Решение пришло в голову неожиданно. Просто сыщик увидел, как одна из женщин стащила с головы парик и стала прятать его в сумку, не до красоты в такой ситуации. Но это ведь решение! А Вадик Борисов хороший артист, когда надо...

Через пять минут Вадик, в своих джинсах и кроссовках и в женской летней куртке, появился перед зданием конторы карьера, благо нашлась среди дам та, что носила пятидесятый размер. Парик формы «Блэр» темно-каштанового цвета прятал уши и сильную шею оперативника. Он старательно опускал лицо, хотя это и было излишним. У парня были правильные черты лица, подведенные брови и ресницы, яркая помада на губах не добавляла ему мужества, зато превращала Вадика в довольно симпатичную девушку. Хотя за пару минут любому идиоту станет ясно, что он не женщина и даже не трансвестит. Но этого времени должно хватить на то, чтобы обезвредить преступника.

Парик скрывал и еще одну тайну Вадика Борисова. Коммуникатор на его голове. Микрофон торчал справа возле уголка рта, поэтому Вадик чуть склонял голову, чтобы микрофон не бросался в глаза.

— Что там? — спросил Гуров из-за машины, когда Вадик преодолел половину пути до здания.

— В окнах второго этажа вижу три женских лица... Все явно напуганы. Не пойму, есть ли за ними еще кто-то. Не исключено, что в каком-то окне за спиной женщины бандит. Не дергайтесь.

Старательно изображая женскую походку, Вадик шел к главному входу. Тишина во дворе возле здания стояла почти как на кладбище. В руках оперативник держал не просто связку ключей. Гуров настоял, чтобы кассир бухгалтерии отдала настоящие ключи от сейфа, в котором были деньги. Если что-то не получится у Борисова, если преступник или преступники не смогут открыть сейф, они могут в состоянии злобы начать убивать заложников. Пусть лучше откроется сейф, пусть они возьмут деньги. Все равно им далеко не уйти.

— Я иду, — стараясь говорить негромко и высоким голосом, повторял Борисов, — не стреляйте, дяденька. Я уже по лестнице поднимаюсь...

Эту игру придумал Крячко. Он посоветовал изображать крайне взволнованную, испуганную молодую женщину, которая не столько пытается предупредить преступника о своем приближении, сколько успокоить саму себя своим же голосом. Многие люди, когда им страшно, просто не могут молчать, и это вполне естественная реакция.

Был и второй важный плюс. Гуров слышал голос Борисова в коммуникаторе и знал, где сейчас тот идет, какова обстановка вокруг.

— Эй, мужчина! — фальцетом крикнул уже в здании Вадик. — Я иду с ключами, вы не стреляйте... пожалуйста... Я и так боюсь... Я поднимаюсь по лестнице!

Молодец, думал Гуров, только переигрывает. Заподозрит бандит игру и даст одну-единственную очередь... Авантюра! Нет, не авантюра! У нас Ратманов чуть ли не узловая фигура в двух делах. Не факт, что Курвихина убили не из-за дел Ратманова, не из-за его отца, не факт, что те, кто выкрал у него документы, не пойдут дальше, чтобы добить Ратманова. Все правильно, надо торопиться. Надо брать живым, обязательно живым этого бандита или псевдобандита. И надо, чтобы не пострадал Ратманов. Спешить надо.

— Вот ты где, — раздался в коммуникаторе голос Вадика, — а я тебя ищу, ищу. Меня с ключами послали. Я кассир... ша. Мне к тебе идти, по коридору?

Молодец, Вадик! Гуров мысленно аж расплылся в улыбке. Ясно, что Борисов в начале коридора у лестницы, а бандит дальше. И не в какой-то комнате, а именно в коридоре, раз Вадик произнес эту заранее оговоренную уточняющую фразу.

— Вперед! — махнул он рукой командиру омоновцев.

Спецназовцы, стоявшие в одной линии, прижавшись к ограждению территории справа, бросились гуськом в сторону здания. Десять человек в касках и бронежилетах, прикрывающихся щитом из титанового сплава в руках направляющего. Сейчас они находились в менее видимой зоне и вполне успевали пересечь двор и оказаться в «мертвой» зоне относительно смотрящих со второго этажа.

— Да стою, стою, — проворчал почти девичьим фальцетом Вадик. — Вот они, твои ключи... Чего? Стою. Не двигаюсь.

Гуров снова махнул рукой. Ясно, что преступник идет по коридору к лестнице. Значит, по крайней мере, две комнаты в противоположной части коридора могут быть свободными. И еще он очень надеялся, что преступник в самом деле один. Четверо спецназовцев замерли у главного входа, прислушиваясь к звукам, доносившимся сверху. Еще четверо разбежались с длинным гибким шестом и дали возможность своему товарищу буквально взбежать по стене на второй этаж. Через секунду боец скрылся в окне. Еще двое бойцов контролировали ситуацию под окнами на случай выпрыгивания бандитов через окна или для помощи заложникам, если те начнут в панике покидать здание.

Снаружи никто не только не видел, но даже по звукам голосов и шуму не понял, что там произошло. И только Вадик Борисов потом, прижимая окровавленный тампон к голове, морщившись и посмеиваясь, рассказывал о событиях на втором этаже. Посмеивался и бодро рассказывал он большей частью для Леночки, медсестры «Скорой помощи», и для ее бездонных серых глаз.

Вадик признался, что он в самом деле в тот момент просто не справился со своей ролью. Когда смуглый парень с бешеными глазами и автоматом АКСУ в руках увидел его вошедшим в коридор со стороны лестницы, Вадик ожидал чего угодно, даже очереди из автомата в свою сторону.

— Иди сюда, курица, — хрипло приказал бандит, наставив на Вадика автомат, и, то и дело затравленно оглядываясь, стал пятиться назад.

Пятился он до тех пор, пока не дошел до помещения бухгалтерии. При его появлении в дверном проеме из комнаты раздались всхлипывания и женские возгласы. Там находилась одна из сотрудниц бухгалтерии, которой не удалось убежать, и бандиту почему-то не захотелось похотливо приставать к «кассирше» именно здесь. Где-то между дверью в приемную директора и дверью в бухгалтерию он вдруг остановился и с силой ударил ногой дверь, которая распахнулась с треском лопнувшего косяка.

— Заходи сюда! — приказал бандит и повел коротким стволом автомата в сторону комнаты.

— Зачем? — старательно пискнул Вадик.

Все бы ничего, если бы ему удалось войти в комнату и заманить следом преступника. Самое удобное положение для его обезвреживания. Никаких заложников, гарантия, что пуля от случайного выстрела никого не заденет. Одно маленькое «но» вдруг стало беспокоить Вадика. Что-то такое ему не понравилось в глазах преступника. А если этот смуглый парень, войдя следом за «девушкой» в комнату, не отложит в сторону автомат и не кинется с объятиями? Если он заставит отойти к окну, наставит издалека автомат и прикажет раздеваться? Пистолет выхватить не успеешь, как этот тип поймет, что перед ним переодетый мужчина, — и тут же пристрелит.

Вадик хорошо помнил наказ Гурова брать только живьем. Да он и сам понимал всю важность операции. В крайнем случае он мог бы отвернуться к окну, делая вид, что стесняется, а потом выхватить пистолет, повернуться и выстрелить... Убивать нельзя, любое ранение в конечность позволяет противнику ответить выстрелами, прежде чем потеря крови и шок его не свалят на пол. Глупейшая ситуация, к которой Вадик не был готов!

Спас положение как раз тот спецназовец, который успел забраться в окно второго этажа. Он увидел, что бандит увел Вадика в комнату в середине коридора, и решил воспользоваться этой ситуацией для попытки захвата. Было совершенно очевидно, что бандит в самом деле один и никаких помощников у него нет. Забросив автомат за спину, спецназовец вытащил из кобуры пистолет и двинулся кошачьим шагом по коридору. Шаг, еще шаг, еще несколько шагов, голоса все слышнее.

Заминка в дверном проеме едва не стоила жизни Вадику и срывом всей операции по обезвреживанию преступника. Суровый старший прапорщик МВД кривился и морщился, пытаясь скрыть неуместное веселье, когда рассказывал об этой ситуации. Он высунул голову и увидел Вадика у окна, стыдливо опустившего голову в женском парике и дергающего замок своих джинсов под дулом автомата, изображая, что у него заело «молнию».

Преступник успел повернуться чуть раньше, чем спецназовец в прыжке сделал классический подкат. Он въехал ногами под щиколотки парня с автоматом, тот мгновенно взбрыкнул ногами, полетел на него сверху и, прежде чем упасть, успел нажать на спусковой крючок, выпустив короткую очередь из автомата. Благо очередь прошла выше головы Вадика, выбивая кирпичную пыль из стен и кроша бетон потолка. В самый последний момент пуля перебила крепление старомодного тяжелого потолочного светильника, и тот, падая, прямиком угодил Вадику в голову.

На звук стрельбы снизу ворвались другие бойцы. Ратманова с разбитым лицом нашли в бухгалтерии, куда его загнал бандит. Других пострадавших не было, не считая самого бандита, которого Крячко и Сашка Малкин, завернув ему руку до самого затылка, чуть ли не на руках втащили в автобус ОМОНа.

— Кто ты такой, урод? — заорал Стас, мгновенно начав процесс экстренного потрошения преступника.

Он схватил парня за ворот рубашки и рывком приподнял над лавкой. На миг над преступником повисло тяжелое, перекошенное от напускного гнева лицо Крячко. Но реакция огорчила сыщиков. Этот смугловатый парень выглядел слишком характерно, особенно теперь, когда его хорошо рассмотрели вблизи. Смуглость была явно не от природного загара и не из солярия. Да и какой солярий, когда и манеры, и одежда этого хлыща — все говорило о низкой культуре, еще более низких доходах и вообще ничтожных духовных потребностях. Такие серые лица бывают у людей, которые употребляют наркотики. Причем на второй стадии зависимости, когда возникает уже чисто физическая зависимость от наркотических препаратов. Этому парню наркотики нужны для того, чтобы привести организм в нормальное состояние.

Вот так это и происходит, когда проблемы, появившиеся в результате наркотической зависимости, начинают служить оправданием для продолжения употребления наркотиков. А это влечет за собой новые проблемы. Замкнутый круг! Сколько молодых парней и девушек сыщики повидали за свою жизнь, таких, кто уже не мог вырваться из этого круга.

Вот и этот парень явно полностью зависит от психоактивных веществ и без них существовать не может. Впереди его ждет только гибель, потому что сам он оттуда никогда не выберется. Практически все наркоманы, дошедшие до этой стадии, умирают от передозировки наркотика. Количество вещества, необходимое для нормального функционирования мозга, становится критическим для организма в целом и приводит к его гибели. К страшной гибели.

— Мне дозу нужно, — прохрипел парень, глядя стеклянными глазами на человека, трясущего его за грудки. — Мне «бабки» нужны дозу купить...

— Кто тебя послал? — зло тряхнул наркомана Крячко.

— Никто не послал... я сам... Там деньги и охрана «лоховская».

— Оставь его, Станислав, — вздохнул Гуров, смотревший на эту сцену со ступеней автобуса. — Он же на пределе, видишь? Черт, а я думал, что тут...

— Да, похоже, ты прав, — отпустил Крячко парня. — Я думал, может, играет, а он действительно конченый человек. Отправим в клинику, пусть там приводят его в порядок. А потом уже пусть следствие и суд решают. Раньше, чем через пару недель, с ним разговаривать все равно бесполезно. Пока немного снимут это состояние, пока помогут преодолеть ломку. Неужели совпадение?

Омоновцы увезли задержанного, а Гуров и Крячко подошли к машине «Скорой помощи», где врач обрабатывала лицо Ратманова. Глеб сидел на кушетке в салоне машины и шипел от боли, когда тампон, смоченный каким-то лекарством, проходил по его ранам.

— Терпите, если не захотели с нами ехать... — ворчала молодая женщина с усталыми глазами. — Вот получите осложнение, или у вас окажется трещина где-нибудь в лицевой кости, спохватитесь, да поздно будет. Долбить придется...

— Запугаете героя, — пошутил Гуров, подходя к машине. — Как он, выживет?

— Выживет, если инфекция в раны не попадет, — серьезно ответила врач. — Лицо — дело серьезное.

— Ладно, будем надеяться, — кивнул Гуров и обратился к Ратманову: — Глеб, ты этого типа раньше видел когда-нибудь?

— Какого? С автоматом который? Откуда... уф-ф-ф-ф!

— Терпи, ты же мужчина, — вставила врач.

— А перед нападением ничего необычного не было? Может, даже вчера, позавчера. Угрозы какие-нибудь, пусть даже незначительные, предупреждения, двусмысленные или прямые?

— Вроде нет, — немного подумав, ответил Глеб. — А вы что, думаете, что он не просто так ко мне пришел? Он какую-то цель преследовал... ну, о чем мы в прошлый раз говорили.

— Была такая мысль, — согласился Гуров, оценив находчивость Ратманова, который вслух не произнес фамилий и не упомянул сути уголовного дела. — Собственно, он типичный и конченый наркоман. Такие часто решаются на безумные проступки. Но все же... я до конца не уверен. Может, вам охрану нанять?

Глава 6

Ну и пошли все к черту! Полина сидела в кафе у окна и смотрела на бокал с вином, который стискивала пальцами. Не раздавить бы, со злой иронией подумала она. Как же все достало! И раньше было тошно, а сейчас и подавно. Отец погиб! С этим полудурком Глебом в историю попала! Теперь еще его папаша, полиция. Господи, как она устала!

Полина подняла бокал и отпила глоток, глядя в окно. Пасмурно, вон, опять дождь моросит... только и остается, что пить. Рука сама на ощупь нашла на столе пачку, вытянула тонкую сигаретку. Пить, курить, снова пить... Вот так люди и до наркотиков скатываются. А не буду! Не на такую напали. Лучше сопьюсь, но «дурь» пробовать не буду! Что дурь? Это все химия... Все в этой жизни химия, говорят, даже любовь — это тоже чистейшей воды химия...

Вдруг перед лицом Полины щелкнула зажигалка. Девушка повернула голову и увидела огонек перед сигаретой, которую она, оказывается, все еще держала в руке не зажженной. Потом увидела глаза. Карие, чуть насмешливые, но такие обволакивающие, притягивающие. Парень приподнял брови и чуть качнул зажигалкой. Полина машинально прикурила, не чувствуя вкуса табака.

Парню было лет тридцать. В меру развитая мускулатура, крепкая шея, выпуклая грудь.

— Вы о чем-то так красиво задумались, — произнес он мягким грудным голосом и улыбнулся обезоруживающей улыбкой, от которой у Полины мурашки пробежали по коже.

— Я просто хандрю, — честно ответила девушка, не в силах отвести глаз от него.

— Да, это заметно, — кивнул он и повернул голову, глядя на улицу. — В такую погоду немудрено захандрить, сырость, тоска...

— А вам-то чего хандрить? — машинально отозвалась Полина.

— А я из солидарности, — тут же парировал парень и снова улыбнулся своей чудесной улыбкой. — Я решил, что немного тепла вам не помешает. Вот, прикурить дал, огонек зажег. Маленький, правда.

Полина не удержалась и тоже улыбнулась. Только улыбка у нее получилась странной — смесь плохого настроения, неловкости и интереса. И тут парень вдруг оживленно потер руки и принялся рассказывать о достоинствах португальских вин. Полина слушала его, не понимая и половины слов и названий. Какой-то регион Порто и Дору в Португалии. Названия производителей, среди которых она запомнила только одно — Варес.

— Ты только попробуй, — уговаривал новый знакомый. — Ты удивишься, обещаю. Это вино имеет неподдельный рубиновый цвет. А вкус! Освежающий, устойчивый, поразительный аромат красных фруктов. Это лучшее вино для десерта. С ним можно подавать фрукты и орехи.

Полина хотела было спросить, а когда это они перешли на «ты», но парень ей нравился и не хотелось портить зарождающееся знакомство. Судя по манерам, по одежде, даже по прическе, он не из работяг. И на классического «мажора» не похож. Хотя прикид у него и не особо дорогой, но одет он со вкусом. И рубашка бледно-голубого цвета ему к лицу, и куртка сидит как влитая.

— Кстати, — смущенно улыбнулся парень и привстал, чуть склонив голову: — Меня зовут Михаил, а тебя?

— Полина, — игриво ответила девушка.

314

— Тогда немного волшебства, милая Поля, — подмигнул Михаил и щелкнул в воздухе пальцами.

Тут же появилась официантка с подносом, на котором красовалась темная бутылка с черной наклейкой, и пара тарелок с чем-то аппетитным.

Через три часа Полина была уже сильно навеселе и почти уже обожала своего нового знакомого. У него были чудесные выразительные глаза... у него были теплые сильные руки. Она уже не думала ни о чем грустном, вся ее злость прошла. Хотелось уйти от себя, уйти туда, где можно забыться...

Михаил открыл дверь магнитным ключом, и они оказались в большом чистом холле нового многоэтажного дома. Налево уходил коридор к двум лифтам, направо коридор вел к квартирам первого этажа. Полина шла за Михаилом, разглядывая его спину. Она даже не сомневалась, что переспит с этим парнем. Он ни разу за весь вечер не посмотрел на нее с откровенным желанием, но это ничего не значило. Может, он просто такой деликатный. Это даже интереснее!

В общем коридоре было грязновато. Строительная пыль, пустые ведра из-под шпаклевки и краски. Михаил отпер железную дверь и пропустил девушку вперед. Запах недавно законченного ремонта ударил в ноздри. Не ахти какой уровень. На полу линолеум, стены в дешевых обоях, потолок отшпаклеван и окрашен водоэмульсионной краской. Но рассмотреть внутренние интерьеры Полине не удалось. Михаил прямо в прихожей рывком прислонил ее к стене. Девушка коснулась спиной прохладной стены и закрыла глаза... Она решила позволить этому загадочному парню начать, а там видно будет, насколько его страсть, умение, чувственность ей понравятся. Никогда не поздно остановить его...

Она стояла, чувствуя, как жадные руки обхватили ее за талию, его губы коснулись лица, ища ее губы... И Полина поплыла! Она выгибала спину, прижимаясь к Михаилу, ей хотелось самой обхватить его руками, обвить его шею... Она постанывала от удовольствия, она тонула в его губах, в его руках, чувствуя, что больше не в силах сдерживаться...

И тут на лицо ей легло что-то большое, влажное, с резким запахом. В голове все сразу помутилось. Остатки сознания пытались еще цепляться за жизнь... девушка успела расслышать чей-то чужой незнакомый голос:

— Маньяк, б... Тебе сказали привести ее сюда, а не трахать...

Гуров вскочил с постели, отбросив одеяло и спустив босые ноги на пол. Рядом на тумбочке настойчиво и тревожно трезвонил телефон. Кого там раздирает в четыре часа утра?.. Шалов? Да уж... Ничего хорошего ждать не приходится в это время...

— Слушаю, Глеб Сергеевич, — бодрым голосом сказал Гуров в трубку.

— Лев Иванович, простите за ранний звонок, — торопливо заговорил майор, — виноват, но мне показалось, что вы должны узнать об этом сразу...

— Шалов, короче! — повысил Лев голос. — Что за сантименты в четыре утра!

— Да, — чуть замялся Шалов. — Полина Курвихина пропала.

— Пропала? — машинально переспросил Лев и понял, что проснулся окончательно. — Давай подробности.

— Беспокоиться начала Алла Васильевна, ее мать. Девушка не пришла ночевать в прошлую ночь, но это в порядке вещей, мать привыкла. Но утром Полина всегда звонила, а в этот раз тишина. Мать забеспокоилась, подняла на ноги всех друзей, но Полину никто не видел. Уже вторая ночь прошла, а известий никаких.

— Ничего себе, я узнал об этом сразу!

— Мне тоже только что сообщили. Навел кое-какие справки и вот звоню вам. Дело в том, что Алла Васильевна догадалась позвонить следователю, который ведет дело об убийстве ее мужа. А уж он позвонил мне. Час назад.

— Что уже предприняли? — спросил Гуров, прижимая плечом трубку к уху. Он включил кофеварку и полез доставать кофе в капсулах. Никаких латте, черного, только черного...

— Я поднял ваших помощников, Малкина и Борисова. Они, наверное, уже поехали к Курвихиным. Дежурного оперуполномоченного ГУВД я посадил за составление ориентировки. Думаю, через час передадим по дежурным частям всех подразделений города.

— Хорошо. Подготовьте еще задания для оперуполномоченных и участковых на тех территориях, где часто бывала Полина. Клубы, кафе, подружки, друзья. Ну, вы понимаете...

— Так точно, понял. Еще что?

— Утром обязательно обяжите руководителей подразделений уголовного розыска на этих территориях освободить временно по одному оперативнику для взаимодействия с вами. Пока все. Будь на связи, Глеб Сергеевич. Извини, поспать тебе сегодня не придется, на тебе вся координация розыска. Полина Курвихина для нас теперь важнее всех свидетелей, если только это не несчастный случай и не очередной ее крупномасштабный загул.

— Ох, боюсь, вы правы, Лев Иванович. Алла Васильевна сказала, что на двое суток дочь раньше никогда не пропадала. Будем надеяться, что все когда-то случается впервые, и здесь тоже обычный загул.

Гуров приехал на квартиру Курвихиных в половине седьмого утра. Вадик Борисов, старательно делая участливое лицо, успокаивал Аллу Васильевну, Малкин бродил возле открытой настежь двери на лоджию и бубнил кому-то, как понял Лев, описание внешности Полины.

— Здравия желаем, — подскочил со стула Вадик, увидев входящего Гурова.

Алла Васильевна, миловидная женщина лет сорока восьми, с опухшим от слез лицом и кое-как уложенными пышными волосами, испуганно посмотрела на гостя. В ее глазах мелькнули и страх, и надежда, и желание вытерпеть любую муку, лишь бы все обошлось, лишь бы с дочерью ничего страшного не случилось. Потерять мужа, следом дочь... Гуров сразу понял всю эту бурю мыслей и эмоций.

— Алла Васильевна, пока ничего не известно, — быстро сказал он, усаживаясь рядом с Курвихиной на подставленный Вадиком стул. — Пока можно беспокоиться, но для паники оснований нет. Ребята с вами уже побеседовали, обо всем расспросили. Сейчас старший лейтенант Борисов все мне вкратце объяснит. А если у меня возникнут вопросы или вы что-то вспомните, тогда мы побеседуем. Хорошо?

— Никаких известий так и нет? — с затаенной надеждой в голосе спросила Курвихина.

— В нашем случае, Алла Васильевна, — улыбнулся Гуров, — это как раз и радует, что нет сведений. Значит, с Полиной ничего не случилось. А вы можете хотя бы предположить, куда она могла отправиться и с кем? Она при вас не разговаривала по телефону, ничего не обсуждала, не спорила?

— Нет, я не слышала, — тихо ответила Курвихина, слабо качнув головой. — Да она и по телефону в то утро почти не разговаривала. Пару раз с кем-то говорила, но уходила на кухню... и я не слышала разговора. Полина всегда уходит, когда говорит по телефону. Это понятно...

Гуров слушал женщину, а сам оглядывал жилище Курвихиных. Огромная гостиная, пол приподнят перед лоджией, остекление во всю стену, поэтому в комнате очень много света. Только вот атмосфера какая-то странная. Дорогая мебель, дорогая отделка, но нет души, что ли, нет уюта. Большая квартира, но какая-то холостяцкая.

А ведь у Курвихина должна была быть любовница, неожиданно подумал Лев, обязательно должна была быть. Взгляд упал на розовый ноутбук, лежавший в углу дивана.

— Это чей, Алла Васильевна? — Он поднялся и взял ноутбук в руки, нижняя сторона его была теплой.

— Это Полины, Лев Иванович, — тут же ответил Борисов. — Я его с разрешения Аллы Васильевны уже смотрел. У нее вход во все сети паролями защищен. Надо отдавать нашим хакерам, пусть снимают пароли и выводят нас на адресатов. Можно, Алла Васильевна?

— Да, конечно, — с готовностью согласилась женщина.

— Скажите, Алла Васильевна, — вдруг подал голос от окна Малкин. — А вам знакома некая Ольга Березина?

Гуров удивленно посмотрел на оперативника, и тот пояснил:

— Мне сейчас сообщили, что к нам в МУР пришла распечатка телефонных звонков Полины. — Все звонки за последние несколько дней имеют аналоги, с этими абонентами она разговаривала и раньше. Их уже начали проверять. А вот один номер появился вчера всего лишь один раз. Ребята установили, что это некая Ольга Березина. Не упоминала Полина при вас такой фамилии? Может, в разговоре с кем-то?

— Оля? Березина? Нет, не припомню такую. Может, новая знакомая? Наверное, в клубе познакомились...

Крячко сидел в своей машине, свесив одну ногу наружу, и ждал Гурова. Вид у него был задумчивый и немного рассеянный. Даже по тому, как покачивалась нога Крячко, Гуров определил, что напарник чем-то озадачен.

— Ты чего тут грустишь? — спросил он, подходя к машине и облокачиваясь на дверку.

— Я не грущу, я в ступоре, — глубокомысленно ответил Крячко, продолжая смотреть вдаль. — Боюсь тебя сильно расстроить, но у меня складывается впечатление, что Березина тоже пропала.

— Рассказывай, — строго велел Гуров.

— Ну, работает она флористом в цветочном магазине на Кузнецком Мосту. Взяла отгулы на вчерашний и сегодняшний дни. На работе никто не знает, куда и с кем она могла уехать.

— Понял, значит, дома ее нет...

— И соседи не видели ее дня два. Соответственно, поквартирный обход в подъезде ничего не дал.

— Ну, ты меня обнадежил, — вздохнул Гуров и недовольно посмотрел вверх, на окна жилого дома. — Только ниточка появилась и сразу оборвалась. Что по связям Березиной?

— Шалов своих орлов озадачил, ребята землю роют. В Одинцове у нее бывший муж живет, пара подруг вырисовалась, мастер в салоне, у которой она постоянно красоту наводит. Сейчас ее телефоном занимаются. Запросили распечатку звонков у оператора. Будем ждать.

— Не можем мы ждать, — зло бросил Гуров. — Каждый час уменьшает наши шансы. Надо думать, Станислав, думать. Что-то тут должно быть еще. У Курвихина просто обязана быть любовница, потому что у такого энергичного, деятельного, еще не старого и импозантного мужчины не могут быть отношения только с обабившейся, засидевшейся дома женой! Это совершенно точно. А любовницы, как правило, обладают такой информацией, что ни одному другу и ни одной жене не снилось! Ты это и сам прекрасно знаешь.

— А что сразу я! — дернув плечом, засмеялся Крячко. — Ну да, ты, наверное, прав. А мне вот покоя не дает странная связь Полины с этой Березиной. Никогда раньше, судя по распечатке, не созванивались, а тут созвонились, и обе пропали. Я, конечно, отдаю отчет, что они могли созваниваться не с мобильников, а с проводных, могли общаться в сетях и знать друг друга достаточно давно. А вот и последний шанс.

— В смысле? — не понял Гуров.

— А вон видишь, идет-бредет старушка? Она выходила из этого подъезда, когда я подъезжал. И сегодня других старушек из этого подъезда я пока не видел. А кто у нас знает больше все и про всех?

— Ну, тогда получи весь комплект, — оживился Гуров.

Крячко повернулся в ту сторону, куда смотрел Лев, и тут же принялся потирать руки. Из того самого подъезда, в котором он делал поквартирный обход, вышли еще две бабушки с явным намерением усесться на лавочке у подъезда.

— Здравствуйте, бабушки, как ваше драгоценное? — подскочил к ним Стас.

Дальше Гуров разговора не слышал. Он умышленно не стал подходить к лавочке, вполне достаточно одного незнакомого мужчины для этого, а двое уже могут вызвать подозрение. Да и квалификации полковника Крячко для такого простого дела, как разговорить старушек у подъезда, хватит с лихвой. Бабушки отвечали, куда-то показывая руками, и вообще, беседа проходила очень оживленно. Чтобы не ма-

320

ячить и никого не нервировать, Гуров сел на пассажирское сиденье, стал ждать.

— Ну? — нетерпеливо спросил он, когда Крячко вернулся к машине.

— Есть зацепка! — с довольным видом ответил Станислав, усаживаясь рядом и закрывая дверь. — Золотые старушки, сколько за годы службы пользовался услугами таких вот бабушек, столько и не перестаю удивляться. Они все помнят и все знают.

— Может, закончишь прелюдию?

— Короче, Лев, — тихо засмеялся Крячко, — есть у нашей Березиной мужик. Состоятельный любовник. Живет где-то в направлении Ленинградки или Химок.

— Это тебе бабки столько рассказали?

— Это я умею выводы делать, — пояснил Крячко. — Значит, слушай. Есть мужик. Высокий, брюнет, возраст около тридцати пяти или сорока. Он приезжал к подъезду уже раз двадцать и ждал Березину. Она выходила, садилась, целовала его, и они уезжали. Часто ее не было до утра, а утром она возвращалась на такси.

— Состоятельный, — с иронией заметил Гуров.

— Между прочим, бабушки мне символ «Ауди» нарисовали. Они олимпийскую символику помнят, вот по аналогии и запомнили колечки на символе. А «Ауди» — не самая дешевая марка. Есть, конечно, и у них модели и комплектации за восемьсот и девятьсот тысяч. Но бабульки сказали, что машина большая и, главное, высокая. Значит, кроссовер. А это уж не менее двух миллионов.

— Ладно, с этим убедил, Шерлок Холмс, а как ты узнал, где он живет?

— В прошлое воскресенье, дорогой Ватсон, Москву краем северо-запада зацепил короткий, но мощный ливень. Он захватил Химки и коттеджные поселки на Ленинградском шоссе. Бабушки знают об этом потому, что у одной из них как раз в это время приехал зять с внуками. На остальной территории столицы дождя не было. И в тот же день подъехавшая «Ауди» любовника Березиной была такая же грязная!

— Лучше бы они номер запомнили, — с сожалением сказал Гуров.

— Ну, ты многого от бабушек хочешь, — засмеялся Крячко и, сев за руль, завел двигатель.

Они успели доехать до первого перекрестка, когда позвонил Борисов.

— Лев Иванович, новость! — возбужденным голосом сообщил оперативник. — Сегодня придет за расчетом продавец салона, в котором Березина работает. Помните, та, которую мы не смогли опросить и у которой неприязненные отношения с Березиной сложились. Я думаю, с ней обязательно надо встретиться. Завистливые бабы, они такого могут наговорить!

— Знаток! — усмехнулся Лев. — Но молодец, соображаешь. Во сколько она обещала приехать?

— Хозяйка сказала, что будет в течение часа с четырех до пяти. Я могу успеть или Сашку попросить...

— Не надо, мы с Крячко на машине. Я сам поговорю с той дамой. Как ее... Оксана Воропаева, если не ошибаюсь?

Выслушав Гурова, Крячко покивал, прищурился, прикидывая маршрут, потом включил поворотник и решительно бросил машину в крутой разворот через две сплошные. Лев поморщился, но промолчал. Он не любил нарушать, не любил пользоваться своим служебным удостоверением, ограждая себя от законных претензий. Крячко тоже не «козырял» своим удостоверением направо и налево, но относился к привилегиям полковника из Главка уголовного розыска МВД страны более спокойно. Пользовался часто и с удовольствием.

Сейчас в самом деле требовалось экономить время, чтобы застать на месте возможного свидетеля, а не искать ее потом. Ведь эта Оксана из салона уволилась в связи с переездом к своему гражданскому мужу куда-то в Подмосковье. И, скорее всего, она не станет выписываться из нынешней квартиры, так что разыскать ее будет целая морока с учетом того, что она потеряла свой телефон и теперь у нее новая сим-карта.

Цветочный салон пестрел букетами в витринах и большими фотографиями, изображавшими загадочных дам, склонявшихся лицом к пышным букетам, и не менее загадочных мужчин с томными взглядами, предлагавших дамам эти букеты. Крячко нашел место на парковке почти напротив входа и выключил мотор.

— Ну что, я пойду поищу эту Оксану? — предложил он. — Там все равно не поговоришь, так что вести ее придется сюда.

— Давай, — согласился Гуров. — А я дойду до угла, воды куплю.

Минут через десять, возвращаясь из магазина с бутылкой «Аква минерале», Лев обратил внимание на молодого человека, который странно вел себя. Он как будто наблюдал за кем-то. Ухажер какой-нибудь продавщицы, подумал сыщик, прикладываясь к горлышку, или жену ждет из магазина. Хотя, жена цветы покупает, а он снаружи ждет? Чушь...

Парень явно нервничал, выбросив окурок, тут же закурил вторую сигарету. И держался он так, чтобы его не было видно за большими вязами, растущими вдоль газона с легким ажурным металлическим мостиком и ручьем и оформленным большими кусками песчаника. От кого же он прячется? Скорее всего, или от кого-то в магазине, или от кого-то, кто мог появиться справа, от парковки возле универсама.

Гуров стоял в нескольких шагах от машины Крячко и, лениво разглядывая людей, окрестности, незаметно возвращал взгляд к странному парню. Тут в дверях цветочного салона появился Крячко и спокойным шагом направился к мостику. Легко взбежал по трем ступенькам, бросил короткий взгляд вправо и снова неторопливо двинулся по дорожке, выложенной розовым камнем.

Парень за деревьями замер. Теперь он пристально смотрел на двери магазина. Наконец оттуда вышла молодая женщина с черными волосами и очками, поднятыми вверх. Что-то в типаже этой женщины было неприятное. То ли черные волосы, которые совсем не шли ее худому вытянутому лицу, то ли безвкусная одежда, явно собранная с прилавков бывшего Черкизовского рынка.

Женщина торопилась, даже немножко нервничала. Это было заметно. Она тоже свернула к мостику через газон с декоративным ручейком. Гуров обратил на нее внимание лишь потому, что она появилась в поле его зрения. Это была просто привычка смотреть на людей. Всегда, в любой ситуации. Привычка, заложенная с первых лет работы в уголовном розыске.

Такая привычка есть у каждого серьезного опера. Он делает это неосознанно, работает даже не мозг, а подкорка, наметанный взгляд, опыт общения с преступниками. Он сразу видит среди прохожих человека, отсидевшего в колонии, тем более тех, кто сидел недавно. Не по наличию наколок, а по интонациям, порой и жестикуляции, мимике, походке. Очень долго с бывших зэков не сползает этот зоновский налет. С некоторых не сползает никогда.

Гуров хорошо помнил самого себя, когда он впервые ощутил у себя не просто эту привычку, а ее результативность. Это было много лет назад, когда он, будучи молодым лейтенантом, стоял на перроне, ожидая электричку, и обратил внимание на двух молодых мужчин. Лев не сразу и понял, почему стал наблюдать за ними. И только когда эти двое сняли часы с руки спавшего на лавке мужчины и вытащили у него из кармана кошелек, все встало на свои места.

Их взяли. Он же с постовым милиционером тогда и взял. Вскоре выяснилось, что эти двое оказались беглыми «химиками»[1]. И молодой оперативник, лейтенант милиции Гуров, сделал для себя очередной вывод. Оказывается, люди отличаются друг от друга до такой степени, что разглядеть преступника, при определенном опыте и навыках, можно даже в толпе прохожих. При определенных условиях, конечно.

И сейчас у цветочного магазина Гуров совершенно четко понял, что эта женщина сильно озабочена, что она спешит, что у нее неприятная ситуация. И тот парень за ней следит. Нет, он не уголовник, не бывший зэк. Но ему что-то от этой

---

[1] В Советском Союзе в уголовно-исправительной системе популярна была практика за легкие статьи отправлять осужденных на так называемые «вольные поселения» при предприятиях с вредным производством. Так же в поселения переводили осужденных из колоний за примерное поведение. Практически на всех предприятиях химической промышленности имелись общежития вольнопоселенцев, которых и стали в быту называть «химиками».

женщины нужно, и настроен он очень враждебно. Гуров закрутил крышку маленькой пластиковой бутылочки и двинулся наперерез незнакомцу.

— Садитесь, Оксана, — распахнул перед женщиной дверку Крячко. — Поговорим в машине. Чего на ногах...

— Ой! — взвизгнула она и кинулась не в сторону, а как раз навстречу мужчине, следившему за ней из-за деревьев, а теперь оказавшемуся возле нее.

Гуров ожидал чего угодно. Он не особенно переживал за Крячко. Станислав был в хорошей форме, тем более он, опытный боец, вполне мог в одиночку задержать любого преступника, свернуть его в бараний рог и на себе приволочь в полицию. Но сейчас случилось неожиданное. Взлетевший кулак мужчины оказался направлен в лицо Оксане Воропаевой.

При всей неожиданности ситуации Гуров отреагировал молниеносно. Он воспользовался тем, что неадекватный мужчина не видел его приближения, и, подставив руку, помешал ему нанести удар Оксане, а в довершение нанес сильный удар наотмашь зажатой в руке бутылочкой с водой.

Гулкий мощный удар привел к тому, что полупустая пластиковая бутылочка лопнула, окатив водой лицо отшатнувшегося от удара парня. Он схватился рукой за перила мостика, чтобы не упасть, и ошалело уставился на двух крепких мужчин в костюмах, которые смотрели на него со снисходительной иронией. Эти взгляды остудили незнакомца даже больше, чем вода из лопнувшей бутылки, которую он машинально вытирал с лица пятерней.

— Ты больной? — спросил Крячко, аккуратно придерживая Оксану за локоть, чтобы она не сходила с места. — Вызвать тебе кого-нибудь? Санитаров, например...

— Вы кто такие? — наконец заговорил парень. — Чего вам надо от Оксаны? Оксан, это кто такие?

— Во-от, — наставительно заметил Стас. — А вопросы надо задавать прежде, чем кидаться бить в лицо собственную... жену, хоть и гражданскую. Я не ошибся, Оксана?

— Да, — тихо ответила она, недобро блеснув глазами, — это Пашка... муженек мой гражданский... придурок!

325

— Так, — тон парня сменился на повелительный, — я повторяю свой вопрос. Кто вы такие, что вам нужно от этой женщины? И документики мне ваши!

С этими словами Паша ловко выхватил из внутреннего кармана красную книжечку и поднял ее перед лицом Крячко. Гуров в ответ тоже вытащил свое удостоверение и поднес к лицу Павла. Мужчина даже губами начал шевелить, вчитываясь в строчки, и не заметил, как Крячко вытащил из его руки удостоверение, пробежал его глазами и сунул себе в карман.

— Теперь поговорим, старший лейтенант Кретов, — сказал Станислав. — Вы, Оксана, сядьте на переднее сиденье, побережем ваши ноги, а ты, герой, иди сюда.

— Даже старший лейтенант, — хмыкнул Гуров. — Что за отдел?

— Из местного районного, — ответил Крячко вместо Павла. — Уголовный розыск.

— Ты что же, такой ревнивый, что сразу драться лезешь? — с иронией заметил Гуров, разглядывая Павла в упор. — А что же ты на нас не кинулся, а женщину свою ударить хотел? Наверное, гордишься офицерским званием? А?

— Это к службе отношения не имеет, — буркнул Павел, отводя глаза в сторону. — Это личное.

— Это не личное! — взорвался Лев. — Ты с ней семью собрался строить! Детей, наверное, рожать. Воспитывать их, в жизнь выпускать, обществу отдать... А кого ты вырастишь? Мужчин? Или ублюдков, которые ревнуют без причины женщину и чуть что норовят ее в лицо кулаком. А ведь ты наверняка восхищался ее лицом, слова красивые говорил! И как же ты в эту красоту, которая только для тебя, и кулачищем?

— Нервы... — тихо ответил Павел, — не выдержал.

— Я еще с тобой разберусь, как ты с такими нервами в уголовном розыске работаешь. А сейчас стой и молчи, пока мы с Оксаной побеседуем!

— Да, — понял намек Крячко и оперся руками на открытую дверцу машины. — Вы извините, Оксана, что все так с вашим Павлом получилось. Мы и представления не имели, что он такой... такое может учудить. Мы вообще о нем не знали. А нам очень важно поговорить с вами об одной женщине, с которой вы работали вместе. Об Ольге Березиной.

— Березина? — вскинула глаза Оксана, и ее губы сразу характерно изогнулись. Не любила она Березину, это было очевидно. — А что о ней говорить?

— Ясно, ясно, — засмеялся Крячко. — У вас с ней неприязненные отношения. Ну, мы в ваши отношения лезть не собираемся, это ваши дела. Понимаете, нам ваша помощь в другом нужна. Может, вы кого-то из ее знакомых знаете, может, видели и слышали, с кем она позавчера разговаривала. Она ведь пропала.

— Как пропала?

Гуров посмотрел на напарника и чуть заметно покачал головой. По его мнению, не стоило так уж сгущать краски. Вполне можно было сказать правду, что Березину нужно срочно найти, что она важна как свидетель, а полиция, перебрав все ее связи, не может ее разыскать. Но мешать Станиславу он не стал. Уж Крячко-то лучше всех умел разговаривать с женщинами. Имелось у него какое-то особое обаяние, на которые женщины были падки.

— Да, мы никак ее не можем найти, — продолжал Крячко. — Она, может, действительно была такой, что вы ее заслуженно недолюбливали, но вряд ли вы ей желали смерти. Она ведь тоже человек, женщина. Со своими странностями, со своей любовью к какому-то мужчине. И что с ней, где она? А еще она и важный свидетель для нас. Представляете, если...

— Ужас какой! — прикрыла рукой рот Оксана, глядя на Крячко снизу вверх уже совсем другими глазами. — Да я-то чем могу вам помочь? Я же с ней даже не дружила.

— Понимаете, мы уже всех расспросили, кто с ней виделся позавчера, когда она в последний раз выходила на работу, остались только вы. Может, слышали о том, что она спорила с кем-то, или заметили, что она кого-то или чего-то боится, может, к ней приходил кто-то, с кем у Березиной состоялся явно неприятный разговор... Может, в машину к кому-то садилась, кого вы хорошо знаете...

— Садилась, — вдруг подал голос Павел. — Я видел.

Крячко с открытым ртом замер на половине фразы и медленно повернул голову к Павлу. Гуров тоже с интересом посмотрел на угрюмого оперативника.

— Ну? — спросил он. — Давай-ка с этого места поподробнее, Кретов.

— Вы про меня такого ничего не думайте, — недовольно и немного зло начал говорить Павел. — Мне вон ее девки все нервы истрепали...

— Девки ему нервы, видишь ли, истрепали, — взвилась Оксана, но Крячко остановил ее мягким движением руки.

— Да! — рыкнул на жену Павел. — Твои эти... Ты за ней глаз да глаз, а то уведут, да за ней на таких машинах приезжают. С цветами вместе и увезут. Ну и начал ревновать. А позавчера у самого магазина, смотрю, роскошная серебристая иномарка стоит. Тут уж я потерял контроль. А потом вижу, нет, выходит эта ее подружка Ольга и шмыг в эту машину. А этот урод прямо через пешеходную зону ее повез.

— Номер, Паша, номер!

— Номер... номер очень простой — «А 012 АА».

— А марка машины? — спросил Крячко таким тоном, будто боялся спугнуть удачу.

— «Audi A4 Avant», универсал.

— Ну-у, — улыбнулся Лев, — реабилитировался, Кретов, реабилитировался. Я уж думал, что нам тебя судьба в наказание послала, а оно вон как получилось. Ладно, за наблюдательность спасибо, правда, она у тебя не по служебной линии проявилась, но все равно. Молодец!

— Но запомни, — строгим голосом добавил Крячко, показывая на Оксану, которая только успевала крутить головой и ничего толком не понимала. — Не по-нашему это! Еще раз до нас дойдет, что ты жену ударил, еще раз услышим про такое твое поведение, порочащее звание офицера, и... офицером тебе не быть. Не смотри, что суды офицерской чести канули в советские времена. Мы и сейчас найдем на тебя управу. Сейчас и при нас клянись Оксане, что и в мыслях ее даже пальцем не тронешь!

Девушка встала, подошла к Павлу и посмотрела ему в глаза странным взглядом. Кретов, глядя себе под ноги, буркнул:

— Клянусь... больше не трону...

— Эх ты... — не столько насмешливо, сколько с трогательной нежностью вдруг сказала Оксана и нежно обвила шею Павла руками. — Да я тебе так тронула бы, да я тебя, дурака...

Сыщики переглянулись, услышав, как Оксана зашмыгала носом и забубнила уже какие-то нежности плаксивым голосом. Крячко развел руками, как бы говоря, что женщин наших не понять. Он вытащил удостоверение Кретова, сунул Павлу в руку и сел за руль своей машины.

Гуров уселся рядом, бросил последний взгляд на Кретова, обнимавшего Оксану, и полез за мобильным телефоном.

— Шалов, — сказал он, когда майор поднял трубку, — слушай и записывай, Глеб Сергеевич. Автомашина «Audi A4 Avant», кузов типа «универсал», номерной знак «А012АА». Срочно установи личность хозяина машины, адрес и другие виды недвижимости или бизнеса. Березина позавчера уезжала с ним на указанной машине. Понял? Давай! Срочно!

— Вот так, Станислав, — заметил Лев, нажимая кнопку отбоя. — Любой дилетант сказал бы, что нам с тобой дико повезло встретить Пашку Кретова, а тому — запомнить номер и марку машины.

— На то он и дилетант, — хмыкнул Крячко. — Мы могли и не искать больше свидетелей. Могли махнуть рукой на эту Оксану Воропаеву. А мы не остановились и допросили последнего возможного свидетеля. И тут Пашка ее подвернулся. Мы с тобой, Лев, просто до конца сделали свое дело. И это не везение, а закономерный результат. Не бывает такого, что нет свидетелей. Бывает такое, что их просто не находят.

Едва Гуров успел сунуть телефон в карман, как тот снова зазвонил.

— Лев Иванович! — раздался в трубке довольный голос Вадика Борисова. — Есть, определили тот номер из распечатки, который указывался как не определившийся.

— Ну?

— Это номер мобильного, оформленного на автосалон. Березиной в день гибели Курвихина несколько раз звонил человек из автосалона «Фольксваген Центр Германика».

— Ах, какие вы там молодцы! — похвалил Гуров и подмигнул Крячко, переключив свой телефон на внешний микрофон. — Ну-ка, где это?

— Это Химки, — раздался в машине голос Борисова, — два километра по Ленинградскому шоссе после МКАДа.

— Адрес давай, точный адрес!

— Ленинградское шоссе, 18. Телефоны запишите, если надо... 403–34–25, 231–31–31.

Глава 7

Миновав по путепроводу улицу Маяковского, Крячко притормозил и свернул возле торгового центра «МЕГА-Химки» с Ленинградского шоссе на развязку. Миновав кольцо, он снова выехал на Ленинградское шоссе и тут же свернул к двухэтажному стеклянному зданию. На ветру полоскались вертикальные флаги с наименованием моделей, прямо виднелась прямоугольная стела с большой эмблемой «Фольксвагена».

— Ты осмотрись тут, — велел Гуров, когда Крячко припарковал машину у входа, — а я пойду напрямик. Официально.

Станислав исчез мгновенно, скользнув в стеклянные двери. Гуров осмотрелся и неторопливо пошел к входу. Послушно разъехались двери, пахнуло кондиционированным воздухом и запахом новых машин, резины. Сыщик не успел толком осмотреться, обратив внимание, что практически все помещение просматривается камерами видеонаблюдения, как перед ним, откуда ни возьмись, выросла высокая крупная девушка с белокурыми волосами и в белоснежной блузке.

— Здравствуйте, — блеснула она зубами в дежурной, но вполне приятной улыбке. — Чем могу вам помочь?

— Скажите, а кто у вас тут самый главный? — спросил Гуров.

— Что-то случилось? У вас есть претензии по обслуживанию в нашем салоне или к приобретенному автомобилю? Я могу проводить вас в сервисную службу или к старшему менеджеру по продажам...

— Вот-вот, — согласился Гуров с ленивым видом, — давайте, по продажам.

Девушка, недобро цокая каблучками по напольным плиткам, повела сыщика в дальний конец, где виднелась большая стойка, стеллажи с образцами запасных частей или комплектующих, а также кофейный автомат аппетитно коричневого цвета. Лев подумал, что неплохо бы выпить стаканчик кофе со сливками, однако некий молодой человек очень костлявой наружности что-то уловил по взгляду провожавшей Гурова девушки и заспешил навстречу.

— Вот прошу. — Девушка сделала приглашающий жест в сторону молодого человека с бейджем «Илларион» на белой рубашке. — Это Илларион, старший менеджер по продажам. Он ответит на все ваши вопросы.

— Здравствуйте! — тут же вежливо затараторил менеджер. — Какого рода у вас претензия...

И снова началась чехарда из длинных предложений, заранее старательно выстроенных и отрепетированных. И призванных сбить с толку клиента, снять агрессию и нивелировать претензии, а значит, и финансовые потери автосалона. Гуров слушал, наблюдал, старался вставить слово, но не усердствовал. Он тянул время, пытаясь понять, а будут им тут заниматься так, как декларировано: все для клиента, или будут любыми способами «переводить стрелки» на самого клиента. Достать удостоверение никогда не поздно, поздно будет плодотворно «колоть» этих людей.

— Отойдем в сторону, — предложил Гуров и взял менеджера за рукав рубашки. — Вон, куда-нибудь в район кофейного аппарата.

— Вы хотите кофе? Одну минуту! — тут же оживился менеджер, бросив пару коротких фраз проходившей мимо девушке.

Они отошли к пустовавшему столу и уселись по разные его стороны. Гуров сделал равнодушное лицо и сказал:

331

— У меня нет претензий к вашему салону... Пока. Я хотел поговорить с вами как с человеком, который руководит продажами автомобилей в этом салоне. Скажите, вы ведь все сделки знаете, мимо вас ничего не проходит?

— Естественно, — настороженно улыбнулся Илларион. — Любая сделка — это деньги, большие деньги. Я обязательно в курсе каждой продажи. Могу пропустить продажу канистры фирменного масла или одного фильтра, но машину...

— А вам ваши подчиненные рассказывают о потенциальных клиентах или у вас учитываются реальные клиенты, внесшие предоплату?

— Ну, говорить о тех, кто только на словах решил что-то купить, бессмысленно. Конечно, мы опираемся на фактически оплативших клиентов, — ответил менеджер, принимая два стаканчика кофе из рук девушки и протягивая один гостю. — И учитываем в результатах работы только их.

— У вас есть система авансирования? — с наслаждением отхлебывая кофе, поинтересовался Лев.

— Как и в каждом салоне, осуществляющем продажи дорогих вещей, — пожал плечами менеджер и добавил: — Может, вы уже скажете, какого рода у вас проблема?

— Скажу. Кто у вас работал позавчера, вы можете точно назвать?

— Разумеется! Как раз тот же состав, что сегодня.

— И все на месте?

— Все. У вас претензии к кому-то конкретно или вы не знаете, с кем разговаривали по телефону? Кто-то повел себя в беседе некорректно?

Гуров усмехнулся, почесал бровь, размышляя, как бы повернуть разговор так, чтобы он остался в тайне от других, чтобы ни Илларион, ни тот второй, кто разговаривал с Березиной, не захотели об этом кому-то рассказывать до поры до времени. Наконец он решился и произнес:

— Одну девушку ваш сотрудник позавчера обозвал по телефону «рыжей коровой». Мне бы хотелось с ним уладить этот вопрос сейчас и не выносить сор из избы.

Надо было видеть, как у Иллариона вытягивается лицо. Но пришел в себя старший менеджер довольно быстро.

— Это исключено, — заверил он уверенным тоном. — Никто из наших сотрудников не позволил бы себе таких оскорбительных слов в адрес клиента, пусть даже потенциального. Мне кажется, что ваша знакомая не так истолковала слова. Может, стоит пригласить ее, а я приглашу того сотрудника, который, по-вашему, ей нагрубил?

— Без шума и пыли вы можете быстро выяснить, кто позавчера звонил несколько раз вот по этому номеру. — Гуров быстро вытащил блокнот и написал номер телефона. — Клиентку зовут Ольга Березина.

— Как Березина? — явно опешил менеджер. — Березина? Простите, но с Березиной разговаривал я. Она внесла аванс за машину, а позавчера обещала привезти всю сумму... У меня даже оснований не было говорить ей какие-то неприятные вещи, когда она делал покупку у нас на сумму больше полутора миллионов.

Тут зазвонил телефон Гурова, и он, подняв палец и прося этим отложить споры, достал гаджет.

— Значит, так, Лев, — раздался в трубке тихий голос Стаса, — народ тут работает ушлый, на арапа не возьмешь. Я пытался получить информацию о том, не собиралась ли Березина покупать здесь машину, не вносила ли она аванс и тому подобное. Корпоративная этика у них поставлена на высочайшем уровне, не пробиться. Пора доставать удостоверение и идти к начальству, если оно нас не завернет за ордером или повесткой на допрос.

— Все, Станислав, выходи в большой зал, где выставлены машины, и посмотри в дальний угол. Там у кофейного аппарата я со старшим менеджером за столом беседую. А доставать пока ничего не нужно.

Менеджер с явным опасением слушал разговор Гурова по телефону, но держался хорошо, профессионально. Лев снова отхлебнул кофе и продолжил:

— Значит, не было резкого разговора?

— Абсолютно! — заверил менеджер.

333

— М-да... Ну, ладно, разберемся. Какую она модель-то хотела взять?

И менеджер сразу купился на этот вопрос. Он, видимо, решил, что претензия будет снята и обойдется без разборок с солидными дядями известно какой принадлежности. В таких спорах часто нельзя надеяться на собственную службу безопасности, ведь с претензией мог прийти и депутат, и представитель силовых структур.

— «Фольксваген Сирокко», — с готовностью ответил Илларион. — Она внесла примерно три недели назад аванс в сто пятьдесят тысяч. Мы зарезервировали за ней машину с устраивающей ее комплектацией. Позавчера Березина обещала оплатить ровно полтора миллиона. Я ей звонил несколько раз, потому что у нас не принято оставлять такие суммы в кассе. Мы обязаны сдавать их в банк, и хотелось, чтобы Березина привезла деньги до того, как к нам приедут инкассаторы. Она до последнего тянула, не могла ответить точно, оплатит ли наличными или через банк.

Когда Крячко нашел Гурова, Лев тут же поднялся из-за стола и махнул напарнику рукой, чтобы тот шел за ним. Только на улице он остановился и сказал:

— Представляешь, Станислав, какие совпадения нам подбрасывает мироздание! Позавчера ночью убивают Курвихина, и у него из машины пропадает кейс, в котором ровно полтора миллиона. Копейка в копеечку. После смерти отца Полина вдруг начинает зачем-то искать Ольгу Березину, и обе бесследно исчезают. И сегодня мы с тобой узнаем, что в день убийства Березина должна была внести в кассу этого салона ровно полтора миллиона, чтобы выкупить зарезервированную машину. И Курвихин кому-то вез деньги в тот же день, только поздно вечером.

Звонок майора Шалова застал сыщиков в тот момент, когда они садились в машину. МУР получил наконец сведения о личности владельца автомашины «Ауди» с номером «А012АА».

— Погнали, Стас! — возбужденно приказал Гуров. — Я был прав, понимаешь, прав! Гони по Ленинградке налево. Коттеджный поселок Раевский!

— Гоню, гоню, — засмеялся Крячко. — А что случилось, чего Шалов там нашел?

— Помнишь, ты у старушек возле дома Березиной информацию добывал? И про Химки говорил, что где-то здесь может жить ухажер Березиной. И он действительно тут живет! Поэтому Березина в этот автосалон и обратилась. Только непонятно, какого черта Курвихин ей деньги вез? Но связь с этим типом, к которому мы едем, налицо. Вон, указатель направо! Будем искать улицу Лунную, дом 12.

— Пока не факт, что вез именно ей, — вздохнул Крячко. Поселок оказался нетипичным. Оставались еще старые кирпичные дома, возраст которых относился к советским временам, но очень много появилось и дорогих домов с дорогой наружной отделкой, особенно справа вдоль улицы. Там протекала речушка, и эту часть улицы выкупили люди состоятельные.

Ряд разномастных коттеджей теснился, дома как будто жались друг к другу. И не было тут высоких заборов, а были, наоборот, низкие, кованые, за которыми пестрели ухоженные цветники.

— Вот 12-й дом, — показал Крячко пальцем. — Давай проеду чуть дальше, чтобы не маячить...

— Не, не, не, — запротестовал Гуров. — Наоборот, вставай у самой калитки. Все официально. Нам бы вот только в дом попасть. Кстати, посмотри на дорожку перед гаражом!

— Грязные следы, — подтвердил Крячко. — Машина, скорее всего, в гараже, значит, хозяин наверняка дома.

Гуров выбрался из машины, подождал, пока Крячко поставит ее на сигнализацию, и они оба двинулись к калитке, такой же низенькой, как и чисто декоративный заборчик с фасадной стороны дома. Судя по наружной отделке, по дорогой плитке на дорожках, доходы у хозяина были достаточно высокие. И дом был большой, не менее пяти комнат.

Нащупав задвижку, Лев открыл калитку и взбежал по ступенькам на крыльцо. Крячко догнал его в тот момент, когда дверь неожиданно открылась. Бледная худощавая женщина с большими серыми глазами уставилась на двух уверенных мужчин в хороших костюмах, поднимавшихся к ней. Гуров сразу понял, что это не член семьи владельца дома. Что-то в этой женщине было такое... покорное, смиренное, что ли. И на фоне личности Олега Гришина, живущего тут ведущего специалиста в нефтегазодобывающей компании, она совсем не смотрелась. Никак! И незнакомцев она наверняка приняла за сослуживцев своего хозяина, или как она там мысленно называет своего работодателя.

— Вам кого? — успела спросить женщина, явно растерявшись.

— Мы к Олегу Николаевичу! — уверенно и с ноткой снисходительности в голосе ответил Гуров, продолжая идти вперед.

— Он нас ждет, — весело добавил из-за его спины Крячко. Женщина почти машинально отступила в сторону, в последний раз окинув взглядом мужчин с ног до головы. Наверное, осмотр все же убедил ее, что эти двое не похожи на проходимцев. Гуров улыбнулся как можно вежливее и деликатно взял женщину под руку:

— Вы уж нас проводите! А то на улице холодно ждать. Да и неприлично как-то гостей там держать, а по дому без вас ходить неудобно. Пойдемте, пойдемте, проводите нас к Олегу Николаевичу.

— Я вас в гостиную провожу, — обрадовалась женщина, что нашелся выход из положения. — Он сейчас... не один. Вы вот сюда проходите, присядьте, я сейчас Олегу Николаевичу скажу, — сказала она и вопросительно посмотрела на Гурова.

Наступило время называться. Хотя фамилии уже ничего не меняли. Сыщики были в доме, попали они сюда вполне легально, ничего не нарушив. Почти ничего, но в интересах оперативной деятельности это было не важно.

— Передайте Олегу Николаевичу, — с доброй улыбкой усаживаясь на диван, попросил Лев, — что к нему пришел старый друг Крячко, Станислав Васильевич.

Крячко хмыкнул, выразительно посмотрел на напарника и присел на подлокотник кресла ближе к двери.

— А если он в окно сиганет? — спросил он, когда женщина ушла.

— Во-первых, из постели от женщины в окно не прыгают. Из постели женщины выходят недовольно, в халате на голое тело, чтобы выяснить, что за... пришел, которого он и знать не знает. И какого... его впустила домработница. Не сомневайся, Станислав, он выйдет. Варианты возможны лишь с длиной и цветом халата.

— Ну да, — согласился Крячко. — Босоножки у входа я тоже видел, а красная драпировка стен и вот эти картины на стенах вполне располагают иметь длинный темно-коричневый халат.

Через три минуты в коридоре послышались мягкие торопливые шаги, и в гостиную вошел высокий мужчина в шоколадного цвета халате. Глубокие залысины, прямой нос и чувственные губы делали Гришина идеальным типом зрелого любовника. Гостей в халатах не принимают, халаты накидывают, вскакивая из постели любовницы.

— Вы кто такие? — вполне уверенным тоном поинтересовался он, но на втором вопросе все же сорвался на более высокие ноты: — И что вам тут нужно?

— Полковник полиции Крячко. — Станислав показал Гришину удостоверение и кивнул на напарника: — А это — полковник полиции Гуров. И у нас к вам, Олег Николаевич, несколько вопросов. От ваших ответов зависит, поедете ли вы отсюда на работу завтра утром или сейчас с нами в наручниках и прямо в изолятор временного содержания.

— Какие наручники? — заметно побледнел Гришин. — Вы в своему уме? Какие наручники, изоляторы... Что за бред?

— Ольга Березина где? — улыбнулся Крячко, подходя к Гришину вплотную.

— Да здесь она, здесь... Она-то вам зачем? — торопливо заговорил Гришин и вдруг крикнул на весь дом: — Надя! Иди сюда.

Гуров чуть напрягся, но в гостиную вошла прежняя женщина, оказавшаяся Надей. Она явно начинала понимать, что происходит нечто не совсем обычное и правильное. И лицо хозяина выражало слишком заметное негодование.

— Надя, ты сдурела! — закричал на нее Гришин. — Ты почему в дом пускаешь посторонних?

— Это что за новости? — возмутился Крячко. — Надежда впустила в дом работников полиции. Как вы смеете оскорблять женщину? Да еще при свидетелях, да еще в присутствии офицеров полиции! Или вы это прекращаете, или я вам устрою пятнадцать суток, Олег Николаевич. Вы Надежду зачем позвали — чтобы она Березину пригласила. Так просите!

Гуров выразительно глянул на испуганную женщину и махнул ей рукой, чтобы она ушла. Затем встал и неторопливо подошел к ошарашенному от такого напора Гришину.

— Значит, так, Олег Николаевич! Не советую кричать, качать права и вообще активно возмущаться. Самое полезное для дела и для вашей безопасности — это начать сотрудничать с нами, отвечать на вопросы и...

— Моей безопасности? — перебил Гришин.

— Вашей, Гришин, вашей, — подчеркнул Лев. — Речь идет о возможной причастности к убийству, поэтому не усугубляйте ситуацию. Вы еще, видимо, не знаете, полностью погрузившись в любовные утехи, что Березина почти сутки находится в розыске. Пока как свидетель. Мне бы не хотелось думать, что вы ее умышленно тут прятали от полиции.

Гришин замолчал и обессиленно упал в ближайшее кресло. Он старательно тер ладонями виски и о чем-то напряженно размышлял. В коридоре зашуршали быстрые, явно женские шаги, и в комнату впорхнула высокая блондинка в атласном халате, с короткой прической, полными губами и очень выразительными глазами. Она быстро осмотрела всех присутствующих и присела на подлокотник кресла, в котором сидел ее любовник. Гришин мгновенно вскочил и пересел в другое кресло.

— Олег, что это значит? — тут же спросила девушка, и ее глаза стали наполняться слезами. — Кто эти люди, что здесь вообще происходит?

Гуров и Крячко переглянулись. Судя по всему, Березина играет какую-то роль. Она очень нервная, сразу начала плакать и вообще сильно напугана. Это заметно по многим признакам. И сейчас не к себе в управление, не в МУР ее

338

вести, а срочно прямо здесь допрашивать. Медлить нельзя, чтобы не пропал эффект. И действовать надо методом асфальтового катка. Начинать задавать вопросы от очевидного, а потом наращивать и темп, и тяжесть вопросов, переходя уже непосредственно к вопросам о совершенных преступлениях. Давить, давить, давить. Давить эмоционально, психологически.

— Ольга Березина! — не столько спросил, сколько констатировал Гуров. — Вы работаете в цветочном салоне, где не хватает продавцов. У вас недавно уже уволилась Оксана Воропаева. А вы неожиданно взяли отгулы и уехали из города. Вы были любовницей Сергея Владимировича Курвихина и одновременно поддерживали сексуальные отношения с Олегом Николаевичем Гришиным. Вы заказали машину «Фольксваген» в автосалоне «Фольксваген Центр Германика» на Ленинградском шоссе и внесли аванс в размере ста пятидесяти тысяч рублей. В день убийства Сергея Курвихина вы ждали, когда он передаст вам недостающую сумму в полтора миллиона рублей. Он должен был передать ее вам в одиннадцать вечера на Кутузовском проспекте, но вы не успели приехать вовремя. Его убили, деньги пропали, а вас мы находим в постели другого мужчины. Ну, как вы сами можете объяснить столь загадочные хитросплетения этих случайностей, а? Не можете? А вы, Гришин?

— А я здесь при чем? — нервно выкрикнул Гришин.

— Ни при чем? И салон возле вашего дома, и важный свидетель прячется у вас. Свидетель ли? И какова ваша роль во всем этом?

Но Гришин ответить не успел. Ольга вдруг вскочила и, зажав руками голову, начала ходить, как слепая, по гостиной, выкрикивая фразы:

— Да, была, была! Я была его любовницей, но это все уже шло к завершению. Я Олега любила, а Сергея хотела бросить, но жалела его. Между нами уже почти ничего не было! И не надо на меня так смотреть!

— Вы, Гришин, — ткнул пальцем в сторону мужчины Гуров, — знали о том, что Курвихин хотел купить Березиной машину?

— Знал, конечно, — угрюмо ответил тот. — Хотел и пусть покупал бы. Не вижу тут ничего криминального.

— Березина! — повернулся Лев к девушке. — Зачем вас искала Полина Курвихина?

— Она все хотела со мной встретиться, думала, что я что-то знаю о смерти ее отца, — опять сквозь слезы начала отвечать девушка. — А я ведь ничегошеньки не знала, ничегошеньки!

— Собирайтесь оба! — поморщился Гуров и посмотрел на наручные часы. — Говорить с вами тут не о чем. Придется вас официально допрашивать.

— Но почему, что мы такого сделали? — уже навзрыд рыдала Березина. — Нашей-то вины тут нет...

— Полина Курвихина тоже пропала! — неприязненно рявкнул от двери Крячко. — И у нас нет оснований надеяться, что мы вот-вот обнаружим ее в постели своего любовника. Есть у нас основания полагать, что вот с ней-то как раз и случилась беда.

— А я знаю, с кем она уехала! — вдруг выкрикнула Березина. — Или это любовник ее, или знакомый. Я видела, правда. Полина садилась в «Опель» черного цвета, я даже номер запомнила.

— Да ладно! — усмехнулся Крячко. — У вас феноменальная память? Вы все цифры запоминаете, которые вам на глаза попадаются?

— Нет! — горячо запротестовала Березина. — Совсем не феноменальная. Просто... у Сергея телефон заканчивался на такие цифры... мобильный... 124–124.

— И? Номер машины?

— 124... буквы я точно не помню, но что это «Опель», я хорошо видела. Полина садилась в машину возле кафе... Она еще была немного навеселе...

— Место и время! Быстро!

Откинув голову на спинку кресла, Гуров смотрел в потолок. В кабинете майора Шалова было накурено. И даже открытые окна не справлялись с обилием табачного дыма под потолком. Крячко расположился на подоконнике и смотрел на улицу. Сам Шалов сидел за своим столом, барабанил пальцами по его крышке и читал рапорта Борисова и Малкина. Молодые оперативники устроились рядышком на стульях у стены и разглядывали своих старших товарищей.

— Ну, собственно, мы имеем две рабочие версии, — сказал Гуров в потолок. — Либо Полина имеет отношение к смерти отца, либо не имеет. В первом случае дела ее плохи. И мы ее живой не найдем. Во втором случае у нее шансы есть, так как ее, видимо, прячут для того, чтобы ввести в заблуждение следствие.

— А поскольку мы не сошлись пока во мнении относительно причин убийства Курвихина, — подсказал с подоконника Крячко, — то следует предположить, что у нас есть и еще одна дилемма. Либо Полина выкрала документы у Ратманова, либо не выкрала.

— Стас, это побочная линия, — поморщился Гуров.

— Этого мы тоже наверняка не знаем, — упрямо ответил Крячко. — Не исключено, что смерть Курвихина тесно связана с попыткой отжать часть бизнеса Пожерина. Отсюда и давление на Ратманова.

— Ладно, ладно, — отмахнулся Лев и повернул голову к Шалову: — Глеб Сергеевич, не томи, что там по этой машине, по людям?

Майор оторвался от бумаг, сосредоточенно посмотрел на Гурова и вздохнул. Очень не любил майор Шалов работать бессистемно. Все у него должно было быть по порядку. И не просто по порядку, а по его порядку, по порядку, им заведенному. Гуров сейчас его торопил, заставлял этот порядок ломать. Глеб Сергеевич хотел дочитать рапорта, разложить по полочкам информацию и потом уже выдавливать ее в виде первых обоснованных выводов.

— Ребята проделали большую работу, — заговорил наконец майор. — В Москве машин марки «Опель» с цифрами 124 в номере, считая и зарегистрированных в Подмосковье, набралось сорок шесть штук. Борисов вот поработал с Березиной, и она вспомнила первую букву в номере. Буква «С», которая навела девушку на личность Курвихина. Сергей.

— Я полагаю, — решительно вставил Вадик, — что тут сыграло роль чувство вины Березиной перед Курвихиным. Она же его обманывала с Гришиным, она хотела Курвихина бросить, но и машину купить хотела. Мы имеем дело с чисто психологическими принципами...

— Ладно, понял, — остановил опера Гуров. — Потом разберемся, прав ты был или не прав в своих умозаключениях. Давайте уже к машине!

— С буквы «С» и с цифрами «124» «Опелей» у нас набралось всего пять машин. У четверых имеется доказанное и неоспоримое алиби. Нет алиби лишь у одного водителя или машины. Собственно, мы даже не знаем, где эта машина сейчас. Оперативники нашли владельца, сразу поняли, что тут чистая «липа», и на контакт не пошли, оставили человека под наблюдением.

— О-о-ох, — в голос застонал Крячко, не поворачивая головы. — Шалов, ты нас с ума сведешь своей педантичностью!

— Виноват, Станислав Васильевич, но в нашем деле педантичность лучше торопливости. Таким образом, нами установлено, что, скорее всего, Полину Курвихину в день ее исчезновения увезла машина «Опель» с госномером «С124КО», зарегистрированная в Москве на имя Алексея Аркадьевича Бугрова, проживающего в доме 12 по улице Академика Виноградова.

— Где это? — недовольно спросил Гуров.

— У черта на куличках, — ответил Крячко, продолжая смотреть в окно. — Это в районе станций метро «Коньково» и «Тропарево». Недалеко от МКАД. Улицу Теплый Стан помнишь? Так это рядом.

— По нашим данным, — продолжил Шалов, — этот Бугров — пьяница непросыхающий. Участковый его охарактеризовал как злобного, завистливого, но не агрессивного человека. Он давно приглядывается к Бугрову.

— А что с ним не так? — заинтересовался Крячко и слез, наконец, с подоконника.

— Бугров нигде толком не работает, а пьет. Откуда деньги?

— Удалось выявить причастность к криминалу?

— Нет. В том-то и дело, что ничего не выявилось. Но машины у Бугрова нет. Участковый первый раз слышит, что Бугров — владелец «Опеля».

— А Бугров совсем нигде не работает?

— Подрабатывает, так точнее. В своем ТСЖ подменяет дворников на время больничных или отпусков и во время больших работ. Сторожем иногда на автостоянке.

— Надо поднимать родственные связи, — сказал Гуров, — и досконально изучить его связи по месту жительства и работе. Если кто-то оформлял на него машину, то для этого были какие-то основания. Когда, кстати, он по документам купил машину?

— Два с половиной года назад. Главное, что не по доверенности. Сам везде расписывался. Малкин в МРЭО документы проверял.

— Хорошо! — Гуров принял вертикальное положение в кресле и заговорил уверенным тоном человека, все взвесившего и принявшего наконец решение. — Я беру на себя самого Бугрова. Станислав Васильевич очень аккуратно изучает ТСЖ и автостоянку. Очень осторожно, Станислав! Если Бугров имеет отношение к исчезновению Полины, значит, мы можем нечаянно наступить на хвост всей организации, за которой эти дела и тянутся, и девушка тогда погибнет. Твоя задача...

— Моя задача установить связи с криминалитетом и людьми несвойственного Бугрову круга. Кто на него машину оформил, зачем, какие еще дела касаются непосредственно Бугрова.

— Да. Теперь ваша группа, Глеб Сергеевич. Поднимите все документы, все архивы, паспортные подразделения, ЗАГСы. Надо установить родственников Бугрова, места его прошлой работы, может, проживания. Каждую маломальски значимую новость докладывать мне немедленно. В любое время дня и ночи. Это первое. Второе! Завтра утром на планерку вызовите оперуполномоченного разыскника. Того, кто ведет дело о пропаже Полины. Пусть доложит

343

внятный и эффективный план работы. Это важное направление. Вы, Глеб Сергеевич, координируете работу ваших подчиненных, разыскника и связь со всеми задействованными подразделениями города.

Отправиться домой спать после двух напряженных суток, проведенных на ногах, Гурову не удалось. Пришлось ехать в следственный изолятор, потому что оперативники сообщили, что Раззуваев хочет поговорить с ним. Лев ехал по ночной Москве, и, несмотря на усталость, в сон его совсем не клонило. Мозг привычно перерабатывал информацию, сопоставлял факты, делал первые приблизительные выводы. Если Жора, он же Юра Раззуваев, хочет поговорить, значит, хочет поделиться информацией. А почему? Либо испуган, либо выторговывает себе маленький срок. Что ж, если он намеревается свалить все на мертвого Сашу Шмона, то вполне в случае успеха может рассчитывать лет на пять или семь, как нечаянный соучастник. Не намеревался, не знал, просто оказался рядом, а все сделал злодей Шмарков. Уроды! Ладно, послушаем...

Раззуваев, когда его ввели в комнату для допросов, выглядел отнюдь не бодро. Но и не заспанно, как мог бы выглядеть человек, которого только что подняли с постели. Не спится Жоре, ох, не спится.

— Здравствуйте, Лев Иванович, — буркнул Раззуваев.

— И тебе не кашлять, — усмехнулся Гуров и кивком отпустил охранника. — Садись. Слушаю тебя.

— Тут такое дело, Лев Иванович. — Напряженные глаза подследственного забегали по стенам, как будто искали ответы на мучившие его вопросы. — Поговорить нам надо.

— Воздух по комнате не гоняй, — предложил Гуров. — Мне так и передали, что Раззуваев хочет со мной поговорить. Я понял. Говори, вот он я.

— Короче, — нервно дернул щекой парень. — Если я вам свет пролью на это дело, мне скостят малеха годков? Вы там словечко сможете замолвить?

— Мм, вот ты как себе все это представляешь, — грустно заметил Гуров. — Вызываешь полковника, делаешь ему авансы, а он тебя отмазывает перед следователем, перед судьей. И все они, слушая полковника Гурова, грязненько хихикают и потирают нечистые ручки. Что ж, мол, свой своего разве не поймет? Так, что ли? Свой своему всегда услугу окажет. Раззуваев, говоришь? А че! Мы спектакль разыграем на судебном заседании, а в конце пару годков поселения ему, как заблудившемуся в трех соснах, да искренне ставшему на путь чистосердечного раскаяния и исправления. Пусть он там цветочки высаживает...

— Че вы так! — укоризненно пробурчал Раззуваев.

— А как? — устало спросил Гуров. — А как ты себе это все представлял? Ты забыл, Юра Раззуваев по кличке Жора, что ты преступник. На тебе смерть человека, на тебе висят кражи на очень большие суммы, ты входишь в организованную преступную группу. Не докажем? Доказательств полно, и еще будут. Поэтому торговаться и условия ставить даже не пытайся. И я, и твой следователь, и даже судья, мы все делаем одно большое дело — очищаем землю от преступников. От тех, кто мешает жить хорошим людям, которых большинство.

— Так уж... — криво усмехнулся Раззуваев.

— Да-да, осознай, Юрик, эту простую истину. Ты и другие, такие как ты, они лишние люди, они мешают, и идет борьба за то, чтобы их не было. Не физически устранить, а изолировать от общества. А выпускать только таких, кто хочет порвать с преступной жизнью и жить среди людей честно. А тех, кто не хочет, мы будем сажать, сажать и сажать. Чем чаще и дольше такие, как ты, сидят в колониях, тем спокойнее жить остальным. Такая вот философия нашей жизни. Нашей с тобой.

— Значит, «базара» не будет? — угрюмо проговорил Раззуваев.

— «Базара»? «Базара» точно не будет. И «терок» не будет. Если хочешь, будет разговор. Разговор полковника полиции с подследственным. Будет, если этот подследственный хочет следствию помочь, чтобы ожидать от судьи снисхождения. Ожидать! А не выторговывать и гарантировать. Будет с твоей стороны добрая воля, соответственно, и отношение к тебе может стать иным. Поэтому не теряй время, я спать хочу, как пожарная лошадь. Говори, что нужно.

— Ладно, раз так, — кивнул Раззуваев. — Я вам верю.

— Можешь и не верить, — равнодушно зевнул Гуров и демонстративно посмотрел на часы. — Мне твое доверие до лампочки. Ты сейчас о своей шкуре думай.

— А я и думаю! — вдруг зло бросил Раззуваев. — Я который день только о ней и думаю. Спать не могу... жрать не могу...

— Что-то знакомое... — усмехнулся Лев. — Я и жрать не могу, я и спать не могу! Все про Ивана, вдовьего сына думаю... Помнишь, откуда это? Фильм-сказка «Морозко». Детский фильм, сказочка! Так что ты меня своими инфантильными образами не впечатлил. Спать он не может. Не можешь — лежи с открытыми глазами. И нечего тут истерики закатывать. Говори, если есть что по делу.

— Короче... заказали нам того чувака на Кутузовском. Ну, который на «бэхе» был. Как его... Курятин, что ли...

— Курвихин?

— А, да... точно. Следователь его так называл. Курвихин. Короче, Волчара пришел и наколку дал. Говорит, и «точило» ваше, и содержимое.

— Давай по-русски, — поморщился Гуров. — Значит, пришел к вам некто по кличке Волчара?

— Ну да... Волк его зовут. Имени я не знаю, его все так зовут.

— Ладно, потом о его личности. Дальше он вам сказал, где и в каком месте вы должны угнать машину, убив при этом водителя?

— Ну! Я же говорю. Мы тогда неподалеку там были... сорвалась у нас тачка зачетная. Идем, а тут Волк звонит. Говорит, ваш заказ там-то и там-то. Если успеваете, то вперед, а нет, я тогда за ней хвостом похожу и вас наведу. Но, говорит, поторопитесь. Навар приличный. Там «майдан» с «капустой». Вся ваша.

— Этот Волк знал про кейс с деньгами? — осторожно спросил Гуров, задумчиво почесав бровь. — Ты уверен, Юрик?

— Зуб даю! В масть сказал. Мы точно там этот кейс нарисовали. А в нем нашей «капусты» полтора «ляма».

— Что ж вы по-человечески-то говорить не можете, — недовольно скривился Гуров. — Уставать я стал от вашего жаргона. Значит, и номер машины он вам назвал?

— Все в точности!

Лев встал и прошелся по комнате, засунув руки в карманы брюк. Информация была интересной. Более того, она даже переворачивала все имеющиеся версии с ног на голову.

— А что ж ты мне все это рассказываешь? — тихо спросил он, не поворачиваясь. — Рассказал бы следователю.

— Я его не знаю. А в камере пацаны терли, я слышал, что вас блатные уважают. Вы на подлянку не способны. У вас все по-честному, кто кого. Я и рассказал. Только мне теперь, Лев Иванович, кирдык, если кто узнает, что я «развязался». А вы же захотите, чтобы я официально в сознанку пошел.

— Так. — Лев остановился и внимательно посмотрел в глаза Раззуваеву. — Ладно, давай с тобой решать. За жизнь свою не бойся, я тебе гарантирую, что ничего такого, как со Шмоном, с тобой не случится. Это первое. Второе, твоим показаниям цена, если они будут зафиксированы. Вот тогда мы кое-кого быстро прихлопнем, и пискнуть не успеет. Значит, так, Юра, специально к следователю на допрос не просись. Пусть все идет своим чередом. Не надо общество будоражить. Я следователя предупрежу о тебе.

— Спасибо, — с облегчением кивнул Раззуваев. — Я же чувствую, что меня тоже скоро, как и Шмона. Вот помощи и решил попросить.

— Ну-ну, — похлопал парня по плечу Лев, — не бойся. Теперь мы тебя им не отдадим!

Глава 8

Офицеры с шумом отодвигали стулья, собирая со стола бумаги, переговариваясь вполголоса.

— Гуров, Крячко! — раздался среди гула тихих голосов зычный голос генерала Орлова. — Задержитесь.

Когда последний человек покинул кабинет и плотно прикрыл за собой дверь, Гуров и Крячко подошли к столу шефа.

Орлов выудил двумя пальцами из вороха документов на столе скрепленные степлером листы и протянул сыщикам.

— Вам... подарок, — чуть улыбнувшись, сказал он. — И когда вы работать самостоятельно научитесь? Что без меня делать-то будете.

— Н-не знаю, — бегло просматривая содержимое листов, ответил Лев. — Наверное, сопьемся от безысходности.

— Сопьетесь... — рассмеялся Орлов. — Дождешься от вас. Сколько зову вас на «мальчишник»! Приехали бы ко мне на дачу вечерочком как-нибудь. Посидели бы, молодость вспомнили.

— Между прочим, — с сарказмом заметил Крячко, — кто последние два раза менял сроки посиделок, а? Ты же сам и извинялся, что не можешь, что в другой раз! А мы со Львом Ивановичем всегда готовы! А, Лев Иванович?

— Что? — не отрываясь от документов, переспросил Гуров. — Да, было дело... Ты только погляди, Станислав! Вот это оперативность. Да, теперь нам «мальчишника» не видать долго. Работы нам старый друг навалил!

— Ну, много я вам времени все равно не дам, так что к выходным управитесь.

— Да что там? — не выдержал Стас. — Что вы как «монтекристы» все загадками говорите?

— Петр нам помог сэкономить уйму времени, по его заказу нам собрали все родственные связи этого треклятого Бугрова! — довольно произнес Лев.

— Да ну! — расплылся в улыбке Крячко. — Выкладывай!

— Выкладываю... У Алексея Бугрова есть родной брат — Михаил Бугров. Живут они в разных концах Москвы и почти не знаются. Информацию о том, что у Алексея есть машина, наш дорогой начальник нам не принес.

— Но? — продолжил Крячко вместо Гурова. — Я отчетливо слышу в твоей интонации недосказанное и многозначительное «но».

— Правильно слышишь! И сведений, что Михаил ездит на «Опеле», у нас нет. Но брат Алексея Михаил Бугров работает... водителем-охранником. И работает он личным водителем-охранником у... генерального директора

ООО «Нова Групп Инжениринг» Зимина Всеволода Владимировича.

— И что? — не понял Стас. — Лично мне эта фамилия и название этой фирмы ни о чем таком не говорят. Ну, ребята, колитесь!

— А дело вот в чем, Станислав! — вставил Орлов, развалившись в своем рабочем кресле. — Эта «Нова Групп Инжениринг» — полное фуфло. Так, посредственная компания по разработке и продвижению строительных промышленных технологий. Но Зимин помимо этой должности является еще и президентом ЗАО «Холдинг Европейский энергетический комплекс».

— Ух ты! — восхитился Крячко.

— Действительно, название впечатляет, — согласился Орлов. — Но не все так звучно и солидно. Холдинг занимается разработкой нефтяных и газовых месторождений, экономическими и техническими обоснованиями, оценкой запасов, транзитом ресурсов, сетью автозаправок, включая и газовые. И этот холдинг в последние годы очень настырно скупает активы профильных предприятий. Фамилии Зимина вы в документах холдинга нигде не встретите. Там всем заправляет и все подписывает наемный топ-менеджер. А Зимин в тени.

— Значит, нас в этот холдинг никто не пустит, — покачал головой Лев. — И на разработку его оперативным путем, с привлечением специалистов из управления по экономическим преступлениям, уйдут месяцы. А интерес к бизнесу Пожерина просто-таки светится в этом деле!

— Опять Пожерин, — недовольно проворчал Крячко, — опять Ратманов со своим дурацким карьером, опять эта история с похищенными документами. А где тут Курвихин?

— Ну, Курвихин тут, конечно, сильно сбоку, — согласился Лев. — Неужели только совпадение? Совпадение времени его гибели и начала всей этой аферы по отниманию бизнеса Пожерина?

— Заказ! — постучал карандашом по столу Орлов. — Не забывайте, уже выяснилось, что Курвихина все же заказали. Это еще предстоит доказать до конца, но, видимо, так оно и есть. Кто заказал и зачем?

— И еще один очень важный момент! — напомнил Гуров. — Выясняется, что о кейсе с полутора миллионами в машине Курвихина знала только Березина. Многие могли знать, что Курвихин собирал такую сумму, что она у него есть. Но только Березина знала, что в тот поздний вечер Курвихин выехал с этими деньгами из дома...

Старший лейтенант Вадик Борисов любил машины. Он любил ездить на них и быстро, и медленно. Все зависело и от машины, и от личного настроения Вадика в данный момент. Раньше он всегда предпочитал спортивный стиль вождения. Но после одной не очень приятной аварийной ситуации, когда он чуть не лишился прав и чуть не вылетел из органов внутренних дел, Вадик стал ездить спокойнее.

Хотя сам он излагал иную версию. Рассказывал всем, что ощутил прелесть езды на машине, когда сел в настоящий внедорожник. Не какой-нибудь «Ленд Крузер», нет, всего лишь «Мицубиси», обычный паркетник. Но... когда ты сидишь почти на две головы выше всех «девятошников», когда у тебя полный привод, когда у тебя АБС и курсовая устойчивость, то ты ведешь себя совсем по-иному. Солиднее, что ли... И эта машина, которая вообще-то принадлежала отцу Вадика, якобы изменила его отношение к управлению автомобилем вообще.

Сегодня он попросил машину у отца, не объясняя толком, для чего она ему нужна. А нужна машина была для того, чтобы с Сашкой Малкиным совершить задержание. Вообще-то Вадик предпочел бы сам провернуть основную часть операции, а не довольствоваться ролью извозчика. Он вполне обоснованно полагал, что его личного обаяния хватит на десять таких женщин, как эта. А вот Сашка...

Но Сашка плохо водил машину. А еще Сашка Малкин был здоров как бык и мог легко забросить в машину не то что женщину, он мог целый день цемент грузить мешками. Он мог при случае справиться с двумя или тремя мужиками, которым бы взбрело в голову помешать задержанию. Ага, вот и Сашка! Вадик поставил машину очень удачно. Чуть в сторо-

не от декоративного металлического мостика, чтобы из окон цветочного салона ее не было видно. Интересно, а насколько правдоподобно Сашка разыграл свою роль? Долго его пришлось уговаривать...

Саша Малкин, большой и добродушный, шел впереди, и было слышно, как его басовитый голос гудел на мягких нотах. Сашка прокладывал путь, Сашка источал обаяние! Черт возьми, Сашка Малкин краснел от смущения. Вадик смотрел на друга и улыбался. А ведь мало кто знал в отделе, что этот плечистый парень, смелый, находчивый и грамотный оперативник... смущается, общаясь с девушками. Не со всеми, конечно, а с теми, кто ему нравится. Блин, кажется, Оля Березина ему нравилась... Придется вылезать из машины и страховать друга. Как бы он в самый ответственный момент не стушевался.

Вадик вылез из машины и постоял немного, выжидая момента, когда пять его шагов совпадут с моментом появления в нужной точке Сашки и Березиной. Десять, девять, восемь... Он считал шаги и всматривался в лицо девушки. Похоже, она ни о чем не подозревает. Чем-то Сашка ее заболтал, что она идет с ним рядом в нужном ему направлении. Семь, шесть, пять, четыре... левая задняя дверь заперта, и ее не откроешь ни снаружи, ни изнутри...

— Здравствуйте, — со спокойной улыбкой появился перед Березиной Вадик и показал свое удостоверение: — Московский уголовный розыск. Вам необходимо проехать с нами.

Березина шарахнулась назад так, словно этот парень показал ей змею. Стукнувшись о широкую грудь Малкина и обернувшись к нему за помощью, она все прочитала в глазах своего недавнего попутчика.

— Вас велел доставить полковник Гуров, — на всякий случай вставил Вадик.

Девушка вела себя смирно. Наверное, все события последних дней и тем более факт убийства ее бывшего любовника Курвихина давили ей на психику. Она только затравленно смотрела по сторонам и даже не реагировала на голос Малкина, периодически бубнившего, что ничего страшного не произошло, с ней просто хотят побеседовать в связи с вновь открывшимися обстоятельствами. Наверное, она этих вновь открывшихся обстоятельств больше всего и боялась.

И только когда машина свернула на Житную к зданию МВД, Березина заволновалась. А когда Вадик подогнал машину прямо к входу, откуда была хорошо видна табличка «Министерство внутренних дел Российской Федерации», она окончательно сникла.

Оказавшись в кабинете Гурова, девушка спросила сдавленным голосом:

— За что меня?.. Я же ничего не сделала...

— Посадите ее на стул, — приказал Гуров, вглядываясь в бледное лицо Березиной. — И дайте ей воды. Что-то вы, ребята, запугали девушку. На ней же лица нет.

— А что с Павлом? — спросила Ольга. — Он же не виноват!

— Вы спрашиваете или утверждаете? — ответил Лев. — С Павлом Кретовым сейчас беседуют в Управлении собственной безопасности. К нему пока претензий нет. И подозревать его в чем-то пока никто не собирается. А вот к вам, Ольга, вопросов много.

— Спрашивайте. Я ни в чем не виновата, мне нечего скрывать.

— Тогда я буду задавать вам вопросы, а вы уж постарайтесь отвечать на них максимально честно, правдиво и объективно. От этого зависит очень многое, а также судьбы многих людей. Скажите, Оля, кто мог угрожать Сергею Владимировичу Курвихину, кто мог желать его смерти?

— Как... Но ведь это же было... ограбление... — Последние слова девушка произнесла совсем тихо, видимо, уже и сама поняла, что у полиции есть основания полагать иное.

— Не будем спешить с выводами, — посоветовал Гуров. — Квалифицировать преступление будет суд, и вину кого бы то ни было будет определять тоже суд. Мы с вами сейчас лишь собираем информацию, привлекаем факты, находим улики. Еще раз повторить вопрос?

— Не надо... я поняла, — кивнула Березина. — Я не знаю... Может, кто-то и был на него так зол. У него же бизнес, есть подчиненные, какие-то наемные работники... кто-то мог затаить обиду...

— Курвихин отличался злобным нравом, он был садистом? От него подчиненные такого натерпелись, что кто-то мог и убить? Я вас правильно понял?

— Нет, почему же...

— Значит, нет. Вот и я думаю, что у нас в стране не так много неадекватных работников, которые кидаются убивать своих шефов. Значит, причина должна быть посущественнее, чем невыплаченная премия, или наложенный штраф, или увольнение по статье КЗОТа.

Минут тридцать Гуров пытался навести Березину на мысль о том, кто же мог так ненавидеть Курвихина. Ничего нового со времени ее первого допроса он не узнал, и пришлось вбрасывать дополнительную информацию.

— Видите ли, Оля, в процессе расследования вскрылся один неприятный факт. Собственно, из-за него мы вас и пригласили. Заключается он в том, что вы были единственным человеком, который знал, что Сергей Владимирович Курвихин в день своей смерти выехал из дома один, на своей машине и с кейсом, в котором находилось полтора миллиона рублей. Подчеркиваю, никто, кроме вас, не знал об этих деньгах в его машине, которые он вам и вез. И его убили, забрав и машину, и кейс.

— Да как вы... — Ольга вытаращила глаза на Гурова, а через несколько секунд уже рыдала, стискивая лицо руками. — Я не могла... я же его любила...

— Оля! — повысил голос Гуров. — Думайте, думайте! Я же вам сказал, что никто, понимаете, никто не знал о том, что Сергей Владимирович выехал в ту ночь из дома с такими деньгами. Знали вы! Или вы кому-то рассказали об этом, или кто-то это уже знал. Ну? Вспоминайте. Весь тот день, поминутно. Утро, вы проснулись... Где вы проснулись? Дома, на даче у подруги?

И тут Березина вдруг залилась такими слезами, что даже многоопытный Гуров опешил. Интуиция подсказывала сыщику, что близок момент истины, что эти слезы означают не запоздалую реакцию на смерть любовника, а нечто большее.

Более глубокое! Он посмотрел на Малкина и Борисова, расположившихся на диване с чашками чая, и сделал им знак покинуть кабинет. Молодые оперативники переглянулись, кивнули и, держа в руках дымящиеся чашки, вышли в коридор. Гуров пододвинул второй стул ближе к Березиной и присел рядом.

— Ну-ну, — тихо сказал он и положил руку на локоть девушки. — Перестань! Что случилось, что за истерика? Ты же взрослая, сильная!

— Да... сильная, — сквозь слезы ответила Березина, и Гурову на миг показалось, что этой девушке лет на десять больше, чем на самом деле.

Какая-то бесконечная усталость или накопившееся напряжение прорвалось в ней, показало железные ржавые пружины, местами растянутые до невозможности, местами до предела сжатые. И все это готово ломаться, с треском и грохотом разлетаться на мелкие ржавые кусочки, раздирая заодно и человеческую плоть. Гурова передернуло от этих ощущений.

— Какая же я сильная, — успокаиваясь, продолжила она. — Я не сильная, я просто умею не подавать виду. А так я дура. Дура, прогадившая свою жизнь.

— Ну-ну, что ты так, — тихо возразил Гуров. — Тебе лет-то еще...

— Мне — тридцать два. Я уже не гожусь в жены, только в любовницы. И слишком большой хвост за мной тянется, не дадут мне от него избавиться, обязательно найдется какой-нибудь подонок, который напомнит о прошлом, ткнет мордой в грязь... А мне хотелось красивой жизни, денег хотелось, дорогих машин, модных шмоток. Что еще девчонок толкает на панель? Шлюха я, товарищ полковник, и не бывшая, а получается, все еще действующая. Я дорогая шлюха, вы даже не подозреваете, что мне за одну ночь платили столько, сколько вы за месяц зарабатываете. Ну, может, не именно вы... вы все-таки вон в министерстве, полковник, а эти вот гаврики, что меня привезли сюда...

Гуров похлопал девушку по руке, подошел к холодильнику и достал оттуда бутылку воды. Березина открутила крышку и, не дожидаясь стакана, жадно припала к горлышку.

— Вы только Пашке не говорите, ладно? — попросила она, вытирая рот тыльной стороной ладони. — Если можно, конечно. Он хороший, хоть и бешеный. Он за меня любого порвет.

— Хорошо, хорошо, — кивнул Гуров, — подумаем, как решить эту проблему. Ты говори, говори. Тебе надо выговориться, мне надо тебя понять. Так у нас дело и пойдет. А потом вместе и подумаем.

— Спасибо вам... Лев Иванович. Вас же так ребята называли?

И за два следующих часа, выкурив полпачки сигарет, выпив четыре бокала горячего сладкого чая, Ольга Березина рассказала всю свою жизнь. Гуров ходил по кабинету, кивая, садился рядом с девушкой, успокаивая, перебирался на диван, положив ногу на ногу и откинувшись головой на спинку. Он слушал и размышлял. Сейчас ему предстояло решить для себя: а верит ли он этой девушке, правдива ли история и какова мотивация ее поступков. В конечном итоге союзница она или противница? Жертва или злодейка? Рассказать можно многое, и очень правдиво рассказать, а вот какова ее суть?

Приключения у Березиной начались еще в школе, в 11-м классе, когда она почувствовала вкус к красивой жизни. К той жизни, о которой мечтала втайне, которую обсуждала с подружками после фильмов или рассматривая страницы глянцевых журналов... Вот она... так близко... надо просто кое на что закрыть глаза, кое-что перетерпеть, Хотя... терпеть-то почти не приходилось, все давалось очень легко. Наверное, потому, что очень уж хотелось этой жизни... Восхищения мужчин, легких денег, красивых вещей, шикарного отдыха...

Этих парней Ольга знала. Жили они в соседних домах, она с детства видела их во дворе, росла вместе с ними. Только они были лет на пять или на восемь постарше ее. Крепкие ребята, шустрые, умеющие быстро сшибить деньги на каком-то деле. Не особенно пьющие, но любящие, если есть возможность, отдохнуть с шиком, с удовольствием! Многие из подростков им завидовали. Сильным, уверенным. Многие девчонки млели, стоило кому-то из той компании обратить на нее внимание, заговорить. Так произошло и с Березиной.

Весна, короткая юбочка, гладкие ровные ножки, глубокий вырез кофточки, рано развившаяся высокая грудь. И вот уже один из «них» притормозил рядом с Ольгой, идущей с подругами из школы. И он знал, как ее зовут! Это был подарок небес. Подруги уважительно вытаращились на Ольгу, решив, что она вхожа в этот круг. И когда парень, его звали, кажется, Сергей, позвал ее в машину, чтобы подвезти, Ольга спиной чувствовала завистливые взгляды. И она готова была на все, лишь бы эти взгляды сопровождали ее везде и всегда!

Комплименты, шутливое восхищение, предложение вечером посидеть с ними в кафе, покататься по вечернему городу, все это воспринималось как сказочное действие, как нечто из иного мира. Ольга согласилась и вышла в тот же вечер. Нет, все произошло не в тот день и даже не на следующий. Она пила легкое вино, она танцевала, она блаженно позволяла обнимать ее. А потом, примерно через неделю, она попала на вечеринку к одному из парней. Там все и случилось.

Она не помнила его имени. Он был новенький в их компании, или не новенький, а просто редко приходил. Широкоплечий, красивый, с карими пронизывающими глазами и сильными горячими руками. Она танцевала с ним в полумраке гостиной, млея и блаженствуя от его рук... правда, потом эти руки вдруг оказались ниже талии, но... так не хотелось сопротивляться. А вдруг обидится и бросит танцевать... ну, потерпеть немножко, и все... хотя чего терпеть, это же просто руки...

Потом он увлек ее в другую комнату... там было темно, и Ольга сразу включила свет. Парень не возражал. Он принялся целовать ее, ласкать ее тело через одежду, затем потащил на диван у дальней стены. Ольга немного ошалела и заволновалась, когда его рука смело полезла ей под юбку. И тогда у них состоялся этот разговор. Парень предложил не ломаться, а отдаться ему... И не за просто так, не за красивые глаза! За колечко, которое он хотел подарить своей девушке, но та, конечно же, бросила его, изменив с другом. И теперь у него такой стресс, он так страдает...

И она отдалась. Колечко было лишь поводом, оно помогло ей быстрее принять решение и не стыдиться потом. Ну... не очень стыдиться...

И как-то так повелось, что с ней стали спать другие парни из этого круга. За подарки, суя несколько долларовых купюр, со словами, мне было с тобой хорошо, купи себе чего-нибудь. Кончилось тем, что Ольга стала дорогой проституткой. С ней обращались, как с принцессой, сыпались подарки, купюры, ей целовали руки. Все было хорошо, даже слишком хорошо, но вот... когда Ольга решила лет в двадцать шесть завязать с этой профессией и выйти замуж, ее просто не отпустили. Даже все рассказали и подтвердили документально ее жениху.

Потом была только работа. В ее жизни стали появляться более зрелые мужчины. Они знакомились на улице, в ресторанах, клубах. Ольга старательно изображала одинокую, разочаровавшуюся в мужчинах женщину, потом следовала роль женщины, увлекшейся незаурядным мужчиной, и — жаркий секс, отрепетированный до мелочей.

И мечта... Мечта в один прекрасный день увидеть в руке очередного партнера коробочку с заветным кольцом и услышать предложение навсегда быть вместе. Не важно, с кем, лишь бы навсегда, со штампом в паспорте, со сменой фамилии. Она готова была стать хорошей женой, домохозяйкой, матерью, черт возьми! И тут появился Зимин, да-да, Зимин!

С этого момента Гуров слушал очень внимательно и часто переспрашивал, задавал дополнительные вопросы. И постепенно вырисовывался образ Всеволода Владимировича Зимина, человека неприметного, нигде особенно не мелькавшего. Но которого, оказывается, знали многие. С Ольгой Березиной он познакомился на каком-то пикнике, устроенном руководством одного из департаментов правительства Москвы, на котором были и бизнесмены. И как-то так получилось, что именно Зимин увез оттуда вечером Березину, хотя она приехала совсем с другим мужчиной.

Ольга как-то сразу поняла, что ее просто передали из рук в руки. Она безропотно и даже с некоторым удовлетворением приняла подарки и обещания. Не без удовольствия отдалась новому мужчине, который оказался страстным, но и деликатным любовником. И только через месяц она поняла, в какую кабалу попала. Он оказался страшным человеком. Теперь Зимин спал с ней редко и был уже не так деликатен. Зато заставлял Ольгу ложиться под других мужчин, нужных ему. Сначала она расценивала это как своего рода подарки Зимина нужным людям, но потом сообразила, что он просто выведывает у нее, о чем любовники говорили в постели, с кем встречался тот или иной ее партнер, кто ему звонил или кому звонил он.

Она попыталась вырваться из этого ада, но он пригрозил ей таким позором, таким разоблачением, что весь цивилизованный мир отвернулся бы от девушки на веки вечные. И родственники, и друзья... Зимин запугивал, откровенно шантажировал ее. А потом вдруг решил сжалиться. И довод привел вполне разумный — тридцатилетняя женщина уже не так привлекательна, пора и на покой. И денег обещал. Нет, не своих. Обещал устроить так, что деньги у нее будут. Он намекнет кое-кому, с кем Березина еще не окончательно порвала отношения. С кем она еще встречается? С Курвихиным, Гришиным? Гришин жадный... А вот Сергей Курвихин падок до женской ласки...

В половине двенадцатого ночи в кабинете генерала Орлова еще горел свет. Крячко, сидя за журнальным столиком, с большим аппетитом наворачивал прямо из банки ложкой кабачковую икру и рассказывал майору Шалову, что любит ее, заразу, еще с лейтенантских времен. Пристрастился, будучи «зеленым» опером. А ведь тогда не столько магазины были пустыми, сколько на лейтенантскую зарплату много не купишь. Иногда чуть ли не через день приходилось ночевать в кабинете или допоздна задерживаться. А тут все просто: горячий сладкий чай, батон и банка икры. Бывало, кто-то разживался салом, и тогда начиналось пиршество.

— И про водку расскажи, — вдруг сказал Орлов из-за своего стола. — Сало, водочка, для снятия усталости и стресса.

— Это было редко, — не моргнув глазом и старательно облизывая столовую ложку, ответил Крячко. — Мы вели здоровый образ жизни. Учись, майор! Бери пример.

Гуров, только что вернувшийся с ежедневником из своего кабинета, начал рассказывать шефу о признаниях и откровениях Ольги Березиной. Орлов кивал, постукивая карандашом по столу. Он захотел позвать на обсуждение Крячко и Шалова, но Гуров только отмахнулся, объявив, что они все уже и так знают, пусть лучше поедят наконец.

— Понимаешь, Петр, — заключил Гуров свой доклад, — я ей верю. То, как она это рассказывала, нельзя выучить, отрепетировать. Не забывай, у меня дома своя актриса есть. Тут не игра была, тут все искренне. И я еще ситуацию умышленно усугубил, Малкина и Борисова послал ее задерживать, хотя мог просто вызвать к себе или сам приехать для беседы. Она напугана. И она говорила искренне.

— И она не врала, — задумчиво поддакнул Орлов. — Ладно, ты сыщик опытный, тебе виднее. Но не лучше ли все же задержать на пару суток в ИВС?[1] И нам спокойнее, и для дела меньше вреда, если она где-то тебя переиграла.

— Нам спокойнее, — вздохнул Лев, — а ей каково, если она не имеет ко всем этим делам никакого отношения?

— Если... — с иронией повторил Орлов.

— Петр, не цепляйся к словам, — проворчал Гуров. — Ты же понял, что это просто по привычке произнесенное слово.

— Я понял, — недовольно ответил генерал. — Я многое понимаю. И я очень хорошо знаю, дорогой мой Лев Иванович, кто становится проститутками. Не все могут так работать. Проституцией занимаются лишь те, кто может получать от этого удовольствие, несмотря на то что у них постоянно меняются партнеры. Это та категория женщин, которые

---

[1] ИВС — изолятор временного содержания.

с легкостью ложатся в постель к любому, если надо. А кому это противно, кому нужны чувства, уважение, те на такую тропинку не становятся.

— И что же? Это основание не верить Березиной?

— Это основание настороженно относиться к ее истории.

— Как раз нам ее история не очень интересна, она ничего в нашем деле не решает и значения не имеет. Сама выбрала этот путь, сама пусть с него и сходит. А вот врать про Зимина ей резона нет. И вообще в ее рассказе все увязано очень хорошо. Такие проработанные и логичные легенды спецслужбы своим агентам готовят. Чтобы наверняка и без проколов на биографии. Не могла она сама такую совершенную историю себе придумать, слишком много нюансов, нам с тобой хорошо известных.

— Эй, голуби! — гаркнул Орлов в сторону дивана у окна. — Хватит харчиться, давайте-ка сюда.

— Ясное дело, — вытирая салфеткой рот, отозвался Крячко. — Мы — голуби, на орлов пока не тянем.

Дождавшись, пока Крячко и Шалов усядутся, Орлов бросил на них внимательный взгляд и начал говорить:

— В свете доложенного вами, ребята, я полагаю, что Зимина, как возможного претендента на роль организатора преступления, следует разрабатывать в первую очередь. У него есть мотив. Путаный, не очень ясный, но есть. Например, прикарманить полтора миллиона. Это еще надо удостовериться, что Жора и Шмон получили задание убрать Курвихина и забрать себе все: и машину, и деньги. Могли нам соврать. Например, полагают на смягчение приговора судьи. Мол, соблазнили большими деньгами, мы людишки слабые, а основное зло — вон оно, там сидит.

— Да, в этой связи очень неприятно и двусмысленно выглядит факт исчезновения дочери Курвихина на машине, которая принадлежит по документам брату водителя-охранника, работающего у Зимина, — покачал головой Стас.

— Вот именно, — веско заключил Орлов. — Поэтому приказываю! Пожерина к разработке не привлекать, пусть он пока ничего не знает. Его сына — Глеба Ратманова — тоже. За обоими установлено наблюдение, пусть пока сами проявят себя, если есть чем.

— Зимина надо тоже понаблюдать, — предложил Гуров. — Хорошо бы начать разрабатывать его не по нашему департаменту, а по линии экономической деятельности.

— Думаешь так? — Орлов на миг задумался. — Хотя ты прав, если он что-то и поймет, то будет думать, что им интересуются наши коллеги. Не стоит его пугать, если он причастен к смерти Курвихина. Но Бугровых вы берите на себя!

— Так точно, — тут же ответил Шалов. — Младший брат Алексей уже взят под наблюдение. Отрабатываются его нынешние и прошлые связи.

— Старшим братом займемся мы со Станиславом Васильевичем, — добавил Гуров. — Надо подумать, какой оперативный ход тут можно применить. Времени нет глазеть на него в оптику и записывать бесконечные разговоры с бабами. Кстати, у нас уже появились первые странные впечатления. Есть ощущение, что братья не знаются. Ни соседи, ни дружки Алексея не припомнят, чтобы Михаил появлялся, принимал какое-то участие в жизни брата.

— Это объяснимо, — пожал плечами Орлов. — Один успешный, имеет хорошо оплачиваемую работу, особа, так сказать, приближенная к такому бизнесмену, как Зимин. Второй — спившийся тунеядец. Как говорится, гусь свинье не товарищ. Но есть один нюанс, который всю эту характерную видимость перечеркивает...

— Это машина, — согласно кивнул Гуров. — Машина, которой владеет Алексей Бугров, но которой никто у него никогда не видел. Мы учли это, Петр Николаевич! Мы организовали в ГИБДД одну хитрую операцию. Эту машину задержат, как только она появится на улицах Москвы. Задержат по подозрению в совершенном ДТП, а потом выяснится, что это ошибка, и водителя отпустят. А машина пока постоит на штрафной стоянке.

— Не вспугните! Зимин хитер.

— Самого Зимина мы пока трогать не будем. А вот его окружение, я думаю, подбиралось не про принципу большого ума, а по принципу личной преданности.

Гуров вышел из служебной машины в половине двенадцатого и осмотрелся. Молодой человек спортивного телосложения, в джинсах и черной летней куртке, отделился от неосвещенной части стены и двинулся в его сторону.

— Здравия желаю, — тихо сказал он, окинув сыщика цепким взглядом. — Пойдемте, товарищ полковник.

Гуров хмыкнул, но послушно пошел следом. Молодой человек открыл дверь подъезда магнитным ключом и вошел внутрь первым.

— Вы меня в лицо знаете? — не удержался Лев от вопроса, пока они поднимались на старом лифте на девятый этаж.

— Нет, я вас впервые вижу, — одними губами улыбнулся молодой человек. — Я видел машину из МВД, вы вышли из нее точно там, где я и предлагал. И потом... Даже по вашему костюму видно, что вы полковник.

— Ну, спасибо! — не очень весело пошутил Гуров. — Значит, во мне за версту видно полицейского?

— Нет, не переживайте, — выходя из остановившегося лифта на техническом этаже, сказал молодой человек, включая фонарик на своем мобильном телефоне. — Я просто увидел подплечную кобуру. Пойдемте вот сюда... осторожнее, тут проволоки какие-то сверху висят. Глазом не заденьте.

Гуров чертыхнулся и тоже достал телефон. Им пришлось идти каким-то узким и низким коридором. Вдоль одной стены тянулись кабели и скрученные провода. Слева неожиданно открылось почти пустое квадратное помещение. За легким раскладным столиком сидел парень в наушниках, который энергично что-то жевал, запивая душистым кофе из пластикового стаканчика. На двух треногах возле маленького окна стоял сильный микрофон направленного действия и еще нечто, напоминающее симбиоз подзорной трубы и цифрового фотоаппарата.

Парень в наушниках обернулся на звук шагов, отсалютовал стаканчиком и буркнул с полным ртом:

— Здоров! Ты с кем это?

— Это полковник Гуров из Главка уголовного розыска.

— Здравия желаю. — Даже в темноте было видно, как парень расплылся в благодушной улыбке. — Ваши, значит, по-

362

допечные? Хотите послушать? У них тут все явно к сексу уже идет.

— Что вы болтаете! — недовольно бросил Гуров, принимая наушники.

Старею, что ли, подумал он про себя с некоторым неудовольствием. Чего я сейчас накинулся на него? Ведь знал, мне же сообщили, я ведь за этим и приехал сюда. Так нет... надо поворчать. Они молодые, им весело. А еще им кажется, что мужчина и женщина, которым за пятьдесят, о сексе уже и не думают...

Гуров выехал из Управления с целью повидаться и задать еще несколько вопросов Ольге Березиной. Почти сразу, как только машина выехала из ворот, ему по телефону позвонил генерал Орлов. Он ошарашил сыщика тем, что наружное наблюдение зафиксировало визит Зимина к Ирине Ратмановой — матери Глеба Ратманова. Гуров поперхнулся, и водитель служебной машины даже предложил похлопать его по спине. Реакцию старого друга Орлов оценил и после короткой многозначительной паузы добавил, что, по полученным сведениям, Зимин бывал у Ратмановой за последние две недели уже дважды. И каждый раз вечером. Сегодня он приехал к ней в начале одиннадцатого. И, видимо, не собирается уезжать, потому что машина с водителем ушла. Да и судя по репликам, которые слышат с помощью приборов наблюдатели, становится ясно, что он приехал с ночевкой.

Сейчас Зимин и Ратманова были на кухне. Точнее в той зоне большой однокомнатной квартиры-студии, где располагались кухонные приборы и стоял обеденный стол. Голоса звучали непринужденно, понятно было почти все. Зимин поднял бокал, и послышался мелодичный звон стекла... Очевидно, о бокал Ратмановой. О, вот и первые выводы! Зимин высказался относительно своей усталости, то есть как бы пил «с устатку». А женский голос предлагал выпить все же за то, что она его увидела сегодня. Ей с самого утра что-то подсказывало... А ведь она ему надоела? Зачем пришел? Жена еще больше надоела?

— Где сейчас жена Зимина? — не оборачиваясь, спросил Гуров.

— В санатории, — тут же ответил один из парней. — У нее проблемы с печенью и обменом веществ. Она часто ездит лечиться, в основном недалеко, в Подмосковье.

— Хорошо вы эту семью изучили, — поощрительно заметил Лев.

— Работа такая, — засмеялись за его спиной.

А в квартире женский голос высказался на тему, что она безумно рада его приходу. Потом послышались звуки отодвигаемых стульев. Гуров подождал немного и перевел микрофон на второе окно.

«Сева... — прошептала женщина. И это прозвучало хоть и тихо, но так красноречиво. — Родной мой, как ты долго не приходил...»

«Ну, ладно, ладно, — так же тихо прозвучал мужской голос, но в нем были совсем иные интонации. Как будто мужчина старательно отдирал от себя липнущую женщину. — Ну, подожди... Дай после еды передохнуть... А то опять, помнишь... в боку заколет».

Женщина засмеялась. И смех этот был не счастливый, а какой-то половинчатый. Хоть так, хоть пообещал, хоть поговорил на эту тему. И ведь побежит сейчас к столу убирать посуду, а потом шмыгнет в ванную, надеть сексуальное белье с кружавчиками. Может, брызнет духами, а потом опомнится, что не должно от женатого мужика чужими духами пахнуть... Глазки чуть подведет, грустно рассмотрит увядающую шею, поправит отвисшую грудь...

Гуров снял наушники и, не глядя, сунул одному из парней. Слушать не хотелось. Конечно, слушать надо, это работа, и ничего тут постыдного нет. Но эту работу должны делать эти вот двое оперативников. Пусть и делают, раз сегодня это их работа, а он не будет. Да-а! Вот тебе и новая загадка. Зимин явно любовник Ратмановой. И явно, что давно. А у Ратмановой сын от Пожерина. И все это крутится вокруг гибели человека в этой семье, к их связям отношения не имевшего.

А если Глеб сын не Пожерина, а Зимина? А если у Зимина любовные отношения с тех еще пор? Да нет, чушь и бред! Столько в любовниках не ходят. Черт, а если Глеб сын и не

364

Пожерина, и не Зимина? Если он сын Курвихина? И Курвихина убили, чтобы скрыть эту тайну? Что-то меня не туда понесло, подумал Гуров, молод Курвихин для того, чтобы быть отцом Глеба. Что он его, в шестнадцать лет сделал? Нет, не то! Не то!

Лев потер пальцами виски и принялся расхаживать по пустому, темному и пыльному помещению технического этажа. Не то, тут другое важно... Что-то тут просится, какое-то противоречие... Он остановился, повернулся к парням, которые с интересом наблюдали за полковником из Главка, и требовательно проговорил:

— Так, кто мне ответит на вопрос, а сколько лет жене Зимина?

— Она на девять лет моложе его, — тут же ответил один из парней. — А ему... 51, значит, ей 42.

Гуров молча кивнул и подошел к окну. Вот! Вот что ему не давало покоя! Законом не предусмотрено, уликой не является, но элементарная житейская мудрость, просто жизненный опыт подсказывают, что любовниц заводят, как правило, возрастом моложе жены. Особенно если мужчина и сам уже не мальчик. А когда спят с дамами в возрасте, то тут существуют две причины: либо он извращенец, и его тянет к пожилым, либо это отношения корыстные.

Гуров улыбнулся. Судя по рассказам Березиной, Зимин был тот еще кобель! И Льву из ее слов не показалось, что Зимин как-то уж тяготеет к дамам пятидесятилетнего возраста. Значит? Значит, Ратманова ему нужна, ему нужны с ней близкие отношения. Настолько близкие, чтобы она таяла около него от счастья, стелилась под него, а он... Ему что от нее нужно? От матери Глеба, у которого кто-то выкрал документы, подставив дочь убитого Курвихина, с целью захвата бизнеса бывшего любовника Ратмановой и отца ее сына? О как! Всю цепочку на одном дыхании, усмехнулся Лев. Еще бы логика в этой цепочке была.

А ведь, в принципе, все просто. Зимин подставляет дочь Курвихина, представив дело так, что документы она выкрала у Глеба. К ней возникают претензии, о которых узнают многие. А следом убивают ее отца! Куда ведет след? К Глебу! К его родному отцу, которого Глеб долгое время не знал, — к Пожерину. И либо Пожерин соглашается на сделку и продает выгодно Зимину часть своего сверхдоходного бизнеса, либо обвинение его сына, а косвенно и его самого, в сокрытии налогов, причастности к убийству отца Полины. А потом и к похищению самой Полины как важного свидетеля, которого надо подержать взаперти до выяснения, нужна она для показаний или опасна.

— Готово, товарищ полковник, — вдруг сказал оперативник в наушниках.

— Что готово? — не понял Гуров. — Вы о чем?

— Они в постели, — рассмеялся парень, стащил с головы наушники и протянул Гурову: — Она его все-таки затащила. Слушать будете или мне отдуваться? А то я человек легко возбудимый...

— Послушайте, вы, — сквозь зубы процедил Лев и вплотную подошел к оперативнику: — Ваша фамилия, звание?

— Капитан Климов, — уж совсем другим тоном ответил тот. — Виноват, товарищ полковник, допустил в вашем присутствии непозволительную вольность.

— Вы не поняли, капитан Климов! Вы не вольность в присутствии старшего офицера себе позволили, вы перешли грань между долгом офицера полиции перед гражданами своей родины и цинизмом бездушного и пошлого человека. Вы вправе ненавидеть и презирать Всеволода Владимировича Зимина, за которым ведете наблюдение, вы вправе, не дожидаясь решения суда и опираясь на свой опыт и имеющиеся данные, считать его преступником. Но вам, капитан Климов, никто не давал права с таким цинизмом относиться к несчастной одинокой женщине! К женщине, которая не нарушала закона, которой просто не повезло в жизни, у которой никогда не было нормальной семьи. И эта женщина достойна жалости мужчины и офицера, но никак не презрительного цинизма и ваших пошлых намеков! Вам все ясно?

— Так точно, товарищ полковник, — чуть ли не щелкнул каблуками обескураженный оперативник.

Глава 9

Михаил Бугров решил, что лучше сделать это сегодня. «Опель» стоял грязный с той самой поездки, и шеф давно велел его помыть. Чего он боялся, Михаил не понимал, мало ли грязи в городе и за городом. Да и мыть самому машину не хотелось. А тут еще такой удобный вечер: шеф завис у бабы на всю ночь, пользуясь тем, что жена укатила в санаторий. Обидно вечер терять, тут дел-то на пятьдесят минут.

Ближайшая автомойка располагалась в двух кварталах. Там Михаил всегда мыл служебную машину, на которой возил Зимина. Там его знали и всегда принимали без очереди, объявляя другим водителям, что он по записи. И Михаил посмотрел на часы, довольно улыбнулся и сел за руль.

Он уже почти подъезжал к автомойке, когда из припарковавшегося у обочины белого «Форда» ДПС вышел плечистый старший лейтенант и поднял жезл. Скучно, что ли, беззлобно подумал Михаил. Чего я тебе нарушил? Он остановился и, не глуша мотор и опустив стекло, небрежно спросил:

— Че, командир?

— Документы ваши предъявите, пожалуйста, — постным дежурным голосом попросил офицер.

Михаил с сарказмом шевельнул бровями, мол, чего с вами делать, одной рукой вытащил из внутреннего кармана лежавшей рядом на сиденье куртки бумажник и выудил оттуда права и регистрационное свидетельство на машину. Старший лейтенант забрал документы и неторопливо двинулся в обход машины, сверяя номера. Михаил мысленно взвыл. Ну сколько же можно? К чему эта демонстрация своей власти? Да если я шефу скажу, один только звонок, и вы все тут на дорогах, кто ниже по званию подполковника, будете на задних лапках скакать.

— Выйдите, пожалуйста, из машины, — подойдя к открытому окну, не то приказал, не то попросил старший лейтенант.

— На фига? — не удержался Михаил и с раздражением вылез из машины. — Слышь, командир, что не так-то? До-

367

кументы в порядке, страховка есть, я туда вписан, сейчас покажу, если не веришь...

— Ваша машина находится в розыске, — постным голосом изрек инспектор и продолжил обход машины, но теперь уже сзади.

— Чи-иво? — Михаил аж присел от неожиданности, но тут до него стало доходить, что ведь эту машину могут и правда начать искать по показаниями хоть какого-то, хоть самого задрипанного, но свидетеля.

— Ваша машина могла быть участником ДТП, в котором пострадала женщина, — бубнил старший лейтенант, обходя машину и присматриваясь к отдельным деталям кузова.

— Какое ДТП, какая женщина? — с облегчением затараторил Михаил. — Где следы, командир? Где я попадал в ДТП, каким местом?

— Выправить вмятины на кузове и закрасить в наше время можно за сутки, — без всяких эмоций ответил инспектор. — А ДТП произошло три дня назад. Ваша машина будет задержана до выяснения причастности или непричастности. Забирайте свои вещи из машины, давайте мне ключи и перейдите в патрульную машину для составления протокола.

— Ты че? — не на шутку взбеленился Михаил. — Сбрендил? Я сейчас только один звонок сделаю... Ну-ка, отдал мне документы...

Излишняя эмоциональность, которую Михаил обычно сдерживал в рабочее время, теперь вырвалась наружу. И в самый неподходящий момент. Из патрульной машины ДПС выбрались и лениво двинулись на звуки спора еще двое инспекторов. Парни были плечистые, на губах у каждого играла нехорошая ухмылочка. Что-то подсказывало, что эти инспектора не очень-то побаиваются мифических звонков куда-то наверх и что они большие любители размяться после долгого сидения в машине. Например, размяться, утихомиривая непослушного или сопротивляющегося законным требованиям водителя. Желательно с закручиванием рук за спину...

— Проблемы? — поинтересовался с улыбкой один из подошедших инспекторов и положил тяжелую руку на плечо Михаила.

Гуров услышал торопливый топот ног в коридоре и устало откинулся на спинку кресла, отодвинув в сторону ноутбук. Он не ошибся, это были Борисов и Малкин, которые с радостным возбуждением ввалились в кабинет. Как дети, подумал Лев, неужели и я таким был в их годы? Неужели и для меня эта работа была наполовину игрой? Хотя нет, клевещу на ребят. Это не игра для них, просто они делают свое дело с удовольствием. Это уже часть их жизни. Значит, толк из них будет!

— А шуму-то, шуму! — усмехнулся он, глядя на молодых оперативников.

— Давай ты, — толкнул локтем Малкина Борисов. — Сегодня у шефа хорошее настроение, а я его только испорчу.

— Интересно у вас роли распределены, — заметил Лев. — Давайте-ка к делу. Как все прошло?

— Прошло нормально, — прогудел Малкин, взяв чуть ли не двумя пальцами стул и поставив его к столу Гурова. — Позвонил дежурный из ГИБДД, мы выехали...

— Нет, так жить дальше невозможно, — взвился на своем стуле Вадик. — Лев Иванович, давайте я расскажу, Сашка только все испортит. Значит, звонит дежурный, говорит, что патрульная машина остановила нужный нам «опелек» с номером «С124КО». И главное, всего в трех кварталах от нас, но там такая жуткая пробка! Я давлю на газ, мы летим по тротуару, сбиваем две урны, на нас вылетают двое в канареечных жилетах и машут жезлами. Я, не останавливаясь, выбрасываю Сашку объясняться и гоню дальше.

— Живописно, — кивнул Гуров. — Голливуд отдыхает.

— Ага, — расплылся в довольной улыбке Вадик. — Я прилетел на место, а нашего Бугрова уж пакуют. Что-то он там пытался возникать и угрожать связями. За понятого я, понятное дело, не сошел. Все ведь должно быть чисто, вдруг кто вздумает проверить. Я, правда, Бугрову военным старшим лейтенантом представился, но грозился, что рапорт в полицию все равно напишу. Пока его «приходовали», тут и Сашку привезли. С почестями!

369

— Результат? — со вздохом напомнил Гуров, что время тратится на красочный рассказ впустую.

— В результате, — энергично махнул рукой Вадик, — один «радиомаячок» мы ему воткнули сзади в воротник куртки, второй в шов брючного ремня его джинсов. Синхронизация компьютером идет автоматически. У какой дорожки качество лучше, на тот микрофон аппаратура и переключается.

Малкин предупреждающе поднял палец, приложил руку к уху и скосил глаза вбок. Вадик мгновенно замолчал и уставился на друга.

— Опять с кем-то разговаривает, — прошептал Сашка, как будто его могли услышать там, где был сейчас Михаил Бугров. — В прошлый раз это был таксист... он такси взял...

— Адрес? — тут же спросил Гуров.

— Он в Щукино подался, — подсказал Борисов. — На Маршала Новикова. Там группа его «пасет» на двух машинах.

— Это он по телефону говорил, — сказал Малкин. — Кому-то сообщил, что уже на месте. Гул такой, как будто он в помещение вошел с высокими потолками. Я так думаю, что, когда его инспектора остановили и машину стали забирать, он с кем-то условился об этой встрече. Наверное, сейчас начнет «крышу включать».

— А машину куда оттащили?

— На штрафную стоянку на Шеногина, — ответил Вадик. — Все официально. Ее поставят там под навес или в бокс, но так, чтобы с улицы ее не было видно. Глеб Сергеевич уже экспертов отправил. Они этот «Опель» за час весь прощупают и обнюхают.

— Кофе заказал, — бросил в пространство Сашка Малкин. — Голос у нашего Михаила недовольный. Я сейчас на внешний динамик переключу.

Он вытащил из-за пояса прямоугольную коробку приемника сигнала и положил на стол. Увидев, что у Гурова включен ноутбук и к нему подключены колонки, Малкин вопросительно посмотрел на Льва, а уже через минуту из колонок на столе послышался легкий гул голосов, соответствующих помещению кафе.

— Из-за соседнего столика народ поднимается, — определил Вадик.

— А это он на телефоне номер набирает, — добавил Малкин. — Его номер прослушивается?

— Да, со вчерашнего вечера, — ответил Гуров.

И только минут через тридцать из динамика послышались приближающиеся уверенные шаги, потом кто-то с шумом подвинул стул и уселся. Голосов слышно не было. Шуршала одежда, что-то легкое упало на стол, видимо, пачка сигарет, потом щелкнула зажигалка. Гуров сложил руки на груди, откинулся на спинку кресла и стал слушать. Что-то подсказывало, что разговор будет важным. Хотя он ведь сам организовал Бугрову эти «неприятности», собственно, какого-то такого разговора он и ждал. Отсюда и «прослушка», и группа наблюдения вокруг водителя Зимина.

— Ну, чего хотел? — прозвучал вдруг неприятный голос.

— Помощь твоя нужна, — ответил приятный баритон.

— Моя? — удивился обладатель неприятного голоса и коротко рассмеялся, словно ворона прокаркала. — А че ж тебе твой шеф не помогает? Ты вроде всегда губы гнул, что он тебе отец родной, что ты за ним, как за каменным забором...

— Серый, кончай! — резко оборвал говорившего Бугров. — Тут дело такое... Зимин с меня сам три шкуры спустит.

— Оба-на, — засмеялся человек, которого назвали Серый. — Ты че, накосячил? Бугор, ну ты даешь! Ты всегда такой правильный был, все у тебя с шефом было по понятиям. А теперь что?

— Прихват в полиции нужен, — пропуская мимо ушей издевки, продолжил Бугров.

— Что за дела? — уже другим тоном спросил Серый.

— Тачку на штрафстоянку забрали.

— Какую тачку? Зимина, что ли? Да ее же каждый...

— Тихо ты, — понизил голос Бугров.— «Опель» тот, понимаешь?

— Каким макаром? Ты че гонишь?

— Блин, Волк, хорошо тебе с твоим жаргоном...

Кличка Волк сразу резанула слух. Гуров напрягся и увидел, что Малкин и Борисов вопросительно глянули на него. Значит, не забыли про какого-то Волка или Волчару, который ходил в помощниках у Зимина. Вот, значит, с кем Бугров встречается!

— ...ты же можешь нормальным языком говорить? — продолжал недовольно ворчать Бугров.

— Все, кончил? — выслушав до конца нытье Бугрова, спросил Волк. — Давай, колись, что там за хрень у тебя с машиной?

— Зимин велел ее помыть. Она стояла с тех пор, как я на ней привез эту... ну, ты понял...

— И че?

— И то! Я погнал ее на мойку, а там дэпээсники. Они меня остановили, документы проверили. Там по документам все чисто, ты же знаешь! А они мне стали втирать, что, по их сведениям, эта машина участвовала в крупном ДТП с жертвами. И водитель скрылся с места происшествия.

— Так не было такого? — вкрадчиво спросил Волк.

— Волчара, ты че? — повысил голос Бугров, потом опомнился и снова заговорил тише: — Конечно, не было. Она стояла все это время на парковке в третьем ряду. Я ее и не трогал с тех пор.

— Зуб даешь?

Бугров удивил всех слушателей в кабинете тем, что длинно и смачно выругался. Симпатичный парень, в меру интеллигентный, а вот не прошло даром общение с уголовниками. Волк что-то снова прокаркал, наверное, смеялся. Потом серьезно сказал:

— Ты че кипишишься? Нет на этой тачке ничего, ну и пусть полицаи развлекаются, тебе чего?

— А если она понадобится, а если завтра Зимин задание даст? Что я ему скажу, он же прибьет меня!

— Он тебя не прибьет, он тебя выгонит, — насмешливо заметил Волк. — Пойдешь ты параши выносить. Ты же ничего не умеешь.

— Как это, ничего не умею. Я — классный водила.

— Таких водил, как ты, в городе несколько миллионов. А как только «крыши» зиминской у тебя не будет, то тут тебе «легавые» все и припомнят. А где сам-то Зимин сейчас?

— У бабы.

— У этой, что ли? — снова с карканьем засмеялся Волк. — У старушки своей? Че она ему сдалась? Молодые кончились в столице?

— Нужна она ему для чего-то. Я сам слышал, как он кому-то из партнеров по телефону говорил, что тошнит, а надо.

— Во понятия у вас, похлеще, чем в зоне. Сынка подставляет, его мамашу трахает, его папашу из бизнеса бортует. Ничего святого! Короче, Бугор! Хотя, какой ты Бугор, ты прыщик. Короче! Сиди и не рыпайся. Начнешь тачку выручать — привлечешь к себе внимание «уголовки». Оно нам сейчас не надо. Усек? Пусть думают, что у тебя к ней интереса нет. Но если они там чего-то найдут, то смотри... я за так из-за тебя к хозяину не пойду.

— Да не... чего они там найдут!

Гуров не стал звонить с помощью домофона внизу. Он воспользовался магнитным ключом, который ему дали оперативники, наблюдавшие за Зиминым. Ирина Андреевна Ратманова очень неохотно согласилась на эту встречу. Гуров сразу понял, что вызывать ее в полицию, даже к себе в МВД, бесполезно. Она сразу замкнется, как только узнает, о чем пойдет речь. Единственная возможность поговорить с ней по душам, хоть как-то заставить ее раскрыться — это встреча на ее территории. У нее дома.

И звонок снизу тоже может все испортить. Секунда, и Ратманова изменит намерение, не пустит его. Она и так колебалась почти постоянно, не надо ей давать время на раздумье. Пока полковник Гуров еще не пришел, вроде бы нет и опасности, но стоит ему появиться в поле зрения женщины, и былые страхи снова могут возобладать. Лучше сразу, лучше звонок в дверь, она открывает, и вот он я... природная воспитанность не позволит ей не впустить гостя. Ну а дальше уж самому не оплошать...

— Проходите! — Ратманова посторонилась, едва глянув Гурову в лицо. Она не спросила документов, не посмотрела подозрительно за его спину на лестничную площадку.

Лев вошел, старательно вытер ноги и чуть было не последовал за женщиной в гостиную. Эту ошибку надо срочно исправлять. За чаем разговор уже изначально доверительный, потому что враги чаи не попивают друг с другом. А, во-вторых, женщина, угощающая гостя чаем, уж точно его не выгонит.

— Ирина Андреевна! — Гуров торчал столбом посреди прихожей как раз у поворота на кухню. — Не сочтите за нахальство. Чашечку чаю с дороги. Пить хочу весь день, а чай — лучший утолитель жажды.

— Хорошо, не хитрите, — кивнула Ратманова, но в уголках ее рта мелькнула еле заметная улыбка. — Так что вы хотели узнать о Глебе? — налив Гурову чай в большой красивый бокал спросила она.

— Много чего, Ирина Андреевна, — ответил Лев. — Вот вы его мать, вы ведь наверняка скажете, что ваш сын самый честный на свете, вы ни на йоту не сомневаетесь в этом.

— Я нисколько не сомневаюсь, что мой сын не способен сделать подлость, — после короткой паузы ответила женщина. — Честность в вопросах налогообложения — вопрос риторический. Это азартная игра с государством, в которой побеждают тузы в рукаве самого государства.

— Интересная мысль для домохозяйки, — похвалил Гуров.

— Это не моя мысль. Эта мысль принадлежит одному моему знакомому.

— Всеволоду Владимировичу Зимину, — кивнул Лев, прихлебывая чай. — Он мог такое сказать, он собаку съел на этом деле.

— Вы и о нем знаете?

— Да, конечно, мы же знакомились с вашим окружением, а из отношений с Зиминым вы тайны не делали. Так вот, что касается вашего сына. Вы знали, что он часть камня из карьера отпускает, не проводя продажу через кассу. Вижу, как вы реагируете, и сразу оговорюсь. Мой визит неофициальный. Я не следователь, я работаю в уголовном розыске, и никакие ваши слова не станут доказательством чьей-то вины. Мне нужно все это знать, чтобы побыстрее сориентироваться во всех этих событиях.

— Да, знала, — твердо ответила Ратманова. — У нас с сыном доверительные отношения, и я многое знаю о его делах. О краже у него документов тоже знаю, если вы надумали спросить и об этом.

— И вы знали, что Глеб часто берет документы домой? И что у него есть сейф для этого?

— Которым он так редко пользовался. Это мы с отцом настояли, чтобы он установил в квартире сейф. Но Глеб очень легкомысленно к этому относился. Он полагал, что дома находится в безопасности и что про документы никто не знает.

— А что Зимин по этому поводу говорил? — поинтересовался Лев. — Тоже сетовал, что Глеб не пользуется сейфом и что у него документы валяются по всей комнате?

— Почему валяются? Он так не говорил. Но он тоже мне советовал поговорить с сыном, чтобы тот серьезнее относился к таким вещам.

— До кражи? — быстро спросил Гуров.

— Что?

— Я говорю, Зимин на эту тему говорил до кражи у Глеба документов или после?

— Конечно же, до того, — пожала Ратманова плечами. — Какой смысл давать такие очевидные советы после. Глеб и сам понял все как надо. Об этом следовало бы побольше говорить его отцу. А Александр Иванович слишком легкомысленно поступил тогда и поступает не менее легкомысленно сейчас.

— Вы имеете в виду Пожерина?

И тут Ратманову прорвало. Она минут пятнадцать изливала Гурову душу о том, какой это человек, Пожерин. И то он делает не так, и вон то он делает не как все люди. И сына он портит, подарив ему бизнес, вот Зимин...

И очень скоро, путем несложной комбинации вопросов, Гуров выяснил, что Зимин, в отличие от Пожерина, человек серьезный и правильный. Он свои дела ведет не так, не портит молодых людей дурацкими подарками. Ты подари бизнес, но занимайся им на первых порах сам или назначь человека, который будет учить, подсказывать, советовать. Чем вот эта история с документами закончится? А если их отнесут в налоговую?

— Зимин тоже что-то хочет подарить Глебу? — как бы между делом спросил Гуров.

— Нет, там все серьезно. Всеволод хочет оформить на меня долевое участие в нефтеперерабатывающем бизнесе. Но управлять он будет на первых порах сам. Не на мальчишку, а на меня, чтобы Глеб постепенно начал учиться серьезному делу...

Михаила Бугрова привели в кабинет майора Шалова в наручниках. Гуров, сидевший у окна в удобном кресле, поморщился и велел снять их.

— Сейчас ты, Михаил, посидишь и послушаешь, — сказал Гуров Бугрову. — Говорить пока ничего не надо. Я бы рекомендовал тебе, наоборот, не пытаться даже рта раскрывать, а то это будет расценено как давление на свидетелей и добавит тебе отрицательного веса в глазах судьи. Сейчас ты сядешь вон туда за ширму. И с тобой рядом будет оперативник... чтобы ты не дергался. Малкин, займись.

Саша Малкин, как пушинку, снял Бугрова со стула и отвел за приготовленную в углу ширму. Там задержанного ждал еще один стул. По знаку Гурова в кабинет ввели Алексея Бугрова. Младший Бугров выглядел старше своего брата, но сегодня был опрятно одет, чисто выбрит и только мешки под глазами да землистый цвет лица выдавали в нем пагубное пристрастие к алкоголю.

— Садитесь, Алексей, — предложил Гуров. — Я сейчас попрошу вас еще раз повторить все то, что вы нам рассказали час назад. Сначала про машину, которую оформили на вас и которую вы больше не видели.

— Да, года три назад, точно уже и не помню, мой брат, Миха, старший брат, пришел ко мне и попросил помочь. Он машину хотел купить, а оформлять на себя боялся. Что-то у него тогда с женщиной не ладилось, с сожительницей. То ли он боялся, что она в суд на раздел имущества подаст, то ли еще каким образом его этой машины лишит, короче, так вот мы и поступили. На меня оформили, а ездил он.

— Какой марки машина?

— «Опель Корса». Черная.

— У вас хорошие отношения с братом?

— Да хреновые! Ой, простите... Плохие. Раньше были хорошие, а сейчас он совсем знаться со мной не хочет. Он там при делах, при деньгах. Я тоже могу работать, ты помоги брату, я ведь и лечиться готов был... не могу я сам пить бросить... пытался. Я и деньги у него за машину брать уже перестал. Думал, денег не будет и пить буду меньше, а один черт...

— Какие деньги за машину?

— Ну, он вроде благодарности мне за помощь выделил. Ежемесячно по пять тысяч привозил. А я пропивал. Когда из налоговый квиток приходил за машину платить, кто-то из его парней приходил и забирал его. Сам Мишка уж и перестал навещать-то меня.

— Хорошо, Алексей, побудьте пока в соседней комнате.

Бугрова-младшего увели, а Малкин вывел на середину и снова посадил перед Гуровым Михаила. Гуров дотянулся до диктофона на столе и нажал кнопку.

— Фонограмма номер один, Михаил, ваша встреча с Волком в кафе «Аэлита» в Щукине. Как раз после того, как у вас работники ГИБДД отобрали машину «Опель» с номерным знаком «С124КО». Слушаем.

И потянулась запись в том виде, в каком ее слушал Гуров вместе с Вадиком Борисовым и Сашей Малкиным в самый момент встречи. Так сказать, онлайн. Михаил сидел, опустив голову, и никак не реагировал.

— Итак, приказы вы с Волком получаете от Зимина, машину оформить на брата велел вам Зимин. Задания особой секретности вы выполняли на этой машине. Более того, за те несколько часов, что ваша машина простояла на штрафной стоянке, ее досконально изучили наши эксперты. Вам потом дадут для ознакомления документы с результатами.

Я пока просто перечислю. Есть свидетельские показания, доказывающие факт времени и места, когда в вашу машину садилась Полина Курвихина. С того момента ее больше никто не видел. Кстати, она находится во всероссийском розыске. В этой машине между пассажирским сиденьем и стойкой двери найдена сломанная сигарета со следами женской губной помады и слюны. Курвихина в пьяном виде во время вашей поездки пыталась прикурить, сломала сигарету и уронила ее на пол. Также присутствие в вашей машине гражданки Курвихиной подтверждается наличием ее отпечатков пальцев.

Бугров молчал, глядя в пол. На его побледневшем красивом лице выступили капельки пота. Наконец он разлепил губы и хриплым голосом произнес:

— А я и не отрицаю, что она садилась в мою машину. Спросили бы сразу, я бы и подтвердил. Покатались, а потом я ее высадил. Не помню, кажется, на Садовой и высадил.

— Миша, — ласково заговорил Гуров, — вся ваша гоп-компания тянет на организованную преступную группу, если ты еще не понял. А это каждое из ваших преступлений квалифицирует уже по-особому! У вас же их набирается... Умышленное убийство Курвихина, шантаж с целью захвата бизнеса, кража автомашины, похищение человека. И это еще при том, что я надеюсь найти Полину живой. Если мы найдем ее труп, то ты можешь вполне рассчитывать лет на двадцать пять. А это практически пожизненное заключение, потому что ты оттуда через двадцать пять лет или не выйдешь совсем, подохнув от тоски и злобы, или выйдешь, но немощным, больным стариком с пошатнувшейся психикой и мизерной пенсией. И жить тебе на воле не больше лет пяти. Все, Миша... Тебе отсюда уже не выйти, учти это. Но есть и лазейка — добрая воля спасти Полину. Она жива?

Последние слова Гуров рявкнул таким голосом, что даже Саша Малкин, возвышавшийся осадной башней рядом с Бугровым, вздрогнул от неожиданности. Бугров повел шеей так, будто ее сдавливала веревка...

— В Щукине она. Рядом со школой старая котельная есть, там в подвале он ее и держит. Зимин сказал, что ей оттуда выход только один. Если Пожерин артачиться будет, он его подставит трупом Полины. Ну, типа, они с сыном месть ей устроили за украденные документы.

— Что за бред? — Малкин вопросительно посмотрел на Гурова. — Он что, совсем идиот?

— Нет, Саша, — покачал головой Лев, — он просто так сказал, для этих двух идиотов. На самом деле ему Полина нужна была как свидетельница, которая обезопасит его от показаний Березиной и от показаний Глеба Ратманова. Он ее запугает, да уже запугал, и она скажет все, что ему надо. Может, жизнью матери шантажировать станет.

Через два дня в следственном управлении были собраны все участники того дела, за исключением непосредственных исполнителей, содержащихся в СИЗО. Следователь проводил очные ставки, дополнительные допросы. В конференц-зале сидели те, кому не воспрещалось общаться друг с другом. Глеб Ратманов сидел у стены, прижавшись к ей затылком. Справа от него, сгорбившись, сидела постаревшая мать, а слева хмурый отец Александр Иванович Пожерин. И вот по коридору провели Зимина в наручниках. Зимин чуть замедлил шаг и посмотрел на Ратманову. Ирина Андреевна тут же опустила глаза и закрыла лицо руками.

Глеб обнял мать и стал поглаживать по голове. Пожерин вздохнул, встал и, обойдя сына, сел по другую сторону от Ратмановой. Он положил ей руку на локоть и стал что-то говорить. Ратманова вдруг подняла заплаканное лицо и с болью в голосе резко бросила:

— Он ведь умудрился заставить меня ненавидеть тебя, Саша. Ненавидеть! Он меня и против сына настроил... Как я могла, как я могла... дура, дура!..

В конференц-зал бодрым шагом вошел Крячко. За ним следовала поникшая и безвольная Полина Курвихина. В волосах девушки Лев заметил несколько прядей седых волос.

Крячко нашел его взглядом, взял девушку под локоть и повел к ряду кресел. Но тут случилось необычное. Глеб Ратманов поднял глаза на Полину, и этот взгляд как будто разбудил ее, вернул к жизни. Она остановилась, оглянулась на парня, и по ее изможденному лицу потекли слезы.

— Ты... — хрипло проговорила Полина. — Как мог ты... сильный, крепкий парень, подумать на меня...

— Не надо, Полина, — тихим голосом попытался урезонить девушку Крячко.

— Надо! Очень даже надо! Ты посмотри на меня, Глеб! Я — слабая девушка, которую оболгали, обвинили, которую прятали, чтобы ею затыкать рты свидетелям. И все из-за чего? Из-за твоих поганых бумажечек, из-за твоего поганого желания обмануть налоговую и больше денег положить в карман. Из-за того, что для тебя люди уже не люди, а инструменты для зарабатывания денег, для экономии денег, для плотских утех, для навешивания ярлыков!.. Ты вырос негодяем еще до того, как папа подарил тебе бизнес...

Глеб вскочил на ноги, лицо его пошло пятнами... За одну руку его держал отец, на другой повисла мать. Крячко обнял Полину и, усадив в сторонке, принялся успокаивать подручными средствами. Парень стоял как истукан, бегая глазами по залу.

— А ведь она права, Глеб! — громко сказал Гуров и встал со своего места. — Она права в том, что за своими делишками ты перестал замечать людей. Так бизнесменами не становятся. Так становятся вот такими Зимиными, как тот, что недавно прошел тут в наручниках.

— Я-то в чем виноват? — пробормотал Ратманов.

— Тебя использовали, Глеб. Как салфетку, как зубочистку. Использовали и выбросили. А ты и не понял. Потому что сам привык всеми пользоваться. Уже привык, хотя бизнесменом еще и не стал. А в результате Зимин со своими помощниками убил ее отца, чтобы все ниточки вели к нему, к Сергею Владимировичу Курвихину. Полина — его дочь, у вас конфликт из-за похищенных якобы ею документов. А все для того, чтобы тебя запугать и заставить твоего отца продать часть супердоходного бизнеса. Использовали они твои слабости, твои низменные инстинкты, а пострадала она, — указал Лев пальцем на Полину, — и ее отец. Уж он-то тут совсем был ни в чем не виноват. Он был просто назначен умереть. Понимаешь, его назначили те, кто считает, что им все можно, что им позволено использовать других, как они того хотят.

Гуров повернулся и пошел к выходу. У двери он остановился и снова повернулся к Глебу Ратманову:

— Не становись таким, Глеб. Ты же видишь, сколько горя вокруг сеется из-за этого и как ломаются судьбы людей...

Содержание

Литературно-художественное издание

ЧЕРНАЯ КОШКА

Леонов Николай Иванович
Макеев Алексей Викторович

ЗАПРЕДЕЛЬНОЕ УДОВОЛЬСТВИЕ

Ответственный редактор *А. Дышев*
Редактор *Т. Чичина*
Художественный редактор *В. Щербаков*
Технический редактор *И. Гришина*
Компьютерная верстка *Г. Дегтяренко*
Корректор *Т. Бородоченкова*

ООО «Издательство «Э»
123308, Москва, ул. Зорге, д. 1. Тел. 8 (495) 411-66-86; 8 (495) 956-39-21.
Өндіруші: «Э» АҚБ Баспасы, 123308, Мәскеу, Ресей, Зорге көшесі, 1 үй.
Тел. 8 (495) 411-68-86; 8 (495) 956-39-21.
Тауар белгісі: «Э»
Қазақстан Республикасында дистрибьютор және өнім бойынша арыз-талаптарды қабылдаушының
өкілі «РДЦ-Алматы» ЖШС, Алматы қ., Домбровский көш., 3«а», литер Б, офис 1.
Тел.: 8 (727) 251-59-89/90/91/92, факс: 8 (727) 251 58 12 вн. 107.
Өнімнің жарамдылық мерзімі шектелмеген.
Сертификация туралы ақпарат сайтта Өндіруші «Э»
Сведения о подтверждении соответствия издания согласно законодательству РФ
о техническом регулировании можно получить на сайте Издательства «Э»
Өндірген мемлекет: Ресей
Сертификация қарастырылмаған

Подписано в печать 19.08.2015. Формат 60x90$^1/_{16}$.
Гарнитура «Newton». Печать офсетная. Усл. печ. л. 24,0.
Тираж 5000 экз. Заказ 6121.

Отпечатано с готовых файлов заказчика
в АО «Первая Образцовая типография»,
филиал «УЛЬЯНОВСКИЙ ДОМ ПЕЧАТИ»
432980, г. Ульяновск, ул. Гончарова, 14

ISBN 978-5-699-83187-6